KB096484

독립 운동 민족의 얼

김구

백범일지 '나의 소원' 자서전

142주년 탄생 기념

김구 백범일지 : '나의 소원' 자서전

발 행 | 2018년 02월 21일
저 자 | 김구
펴낸이 | 한건희
펴낸곳 | 주식회사 부크크
출판사등록 | 2014.07.15.(제2014-16호)
주 소 | 경기도 부천시 원미구 춘의동 202 춘의테크노파크2단지 202동 1306호
전 화 | 1670-8316
이메일 | info@bookk.co.kr

ISBN | 979-11-272-3364-8

www.bookk.co.kr

독립 운동 민족의 얼

김구 백범일지 '나의 소원' 자서전

142주년 탄생 기념

김구 지음

목차

들어가는 말

김구
金九(1876-1949) 독립운동가·정치가.

백범(白凡). 본명 창수(昌洙). 김구(金九)로 이름을 개명하였다. 17세 때 소년 훈장이 되었으며, 동학당에 가입하여 동학혁명에 참가하였다. 동학농민운동을 지휘하다가 일본군에게 쫓겨 95년 만주로 피신하여 김이언(金利彦)의 의병단에 가입하였다. 이듬해 귀국, 일본인에게 시해당한 명성황후의 원수를 갚고자 일본군 중위 쓰치다를 살해하고 체포되어 사형이 확정되었으나 고종의 특사로 감형되었다.

이로부터 항일무력활동을 시작, 결사단체인 한인애국단을 조직, 1932년 일본왕 사쿠라다몬 저격사건, 상하이 훙커우 공원 일본왕 생일축하식장의 폭탄투척사건 등 이봉창·윤봉길 등의 의거를 지휘하였다. 1910년 대한민국임시정부가 충칭(重慶)으로 옮길 때 이를 통솔하였고, 한국 광복군 총사령부를 설치, 사령관에 지청천(池青天)을 임명하고 1944년 대한민국임시정부 주석에 선임되었다.

8·15광복 후 귀국하여 '한국독립당' 창설과 함께 당수가 되었으며, 민족 통일 총본부 부총재·민주의원 총리를 역임하였다. 1947년, 과도 정부에 반대하고 남북 협상에 참가하였으나 실패하였다.
1949년 6월 26일 경교장에서 육군 포병 소위 안두희에게 암살당하였다. 국민장으로 효창공원에 안장되었으며, 저서로는 "백범일지(白凡逸志)" 가 있다.
1962년 건국훈장 대한민국장이 추서되었다.

저자의 말

이 책은 내가 상해와 중경에 있을 때에 써놓은 글을 한글 철자법에 준하여 국문으로 번역한 것이다. 끝에 본국에 돌아온 뒤의 일을 써놓았다.

애초에 이 글을 쓸 생각을 한 것은 내가 상해에서 대한민국 임시정부의 주석이 되어서 내 몸에 죽음이 언제 닥칠지 모르는 위험한 일을 시작할 때에 당시 본국에 있던 어린 두 아들에게 내가 겪은 일을 알리자는 동기에서였다.

이렇게 유서 대신으로 쓴 것이 이 책의 상편이다. 그리고 하편은 윤봉길 의사 사건 이후 중일전쟁의 결과로 독립운동의 기지도 기회도 잃어, 목숨 던질 곳 없이 살아남아 다시 올 기회를 기다리게 되었으나, 그때에는 내 나이 벌써 칠십을 바라보아 앞날이 많지 않으므로 주로 미주와 하와이에 있는 동포를 염두에 두고 민족 독립운동에 대한 나의 경륜과 소회를 고하려고 쓴 것이다. 이것 역시 유서라 할 것이다.

나는 내가 살아서 고국에 돌아와 이 책을 출판할 것은 몽상도 아니 하였다. 나는 우리의 완전한 독립국가가 선 뒤에 이것이 지나간 이야기로 동포들의 눈에 비치기를 원하였다. 그런데 행이라 할까 불행이라 할까, 아직 독립의 일은 이루지 못하고 내 죽지 못한 생명만이 남아서 고국에 돌아와 이 책을 동포 앞에 내어놓게 되니 실로 감개가 무량하다.

나를 사랑하는 몇 친구들이 이 책을 발행하는 것이 동포에게 다소의 이익을 드림이 있으리라 하기로 허락하였다. 이 책을 발행하기 위하여 국사원 안에 출판소를 두고 김지림 군과 삼종질 홍두가 편집과 예약, 수리의 일을 하고 있는 바, 혹은 번역과 한글 철자 수정으로, 혹은 비용과 용지의 마련으로, 혹은 인쇄로 여러 친구와 여러 기관에서 힘쓰고 수고한 데 대하여 고마운 뜻을 표하여 둔다.

끝에 붙인 '나의 소원' 한 편은 내가 우리 민족에게 하고 싶은 말의 요령을 적은 것이다. 무릇 한 나라가 서서 한 민족이 국민생활을 하려면 반드시 기초가 되는 철학이 있어야 하는 것이다. 이것이 없으면 국민의 사상이 통일되지 못하여 더러는 이 나라의 철학에 쏠리고 더러는 저 민족의 철학에 끌리어 사상의 독립, 정신의 독립을 유지하지 못하고 남에게 의지하고 저희끼리는 추태를 나타내는 것이다.

오늘날 우리의 현상으로 보면 더러는 로크의 철학을 믿으니 이들은 워싱턴을 서울로 옮기자는 자들이요, 또 더러는 마르크스, 레닌, 스탈린의 철학을 믿으니 이들은 모스크바를 우리의 서울로 삼자는 사람들이다. 워싱턴도 모스크바도 우리의 서울은 될 수 없는 것이요 또 되어서는 안 되는 것이니, 만일 그렇게 주장하는 자가 있다고 한다면 그 자는 예전에 도쿄를 우리 서울로 하자던 자와 다름이 없을 것이다. 우리의 서울은 오직 우리의 서울이라야 한다. 우리는 우리의 철학을 찾고 세우고 주장하여야 한다. 이것을 깨닫는 날이 우리 동포가 진실로 독립정신을 가지는 날이요, 참으로 독립하는 날이다.

'나의 소원'은 이러한 동기, 이러한 의미에서 실린 것이다. 다시 말하면 내가 품은, 내가 믿는 우리 민족철학의 대강령을 적어본 것이다. 그러므로 동포 여러분은 이 한 편을 주의하여 읽어주셔서 저마다의 민족철학을 찾아 세우는데 참고를 삼고 자극을 삼아주시기를 바라는 바이다.

이 책에 나오는 동지들 대부분은 생존하여 독립의 일에 헌신하고 있으나 이미 세상을 떠난 이도 많다.

최광옥, 안창호, 양기탁, 현익철, 이동녕, 차이석, 이들도 다 이제는 없다. 무릇 난 자는 다 죽는 것이니 할 수 없는 일이어니와 개인이 나고 죽는 중에도 민족의 생명은 늘 있고 늘 젊은 것이다. 우리는 우리의 시체로 성벽을 쌓아서 우리의 독립을 지키고, 우리의 시체로 발등상을 삼아서 우리의 자손을 높이고, 우리의 시체로 거름을 삼아서 우리의 문화가 꽃을 피우고 열매를 맺게 해야 한다. 나는 나보다 앞서서 세상을 떠나간 동지들이 다 이러한 일을 하고 간 것을 만족하게 생각하고, 감사하게 생각한다. 내 비록 늙었으나, 이 몸뚱이를 헛되이 썩히지 아니할 것이다.

우리나라는 내 나라요, 남들의 나라가 아니다. 독립은 내가 하는 것이지 따로 어떤 사람이 하는 것이 아니다. 우리 민족 삼천만이 저마다 이 이치를 깨달아 그대로 행한다면 우리나라의 독립이 아니 될 수 없고, 또 좋은 나라,

큰 나라로 이 나라가 보전되지 아니할 수도 없는 것이다. 나 김구가 평생에 생각하고 행한 일이 이것이다.

나는 내가 못난 줄을 잘 안다. 그러나 내가 아무리 못났더라도 국민의 하나, 민족의 하나라는 사실을 믿으므로 내가 할 수 있는 일을 쉬지 않고 해온 것이다. 이것이 내 생애요, 그 생애의 기록이 이 책이다.

그러므로 내가 이 책을 발행하는 데 동의한 사람은 내가 잘난 사람이어서가 아니라 못난 사람이 민족의 한 분자로서 살아간 기록이 이 책이기 때문이다. 백범(百凡)이라는 내 호가 이것을 의미한다. 내가 만일 민족 독립운동에 조금이라도 공헌한 것이 있다고 하면 그만한 것은 대한 사람이면 하기만 하면 누구나 할 수 있는 것이다. 나는 우리의 젊은 남자와 여자들 속에서 참으로 크고 훌륭한 애국자와 엄청나게 빛나는 일을 하는 큰 인물이 쏟아져 나오리라고 믿거니와 그와 동시에 그보다도 더 간절히 바라는 것은 저마다 이 나라를 제 나라로 알고 평생 이 나라를 위하여 힘을 다하게 되는 것이다. 나는 이러한 뜻을 가진 동포에게 이 '범인의 자서전'을 보내는 것이다.

단군기원 사천이백팔십년 십일월 십오일 개천절

김구

구 - 상권 - 백범일지

(상권) 머리말

인, 신 두 어린 아들에게

아비는 이제 너희가 있는 고향에서 수륙 5천 리나 떨어진 먼 나라에서 이 글을 쓰고 있다. 어린 너희를 앞에 놓고 말하여 들려 줄 수 없으매 그 동안 나의 지난 일을 대략 기록하여서 몇몇 동지에게 남겨 장래 너희가 자라서 아비의 경력을 알고 싶어 할 때가 되거든 너희에게 보여 주라고 부탁하였거니와, 너희가 아직 나이 어리기 때문에 직접 말하지 못하는 것이 유감이지만 어디 세상사가 뜻과 같이 되느냐.

내 나이는 벌써 쉰셋이건마는 너희는 이제 열 살과 일곱 살밖에 안되었으니 너희의 나이와 지식이 자라질 때에는 내 정신과 기력은 벌써 쇠할 뿐 아니라, 이 몸은 이미 원수 왜에게 선전포고를 내리고 지금 사선에 서 있으니 내 목숨을 어찌 믿어 너희가 자라서 면대하여 말할 수 있을 날을 기다리겠느냐. 이러하기 때문에 지금 이 글을 써 두려는 것이다.

내가 내 경력을 기록하여 너희에게 남기는 것은 결코 너희에게 나를 본받으라는 뜻은 아니다. 내가 진심으로 바라는 바는 너희도 대한민국의 한 국민이니 동서와 고금의 허다한 위인 중에서 가장 숭배할 만한 이를 택하여 스승으로 섬기라는 것이다. 너희가 자라더라도 아비의 경력이 알 길이 없겠기로 내가 이 글을 쓰는 것이다.

다만 유감 되는 것은 이 책에 적는 것이 모두 오랜 일이므로 잊어버린 것이 많은 것은 사실이나, 하나도 보태거나 지어 넣은 것이 없는 것도 사실이니 믿어주기를 바란다.

대한민국 11년 5월 3일
중국 상해에서 아비

제1장. 우리 집과 내 어릴 적

우리는 안동 김 씨 경순왕의 자손이다. 신라의 마지막 임금 경순 왕이 어떻게 고려 왕건 태조의 따님 낙랑공주의 부마가 되셔서 우리들의 조상이 되셨는지는 〈삼국사기〉나 안동 김 씨 족보를 보면 알 것이다.

경순왕의 팔세손이 충렬공, 충렬공의 현손이 익원공인데, 이 어른이 우리 파의 시조요, 나는 익원공에서 21대손이다. 충렬공, 익원공은 모두 고려조의 공신이거니와, 이조에 들어와서도 우리 조상은 대대로 서울에 살아서 글과 벼슬로 가업을 삼고 있었다. 그러다가 우리 방조 김자점이 역적으로 몰려서 멸문지화를 당하게 되매, 내게 11대조 되시는 어른이 처자를 끌고 서울을 도망하여 일시 고향에 망명하시더니, 그곳도 서울에서 가까워 안전하지 못하므로 해주 부중에서 서쪽으로 80리 백운방 텃골 팔봉산 양가봉 밑에 숨을 자리를 구하시게 되었다. 그곳 뒷개에 있는 선영에는 11대 조부모님의 산소를 비롯하여 역대 선산이 계시고 조모님도 이 선영에 모셨다.

그 때에 우리 집이 멸문지화를 피하는 길이 오직 하나 뿐이었으니, 그것은 양반의 행색을 감추고 상놈 행세를 하는 일이었다. 텃골에 처음 와서는 조상님네는 농부의 행색으로 묵은장이를 일구어 농사를 짓다가 군역전이라는 땅을 짓게 되면서부터 아주 상놈의 패를 차게 되었다. 이 땅을 부치는 사람은 나라에서 부를 때에는 언제나 군사로 나서는 법이니 그때에는 나라에서 문을 높이고 무를 낮추어 군사라면 천역, 즉 천한 일이었다.

이것이 우리나라를 쇠약하게 한 큰 원인인 것은 말할 것도 없다. 이리하여서 우리는 판에 박힌 상놈으로, 텃골 근동에서 양반 행세하는 진주 강씨, 덕수 이 씨들에게 대대로 천대와 압제를 받아왔다. 우리 문중의 딸들이 저들에게 시집을 가는 일은 있어도 우리가 저들의 딸에게 장가드는 일은 없었다.

그러나 중년에는 우리 가문이 꽤 창성하였던 모양이어서, 텃골 우리 터에는 기와집이 즐비하였고, 또 선산에는 석물도 크고 많았으며, 내가 여남은 살 때까지도 우리 문중에 혼상 대사가 있을 때에는 이정길이란 사람이 언제나 와서 일을 보았는데, 이 사람은 본래 우리 집 종으로서 속량 받은 사람이라 하니, 그는 우리 같은 상놈의 집에 종으로 태어났던 것이라 참으로 흉악한 팔자라고 아니할 수 없다.

우리가 해주에 와서 산 뒤로 역대를 상고하여 보면 글 하는 이도 없지 아니하였으나 이름난 이는 없었고 매양 불평객이 많았다. 내 증조부는 가어사질을 하다가 해주 영문에 갇혔지만 서울 어느 양반의 청편지를 얻어다 대고 겨우 형벌을 면하셨다는 말을 집안 어른들께 들었다. 암행어사라는 것은 임금이 시골 사정을 알기 위하여 신임하는 젊은 관원에게 무서운 권세를 주어서 순회시키는 벼슬인데, 허름한 과객의 행색으로 차리고 다니는 것이 상례다.

증조 항렬 네 분 중에 한 분은 내가 대여섯 살 때까지 생존하셨고, 조부 형제는 구존하셨고, 아버지 4형제는 다 살아계시다가 백부 백영은 얼마 아니하여 돌아가셔서 나는 다섯 살 적에 종형들과 함께 곡하던 것이 기억된다.

아버지 휘 순영은 4형제 중에 둘째 분으로서, 집이 가난하여 장가를 못 가고 노총각으로 계시다가 스물네 살 때에 삼각혼인이라는 기괴한 방법으로 장련에 사는 현풍 곽 씨의 딸, 열네 살 된 이와 성혼하여 종조부 댁에 붙어 살다가 2, 3년 후에 독립한 살림을 하시게 된 때에 내가 태어났다. 그때 어머님의 나이는 열일곱이요, 푸른 밤송이 속에서 붉은 밤 한 개를 얻어서 감추어 둔 것이 태몽이라고 어머님은 늘 말씀하셨다.

병자년 7월 11일 자시(이 날은 조모님 기일이었다)에 텃골에 있는 웅덩이 큰댁이라고 해서 조부와 백부가 사시는 집에서 태어난 것이 나다. 내 일생이 기구할 예조였는지, 그것은 유례가 없는 난산이었다. 진통이 일어난 지 6, 7일이 되어도 순산은 아니 되고, 어머니의 생명이 위태하게 되어 혹은 약으로, 혹은 예방으로 온갖 시험을 다 해도 효험이 없어서 어른들의 강제로 아버지가 소의 길마를 머리에 쓰고 지붕에 올라가서 소의 소리를 내고야 비로소 내가 나왔다고 한다. 겨우 열일곱 살 되시는 어머님은 내가 귀찮아서 어서 죽었으면 좋겠다고 짜증을 내셨다는데, 젖이 말라서 암죽을 먹이고, 아버지가 나를 품속에 품고 다니시며 아기 있는 어머니 젖을 얻어 먹이셨다.

먼 촌 족대모 핏개댁이 밤중이라고 싫은 빛 없이 내게 젖을 물리셨단 말을 듣고 내가 열 살 갓 넘어 그 어른이 작고하신 뒤에는 나는 그 산소 앞을 지날 때마다 경의를 표하였다. 내가 마마를 치른 것이 세 살이 아니면 네 살 적인데, 몸에 돋은 것을 어머니가 예사 부스럼 다스리던 죽침으로 따서 고름을 빼었으므로 내 얼굴에 굵은 벼슬 자국이 생긴 것이다.

내가 다섯 살 적에 부모님은 나를 데리시고 강령 삼거리로 이사하셨다. 거기는 뒤에는 산이요, 앞은 바다였다. 종조, 재종조, 삼종조 여러 댁이 그리로 떠났기 때문에 우리 집도 따라간 것이었다. 거기서 이태를 살았는데, 우리 집은 어떻게나 호젓한지 호랑이가 사람을 물고 우리 집 문 앞으로 지나갔다. 산 어귀 호랑이 길목에 우리 집이 있었던 것이다. 그러므로 밤이면 한 걸음도 문 밖에는 나서지 못하였다. 낮이면 부모님은 농사하러 다니시거나 혹은 바다에 무엇을 잡으러 가시고, 나는 거기서 그 중 가까운 신풍 이 생원 집에 가서 그 집 아이들과 놀다가 오는 것이 일과였다.

그 집 아이들 중에는 나와 동갑되는 아이도 있었으나, 두세 살 위 되는 아이들도 있었다. 그 애들이 이놈 해줏놈 때려 주자고 공모하여 나는 무지하게도 한 차례 매를 맞았다. 나는 분해서 집으로 돌아와 부엌에서 큰 식칼을 가지고 다시 이 생원 집으로 가서 기습으로 그놈들을 다 찔러 죽일 생각으로 울타리를 뜯고 있는 것을, 열일곱 여덟 살 된 그 집 딸이 보고 소리소리 질러 오라비들을 불렀기 때문에 나는 목적을 달치 못하고 또 그놈들에게 붙들려 실컷 얻어맞고 칼만 빼앗기고 집으로 돌아왔다. 식칼을 잃은 죄로 부모님께 매를 맞을 것이 두려워서 어머님께서 식칼이 없다고 찾으실 때에도 나는 시치미를 떼고 있었다.

또 하루는 집에 혼자 있노라니까 엿장수가 문전으로 지나가면서,

"헌 유기나 부서진 수저로 엿을 사시오."

하고 외쳤다.

나는 엿은 먹고 싶으나 엿장수가 아이들의 자지를 잘라간다는 말을 어른들께 들은 일이 있으므로 방문을 꽉 닫아걸고 엿장수를 부른 뒤에 아버지의 성한 숟가락을 발로 디디고 분질러서 반은 두고 반만 창구멍으로 내밀었다. 헌 숟가락이어야 엿을 주는 줄 알았기 때문이다. 엿장수는 내가 내미는 반동강 숟가락을 받고 엿을 한 주먹 뭉쳐서 창구멍으로 들이밀었다. 내가 반동강 숟가락을 옆에 놓고 한참 맛있게 엿을 먹고 있을 즈음에 아버님께서 돌아오

셨다. 나는 사실대로 아뢰었더니, 다시 그런 일을 하면 경을 친다고 꾸중만 하시고 때리지는 아니하셨다.

또 한 번은 역시 그때의 일로, 아버지께서 엽전 스무 냥을 방 아랫목 이부자리 속에 두시는 것을 보았다. 아버지가 나가시고 나 혼자만 있을 때에, 심심은 하고, 동구 밖 거릿집에 가서 떡이나 사먹으리라 하고 그 스무 냥 꾸러미를 모두 꺼내어 허리에 감고 문을 나섰다. 얼마를 가다가 마침 우리 집으로 오시는 삼종조를 만났다.

"너 이 녀석, 돈은 가지고 어디로 가느냐?"

하고 삼종조께서 내 앞을 막아서신다.

"떡 사먹으러 가요."

하고 나는 천연덕스럽게 대답하였다.

"네 아비가 보면 이 녀석 매 맞는다. 어서 집으로 돌아가거라."

하고 삼종조는 내 몸에 감은 돈을 빼앗아다가 아버지를 주셨다. 먹고 싶은 떡도 못 사먹고 마음이 자못 불평하여 집에 와 있노라니, 뒤따라 아버지께서 들어오셔서 아무 말씀도 없이 빨랫줄로 나를 꽁꽁 동여서 들보 위에 매달고 회초리로 후려갈기시니, 아파서 죽을 지경이었다. 어머니도 밭에서 아니 돌아오신 때라 말려 줄 이도 없이 나는 매를 맞고 매달려 있었다. 이때에 마침 장련 할아버지라는 재종조께서 들어오셨다. 이 어른은 의술을 하는 이로서 나를 귀애하시던 이다. 내게는 참말 천행으로 이 어른이 우리 집 앞을 지나가시다가 내가 악을 쓰고 우는 소리를 듣고 달려 들어오신 것이었다.

장련 할아버지는 들어오시는 길로 불문곡직하고 들보에 달린 나를 끌러 내려놓으신 뒤에야 아버지께 까닭을 물으셨다. 아버지가 내 죄를 고하시는 말씀을 다 듣지도 아니하시고 장련 할아버지는, 나이는 아버지와 동갑이시지만, 아저씨의 위엄으로 아버지께서 나를 치시던 회초리를 빼앗아서 아버지의 머리와 다리를 함부로 한참 동안이나 때리시고 나서야 비로소,

"어린 것을 그렇게 무지하게 때리느냐?"

하고 책망하셨다. 아버지께서 매를 맞으시는 것이 퍽도 고소하고 장련 할아버지가 퍽도 고마웠다.

장련 할아버지는 나를 업고들로 나가서 참외와 수박을 실컷 사 먹이고 또 그 할아버지 댁으로 업고 가셨다.

장련 할아버지의 어머니 되시는 종증조모께서도 그 아드님에게 내가 아버지에게 매를 맞은 연유를 들으시고,

"네 아비 밉다. 집에 가지 말고 우리 집에서 살자."

하고 아버지의 잘못을 누누이 책망하시고 밥과 반찬을 맛있게 하여주셨다. 나는 얼마만큼 마음이 기쁘고 아버지가 그 할아버지에게 맞던 것을 생각하니 상쾌하기 짝이 없었다. 이 모양으로 이 댁에서 여러 날을 묵어서 집에 돌아왔다.

한번은 장맛비가 많이 와서 근처에 샘들이 솟아서 여러 갈래 작은 시내를 이루었다. 나는 빨강이, 파랑이 물감 통을 집에서 꺼내다가 한 시내에는 빨강이를 풀고, 또 한 시내에는 파랑이를 풀어서 붉은 시내, 푸른 시내가 한데 모여서 어우러지는 양을 장난으로 구경하고 좋아하다가 어머니께 몹시 매를 맞았다.

종조께서 이곳에서 작고하셔서 백여 리나 되는 해주 본향으로 힘들여 행상한 것이 빌미가 된 것인지, 내가 일곱 살 되던 해에 이르러 여기 와서 살던 일가들이 한 집, 두 집 해주 본향으로 돌아갔다. 우리 집도 이 통에 텃골로 돌아올 때에 나는 어른들의 등에 업혀 오던 것이 기억난다.

고향에 돌아와서는 우리 집은 농사로 살아가게 되었다. 아버지께서 비록 학식은 기성명 정도이지만, 허우대가 좋고, 성정이 호방하고, 술이 한량이 없으셔서, 강씨, 이 씨라면 만나는 대로 막 때려 주고는 해주 감영에 잡혀 갇히기를 한 해에도 몇 번씩 하셔서 문중에 소동을 일으키셨다.

인근 양반들이 아버지를 미워하면서도 어찌할 도리가 없는 모양이었다. 그때 시골 습관에 누가 사람을 때려서 상처를 내면 맞은 사람을 때린 사람의 집에 떠메어다가 누이고 그가 죽나 살아나 나를 기다리는 것이었다. 그래서 우리 집에서는 한 달에도 몇 번씩 피투성이가 되어서 다 죽게 된 사람을 메어다가 사랑에 누이는 때도 있었다.

아버지가 이렇게 사람을 때리시는 것은 비록 취중에 한 일이라 하더라도 다 무슨 불평에서 나온 것이었다. 아버지는 당신께 아무 상관도 없는 사람이라도 양반이나 강한 자들이 약한 자를 능멸하는 것을 보시고는 참지 못하셔서 〈수호지〉에 나오는 호걸들 식으로 친불친을 막론하고 패어 주었다. 이렇게 아버지가 불같은 성정이신 줄을 알므로, 인근 상놈들은 두려워 공경하고

양반들은 무서워서 피하였다.

해마다 세말이 되면 아버지는 달걀, 담배 같은 것을 많이 장만하셔서 감영의 영리청, 사령청에 선사를 하셨다. 그러면 그 회사로 책력이며, 해주 먹 같은 것이 왔다. 이것은 강 씨, 이 씨 같은 양반들이 감사나 판관에게 가 붙는 것에 대응하는 수였다. 영리청이나 사령청에 친하게 하는 것을 계방이라 하는데, 이렇게 계방이 되어 두면 감사의 영문이나 분아에 잡혀가서 영리청이나 옥에 갇히는 일이 있더라도 영리와 사령들이 사정을 두기 때문에 갇히는 것은 명색뿐이요, 기실은 영리, 사령들과 같은 방에서 같은 밥을 먹고 편히 있고, 또 설사 태형, 곤장을 맞는 일이 있다 하더라도 사령들은 매우 치는 시늉을 하고, 맞는 편에서는 죽어가는 엄살만 하면 그만인 것이다. 그뿐더러 만일 아버지께서 되잡아 양반들을 걸어서 소송을 하여서 그들이 잡혀오게 되면 제아무리 감사나 판관에게 뇌물을 써서 모면한다 하더라도 아버지의 편인 영속들에게 호되게 경을 치고, 많은 재물을 허비하게 된다. 이렇게 망한 부자가 일 년 동안에 십여 명이나 되었다는 말을 들었다.

아버지를 무서워하는 인근 양반들은 그를 달래려 함인지 아버지를 도존 위에 천하였다. 그러나 아버지는 도존위 행공을 할 때에는 다른 도존 위와는 반대로 양반에게 용서 없이 엄하고, 빈천한 사람들에게는 후하였다. 세금을 받는 데도 빈천한 사람의 것은 자담하여 내는 수도 있었지만 그들에게 가혹히 하는 일은 없었다. 이 때문에 3년이 못 되어서 아버지는 공전 흠포(공금 횡령)로 면직을 당하셨다. 그래서 아버지는 인근에 사는 양반들의 꺼림과 미움을 받아서 그들의 아낙네와 아들까지도 김순영이라는 이름만 들어도 치를 떨었다.

아버지의 어릴 적 별명은 효자였다. 그것은 할머니께서 돌아가실 때에 아버지께서 왼쪽 무명지를 칼로 잘라서 할머니의 입에 피를 흘려 넣으셨기 때문에 소생하셔서 사흘이나 더 사셨다는 데서 생긴 것이었다.

아버지 4형제 중 백부(휘 백영)은 보통 농군이셨고, 셋째 숙부도 특기할 일이 없으나, 넷째 계부(휘 준영)가 아버지와 같이 특이한 편이셨다. 계부는 국문을 배우는데도 한겨울 동안에 가자에 기역자도 못 깨우치고 말았으되, 술은 무량으로 자시고, 또 주사가 대단하셔서 취하기만 하면 꼭 풍파를 일으키는데, 아버지는 꼭 양반에게 주정을 하셨으나, 준영 계부는 아무리 취하여도 양반에게는 감히 손을 못 대고 일가 사람들에게만 덤비셨다. 그러다가 조부님께 매를 얻어맞으시던 것을 나는 기억한다.

내가 아홉 살 적에 조부님 상사가 났는데 장례 날에 이 삼촌이 상여 메는 사람들에게 야료를 하여서 결국은 그를 결박을 지어 놓고야 장례를 모셨다. 장례를 지낸 뒤에 종증조의 발의로 문회를 열고, 이러한 패류를 그대로 둘 수가 없으니 단단히 징치를 하여서 후환을 막아야 한다 하여 의논한 결과로 준영 삼촌을 앉은뱅이로 만들기로 작정하고 발뒤꿈치를 베었으나, 분김에 한 일이라 힘줄은 다 끊어지지 아니하여서 병신까지는 안 되었다. 그러나 그가 조부 댁 사랑에 누워서 호랑이처럼 영각을 하는 바람에 나는 무서워서 그 근처에도 못 가던 것이 생각난다. 지금 생각하니 상놈의 소위라고 아니할 수 없다. 그때에 어머니는 내게 이런 말씀을 하셨다.

"너의 집에 허다한 풍파가 모두 술 때문이니, 두고 보아서 네가 또 술을 먹는다면 나는 자살을 하여서 네 꼴을 안 보겠다."

나는 이 말씀을 깊이 새겨들었다.

이때쯤에는 나는 국문을 배워서 이야기책은 읽을 줄 알았고, 천자(千字文)도 이 사람 저 사람에게 얻어 배워서 다 떼었다. 그러나 내가 글공부를 하리라고 결심한 데에는 한 동기가 있었다.

하루는 어른들에게 이러한 말씀을 들었다. 몇 해 전 일이다. 문중에 새로 혼인한 집이 있었는데, 어느 할아버지가 서울 갔던 길에 사다가 두셨던 관을 밤에 내어 쓰고 새 사돈을 대하셨던 것이 양반들에게 발각이 되어서 그 관은 열파를 당하고, 그로부터 다시는 우리 김 씨는 관을 못 쓰게 되었다는 것이다.

나는 이 말을 듣고 몹시 울었다. 그리고 그 사람들은 어찌해서 양반이 되고, 우리는 어찌해서 상놈이 되었는가고 물었다. 어른들이 대답하는 말은 이러하였다. 방아메 강 씨도 그 조상은 우리 조상만 못하였지마는 일문에 진사가 셋이나 살아 있고, 자라소 이 씨도 그러하다고. 나는 어떻게 하면 진사가 되느냐고 물었다. 진사나 대과나 다 글을 잘 공부하여 큰 선비가 되어서 과거에 급제를 하면 된다는 대답이었다.

이 말을 들은 뒤로 나는 부쩍 공부할 마음이 생겨서 아버지께 글방에 보내달라고 졸랐다. 그러나 아버지도 주저하지 아니할 수 없으셨다. 우리 동네에는 서당이 없으니 이웃 동네 양반네 서당에 갈길밖에 없었다. 그런데 양반네 서당에서 나를 받아줄지 말지도 알 수 없는 일이거니와, 또 거기 들어간다 하더라도 양반의 자식들의 등쌀에 견디어 낼 것 같지 아니하였다. 그래서 얼른 결단을 못 하다가 마침내 우리 동네 아이들과 이웃동네 상놈의 아이들을 모아서 새로 서당을 하나 만들고, 청수리 이 생원이라는 양반 한 분을 선생으로 모셔 오기로 하였다. 이 생원은 지체는 양반이지마는 글이 서툴러 양반 서당에서는 데려가는 데가 없기 때문에 우리 서당으로 오신 것이다.

이 선생이 오신다는 날, 나는 머리를 빗고 새 옷을 갈아입고 아버지를 따라서 마중을 나갔다. 저쪽에서 나이가 쉰 남짓 되어 보이는 키가 후리후리한 노인 한 분이 오시는데, 아버지께서 먼저 인사를 하시고 나서 날더러,

"창암아, 선생님께 절하여라."

하셨다. 나는 공손하게 너붓이 절을 하고 나서 그 선생을 우러러보니, 신인이라 할지 하느님이라 할지 어떻게나 거룩해 보이는지 몰랐다.

우선 우리 사랑을 글방으로 정하고, 우리 집에서 선생의 식사를 받들기로 하였다. 그 때에 내 나이가 열두 살이었다.

개학하던 첫날 나는 '마상봉한식(馬上逢寒食)' 다섯 자를 배웠는데, 뜻은 알든 모르든 기쁜 맛에 자꾸 읽었다. 밤에도 어머니께서 밀 매가리(껍질을 벗기는 것)하시는 것을 도와 드리면서 자꾸 외었다. 새벽에는 일찍 일어나서 선생님 방에 나가서 누구보다도 먼저 배워서 밥그릇 망태기를 메고 먼 데서 오는 동무들을 가르쳐 주었다.

이 모양으로 우리 집에서 석 달을 지내고는 산골 신 존위 집 사랑으로 글방을 옮기게 되어서 나는 밥그릇 망태기를 메고 고개를 넘어서 다녔다. 집에서 서당에 가기까지, 서당에서 집에 오기까지 내 입에서는 글소리가 끊어지는 일이 없었다. 글동무 중에는 나보다 정도가 높은 아이도 있었으나, 배운 것을 강을 하는 데에는 언제나 내가 최우등이었다.

이러한 지 반년 만에 선생과 신 존위 사이에 반목이 생겨서 필경 이 선생을 내어보내게 되었는데, 신 존위가 말하는 이유는 이 선생이 밥을 너무 많이 자신다는 것이거니와, 사실은 그 아들이 둔재여서 공부를 잘 못하는데 내 공부가 일취월장하는 것을 시기함이었다.

한번은 월강(한 달에 한 번 보는 시험) 때에 선생이 내게 조용히 부탁하신

일이 있었다. 내가 늘 우등을 하였으니 이번에는 일부러 잘 못하고 선생이 뜻을 물어도 일부러 모른 체하라는 것이었다. 나는 그러하오리다 약속을 하고 그대로 하였다. 이리하여서 이 날에 신 존위의 아들이 처음으로 한 번 장원을 하였다. 신 존위는 대단히 기뻐서 이날 닭을 잡고 한 턱을 잘 내었다. 그러나 번번이 신 존위의 아들을 장원시키지 못한 죄로 이 선생이 퇴짜를 맞은 것이니, 참으로 상놈의 행사라고 아니할 수 없다. 하루는 내가 아침밥을 먹기 전에 선생님이 우리 집에 오셔서 나를 불러 작별 인사를 하실 때에 나는 정신이 아득하여서 선생님의 품에 매달려서 소리를 내어 울었다. 선생님도 눈물이 비 오듯 하였다. 나는 며칠 동안은 밥도 잘 아니 먹고 울기만 하였다.

그 후에도 어떤 돌림 선생 한 분을 모셔다가 공부를 계속하게 되었으나, 이번에는 아버지께서 갑자기 전신 불구가 되셔서 자리에 누우시게 되었기 때문에 나는 공부를 전폐하고 아버지 심부름을 하지 않으면 아니 되게 되었다. 근본 빈한한 살림에 의원이야 약이야 하고 가산을 탕진한 끝에 겨우 아버지는 반신불수로 변하여서 한쪽 팔과 다리를 쓰시게 된 것만도 천행이라고 생각하였다.

그러나 아버지가 반신불수로서는 살 수가 없으니, 어떻게 하여서라도 병은 고쳐야 하겠다 하여 어머니는 병신 아버지를 모시고 무전여행을 나서게 되었다. 문전걸식을 하면서 고명 의원을 찾아서 남편의 병을 고치자는 것이다.

집도 가마솥도 다 팔아 없어지고, 나는 백모님 댁에 맡긴 몸이 되어서 종형들과 소고삐를 끌고 산과 들로 다니며 세월을 보내었다.

부모님이 그리워 견딜 수 없으므로 여행하는 부모님을 따라서 신천, 안악, 장련 등지로 유리하였다. 그러다가 나는 장련 대촌의 육촌 친척집에 두고 부모님만 고향으로 조부 대상제를 지내러 가시고 말았다. 그 댁도 농가인 까닭에 식구들과 같이 구월산에 나무를 베러 갔었는데, 내가 어려서는 유달리 크지를 못하여 나뭇짐을 지고 다니면 나뭇짐이 걸어가는 것과 같았고, 또한 그러한 고역을 처음 당하니 고통도 되려니와, 그 동네는 큰 서당이 있어 밤낮 글 읽는 소리를 들을 때마다 말할 수 없는 비회를 금할 수 없었다.

부모님이 유리표박하시는 동안에 아버지 병환이 신기하게도 차도가 계셔서 못 쓰시던 팔다리도 잘은 못해도 쓰게 되셨다. 그래서 내 공부를 시키실 목적으로 다시 본향에 돌아오셨다. 고향에 돌아와 보니 의식주를 기댈 만한 곳이 없었는데, 일가들이 얼마씩 추렴을 내어서 살림살이를 장만하고, 나는 또 서당에 다니게 되었다.

책은 남의 것을 빌어서 읽는다 하더라도 지필묵 값이 나올 데가 없었다. 어머님이 길품과 길쌈 품을 팔아서 지필묵을 사 주실 때에는 어찌나 고마운지 이루 말로 다 형용할 수 없었다.

내 나이 열네 살이 되매, 선생이라는 이가 모두 고루해서 내 마음에 차지 아니하였다. 벼 열 섬짜리, 닷 섬짜리 하고 훈료가 많고 적은 것으로 선생의 학력을 평가하였다. 그들은 다만 글만 부족할 뿐 아니라 그 마음씨나 일하는 것에 남의 스승이 될 자격이 보이지 아니하였다.

그때에 아버지는 내게 이런 말씀을 하셨다. 밥 빌어먹기는 장타령이 제일이라고, 큰 글 하려고 애쓰지 말고 행문이나 배우라는 것이었다. '우명문표사단(右明文標事段)'하는 땅문서 쓰기, '우근진소지단(右謹陳訴旨段)'하는 소장 쓰기, '유세차감소고우(維歲次敢昭告于)'하는 축문 쓰기, '복지제기자미유항려(僕之第幾子未有伉儷)'하는 혼서지 쓰기, '복미심차시(伏未審此時)'하는 편지 쓰기를 배우라 하시므로 나는 틈틈이 이 공부를 하여서 무식촌 중에 문장이 되어서 문중에는 내가 장차 존위 하나는 하리라고 촉망하게 되었다. 그러나 내 글은 이제야 겨우 속문 정도에 지나지 못하지만 뜻은 한 동네의 존위에는 있지 아니하였다. 〈통감〉, 〈사략〉을 읽을 때에 '왕후장상영유종호(王候將相寧有種乎: 왕, 제후, 장군, 재상의 씨가 따로 있지 않음)'하는 진승의 말이나, 칼을 빼어서 뱀을 베었다는 유방의 일이나, 빨래하는 아낙네에게 밥을 빌어먹은 한신의 사적을 볼 때에는 나도 모르게 어깨에서 바람이 나는 것이었다.

그러나 우리 가세로는 고명한 스승을 찾아갈 수가 없어서 아버지께서도 무척 걱정을 하시는 모양이었다. 그런데 마침 공부할 길이 하나 뚫렸다. 우리 동네에서 동북으로 10리쯤 되는 학골이라는 곳에 정문재라는 이가 글을 가르치고 계셨다. 이 이는 문벌은 우리 집과 마찬가지로 상놈이었으나, 과문으로는 당시에 굴지되는 큰 선비여서 그 문하에는 사처에서 선비들이 모여들었다. 이 정 선생이 내 백모와 재종간이므로 아버지께서 그에게 간청하여 훈료 없이 통학하며 배우는 허락을 얻으셨다. 이에 나는 날마다 밥망태기를 메고 험한 산길을 10리나 걸어서 기숙하는 학생들이 일어나기도 전에 가는 일이 많았다.

제작으로는 과문의 초보인 대고풍 십팔구(大古風 十八句)요, 학과로는 〈한당시〉와 〈대학〉, 〈통감〉 등이요, 습자에서는 분판만을 썼다.

이때에 임진경과를 해주에서 보인다는 공포가 났으니 이것이 우리나라의 마지막 과거였다. 어느 날 정 선생은 아버지께 이런 말씀을 하시고, 나도 과거를 보기 위하여 명지를 쓰는 연습으로 장지를 좀 쓸 필요가 있다고 하셨다. 아버지는 천신만고로 장지 다섯 장을 구해 오셔서 나는 그 다섯 장 종이가 까맣게 되도록 글씨를 익혔다.

과거 날이 가까워오매 우리 부자는 돈이 없으므로 과거 중에 먹을 만큼 좁쌀을 지고 정 선생을 따라 해주로 갔다. 여관에 들 형편이 못 되므로 전에 아버지께서 친해 두셨던 계방에 사처를 정하였다.

과거 날이 왔다. 선화당 옆에 있는 관풍각 주위에는 새끼줄을 둘러 늘였다. 정각에 부문을 한다는데, 선비들이 접을 따라서 제 이름을 쓴 백포기를 장대 끝에 높이 들고 모여들었다. 산동접, 석담접, 이 모양이었다. 선비들은 검은 베로 만든 유건을 머리에 쓰고 도포를 입고 접기를 따라 꾸역꾸역 밀려들어, 좋은 자리를 먼저 잡으려고 앞장선 용사패들이 아우성을 하는 것도 볼만하였다. 원래 과장에는 노소도 없고, 귀천도 없이 무질서한 것이 유풍이라 한다.

또 가관인 것은 늙은 선비들의 걸과라는 것이다. 둘러 늘인 새끼그물 구멍으로 모가지를 쑥 들이밀고 이런 소리를 외치는 것이다.

"소생의 성명은 아무이옵는데, 먼 시골에 거생하면서 과거마다 참예하였사옵는데 금년이 일흔 몇 살이올시다. 요 다음은 다시 참가 못 하겠사오니 이번에 초시라도 한 번 합격이 되오면 죽어도 한이 없겠습니다."

이 모양으로 혹은 큰 소리로 부르짖고, 혹은 방성대곡도 하니 한편 비루도 하거니와 또 한편 가련도 하였다.

내 글을 짓기를 정 선생이 하시고 쓰기만 내가 하기로 하였으나, 내가 과거를 내 이름으로 아니 보고 아버지의 이름으로 명지를 드린다는 말에 감복하여서 접장 한 분이 내 명지를 써 주기로 하였다. 나보다는 글씨가 낫기 때문이었다. 제 글과 제 글씨로 못 하는 것이 유감이었으나, 차작으로라도 아버지가 급제를 하셨으면 좋을 것 같았다.

차작으로 말하면 누구나 차작 아닌 것이 없었다. 세력 있고 재산 있는 사람들은 모두 글 잘하는 사람에게 글을 빌고 글씨 잘 쓰는 사람에게 글씨를 빌어서 과거를 하였다. 그러나 이것도 좋은 편이었다. 글은 어찌되었든지 서울 권문세가의 청편지 한 장이나 시관의 수청 기생에게 주는 명주 한 필이 진사나 급제가 되기에는 글 잘하는 큰 선비의 글보다도 빨랐다. 물론 우리 글 따위는 통인의 집 식지감이나 되었을 것이요, 시관의 눈에도 띄지 아니하였을 것이다. 진사 급제는 미리 정해놓고 과거는 나중 보는 것이었다.

이번 과거에 나는 크게 실망하였다. 아무리 글공부를 한댔자, 그것으로 발천하여 양반이 되기는 그른 세상인 줄을 깨달았다. 모처럼 글을 잘해도 세도 있는 자제들의 대서인 되는 것이 상지상(上之上: 가장 나은 경우)일 것이었다.

나는 집에 돌아와서 과거에 실망한 뜻을 아뢰었더니 아버지도 내가 바로 깨달았다고 옳게 여기시고 이렇게 말씀하셨다.

"너 그러면 풍수 공부나 관상 공부를 하여 보아라. 풍수를 잘 배우면 명당을 얻어서 조상님네 산소를 잘 써서 자손이 복록을 누릴 것이요, 관상에 능하면 사람을 잘 알아보아서 성인군자를 만날 수 있는 것이다."

나는 이 말씀을 매우 유리하게 여겨서 아버님께 청하여 〈마의상서〉를 빌어다가 독방에서 석 달 동안 꼼짝 아니하고 공부하였다. 그 방법은 면경을 앞에 놓고 내 얼굴을 보면서 일변 얼굴의 여러 부분의 이름을 배우고, 일변 내 상의 길흉을 연구하는 것이었다. 아무리 내 얼굴을 관찰해 보아도 귀격이나 부격과 같은 좋은 상은 없고, 천격, 빈격, 흉격 뿐이었다. 전자에 과장에서 실망하였던 것을 상서에서나 회복하려 하였더니, 제 상을 보니 그보다도 더욱 낙심이 되었다. 짐승 모양으로 그저 살기나 위해 살다가 죽을까, 세상에 살아 있을 마음이 조금도 없었다.

이렇게 절망에 빠진 나에게 오직 한 가지 희망을 주는 것은 〈마의상서〉 중에 있는 다음의 구절이었다.

'상호불여신호 신호불여심호(*相好不如身好 身好不如心好*: 얼굴 좋음이 몸 좋음만 못하고, 몸 좋음이 마음 좋음만 못하다.)'

이것을 보고 나는 마음 좋은 사람이 되기로 굳게 결심하였다. 그러나 마음이 좋지 못하던 사람으로서 마음이 좋은 사람이 되는 법이 무엇인가, 여기에 대하여서 〈마의상서〉는 아무 대답도 주지 못하였다. 이래서 상서는 덮어 버리고 〈지가서〉를 좀 보았으나, 거기에도 취미를 얻지 못하고, 이번에는 병서를 읽기 시작하였다. 〈손무자〉, 〈오기자〉, 〈삼략〉, 〈육도〉 등을 읽어 보았다. 알지 못할 것도 많으나, 장수의 재목을 말한 곳에,

"태산복어전심불망동 여사졸동감고 진퇴여호 지피지기 백전불패(泰山覆於前心不妄動 與士卒同甘苦 進退女虎 知彼知己 百戰不敗: 태산이 무너지더라도 마음을 동치 말고, 사졸로 더불어 달고 씀을 같이 하며, 나아가고 물러감을 범과 같이 하며, 적을 알고 나를 알면 백번 싸워도 지지 아니하리라.)"

이 구절이 내 마음을 끌었다, 이때에 내 나이가 열일곱 살, 나는 일가 아이들을 모아서 훈장질을 하면서 잘 알지도 못하는 병서를 읽고 1년의 세월을 보냈다.

이 때 사방에는 여러 가지 괴질이 돌았다. 어디서는 진인이 나타나서 바다에 달리는 화륜선(汽船)을 못 가게 딱 잡아놓고 세금을 받고야 놓아주었다는 둥, 머지 아니하여 계룡산에 정 도령이 도읍을 할 터이니 바른 목에 가 있어야 새 나라의 양반이 된다 하여 세간을 팔아가지고 아무개는 계룡산으로 이사를 하였다는 둥, 이러한 소리였다.

그런데 우리 동네에서 남쪽으로 20리쯤 가서 갯골이란 곳에 사는 오응선(吳膺善)과 그 이웃동네에 사는 최유현(崔琉鉉)이라는 사람이 충청도 최도명(崔道明)이라는 동학(東學) 선생에게서 도를 받아가지고 공부를 하고 있는데, 방에 들고 나기에 문을 열지 아니하며, 문득 있다가 문득 없어지며, 능히 공중으로 걸어 다니므로 충청도 그 선생 최도명한테 밤 동안 다녀온다고 하였다. 나는 이 동학이라는 것에 호기심이 생겨서 이 사람들을 찾아보기로 결심하였다.

나는 남에게 들은 말대로 누린 것, 비린 것을 끊고 목욕하고 새 옷을 입고 나섰다. 이렇게 하여야 받아준다는 것이었다. 내 행색으로 말하면 머리는 빗어서 땋아 늘이고 옥색 도포에 끈목 띠를 띠었다. 때는 내가 열여덟 살 되던 정초였다.

갯골 오 씨 집 문전에 다다르니 안에서 무슨 글을 읽는 소리가 나오는데, 그것은 보통 경전이나 시를 외우는 소리와는 달라서 마치 노래를 합창하는 것과 같았다. 공문에 나아가 주인을 찾았더니 통천관(通天冠)을 쓴 말쑥한 젊

은 선비 한 사람이 나와서 나를 맞는다. 내가 공손히 절을 한즉 그도 공손히 맞절을 하기로, 나는 황공하여서 내 성명과 문벌을 말하고 내가 비록 성관을 하였더라도 양반 댁 서방님인 주인의 맞절을 받을 수 없거늘, 하물며 편발(編髮) 아이에게 이런 대우가 과도한 것을 말하였다. 그랬더니 선비는 감동하는 빛을 보이면서, 그는 동학 도인이라 선생의 훈계를 지켜 빈부귀천에 차별이 없고, 누구나 평등으로 대접하는 것이니, 미안해할 것 없다고 말하고 내가 찾아온 뜻을 물었다. 나는 이 말을 들으매 별세계에 온 것 같았다. 내가 도를 들으러 찾아온 뜻을 고하니 그는 쾌히 동학의 내력과 도리의 요령을 설명하였다. 이 도는 용담(龍潭) 최수운(崔水雲) 선생께서 천명(闡明)하신 것이나, 그 어른은 이미 순교하셨고, 지금은 그 조카님 최해월(崔海月) 선생이 대도주(大道主)가 되셔서 포교를 하신다는 것이며, 이 도의 종지(宗旨)로 말하면 말세의 간사한 인류로 하여금 개과천선하여서 새 백성이 되어가지고 장래에 진명지주(眞命之主: 하늘의 뜻을 받아 어지러운 세상을 평정하고 통일한다는 참된 임금)를 모시어 계룡산에 새 나라를 세우는 것이라 하는 것 등을 말하였다. 나는 한번 들으매 심히 환희심이 발하였다. 내 상호가 나쁜 것을 깨닫고 마음 좋은 사람이 되기로 맹세한 나에게는 하느님을 몸에 모시고 하늘 도를 행하는 것이 가장 요긴한 일일뿐더러, 상놈인 한이 골수에 사무친 나로서는 동학의 평등주의(平等主義)가 더할 수 없이 고마웠고, 또 이씨의 운수가 다하였으니 새 나라를 세운다는 말도 해주의 과거에서 본 바와 같이 정치의 부패함에 실망한 나에게는 적절하게 들리지 아니할 수 없었다. 나는 입도할 마음이 불같이 일어나서 입도 절차를 물은즉 쌀 한 말, 백지 세 권, 황초 한 쌍을 가지고 오면 입도식을 행하여 준다고 하였다. 〈동경대전(東經大全)〉, 〈팔편가사(八編歌詞)〉, 〈궁을가(弓乙歌)〉 등 동학의 서적을 열람하고 집에 돌아왔다. 아버지께 오 씨에게서 들은 말을 여쭙고 입도할 의사를 품하였더니 아버지께서는 곧 허락하시고 입도식에 쓸 예물을 준비하여 주셨다. 이렇게 하여서 내가 동학에 입도한 것이다.

동학에 입도한 나는 열심히 공부를 하는 동시에 포덕(전도)에 힘을 썼다. 아버지께서도 입도하셨다. 이 때의 형편으로 말하면 양반은 동학에 오는 이가 적고 나와 같은 상놈들이 많이 모여들었다. 내가 입도한지 불과 몇 개월 만에 연비(連臂: 포덕하여 얻은 신자라는 뜻)가 수백 명에 달하였다. 이렇게 하여 내 이름이 널리 소문이 나서 도를 물으러 찾아오는 이도 있고, 내게 대한 무근지설(無根之說)을 전파하는 사람도 있었다.

"그대가 동학을 하여보니 무슨 조화가 나던가?"

하는 것이 가장 흔히 내게 와서 묻는 말이었다. 사람들은 도를 구하지 아니하고, 요술과 같은 조화를 구하는 것이었다. 그런 질문을 받을 때에 나는 이렇게 대답하였다.

"악을 짓지 말고 선을 행하는 것이 이 도의 조화이니라."

이것이 나의 솔직하고 정당한 대답이건마는 듣는 이는 내가 조화를 감추고 자기네에게 아니 보여주는 것이라고 생각하는 모양이었다. 김창수(金昌洙 - 창암[昌岩]이라는 아명을 버리고 이때부터 이 이름을 썼다) 가 한 길이나 떠서 걸어 다니는 것을 보았노라고 말하는 사람도 있었다. 이 모양으로 있는 소리 없는 소리 섞어 전하여서 내 명성이 황해도 일대뿐만 아니라 멀리 평안남도에까지 퍼져서 당년에 내 밑에 연비가 무려 수천에 달하였다. 당시 황평양서 동학당 중에서 내가 나이가 어린 사람으로서 많은 연비를 가졌다 하여 나를 아기접주라고 별명지었다. 접주(接主)라는 것은 한 접의 수령이란 말로서 위에서 내리는 직함이다.

이듬해인 계사년(癸巳年) 가을에 해월(海月: 최시형) 대도주로부터 오응선, 최유현 등에게 각기 연비의 성명 단자(명부)를 보고하라는 경통(敬通:공함이라는 뜻)이 왔으므로 황해도 내에서 직접 대도주를 찾아갈 인망 높은 도유(道儒) 15명을 뽑을 때에 나도 뽑혔다. 편발로는 불편하다 하여 성관하고 떠나게 되었다. 연비들이 내 노자를 모아 내고, 또 도주님께 올릴 예물로는 해주 향묵도 특제로 맞추어 가지고 육로, 수로를 거쳐서 충청도 보은군 장안(長安)이라는 해월 선생 계신 데 다다랐다. 동네에 쑥 들어서니 이 집에서도 저 집에서도

"지기금지원위대강 시천주조화정 영세불망만사지(至氣今至願爲大降 始天主造化定 永世不忘萬事知)"

하는 주문 외우는 소리가 들리고, 또 일변으로는 해월 대도주를 찾아서 오는 무리, 일변으로는 뵈옵고 가는 무리가 연락부절하고, 집이란 집은 어디나 사람으로 가득 찼었다. 우리는 접대인에게 우리 일행 15명의 명단을 부탁하여 대도주께 우리가 온 것을 통하였더니, 1시간이나 지나서 황해도에서 온

도인을 부르신다는 통지가 왔다. 우리 일행 열다섯은 인도자를 따라서 해월 선생의 처소에 이르러 선생 앞에 한꺼번에 절을 드리니, 선생은 앉으신 채로 상체를 굽히고 두 손을 방바닥에 짚어 답배를 하시고, 먼 길에 오느라고 수고가 많았다며 간단히 위로하는 말씀을 하셨다. 우리는 가지고 온 예물과 도인의 명단을 드리니, 선생은 맡은 소임을 부르셔서 처리하라고 명하셨다. 우리가 불원천리(不遠千里)하고 온 뜻은 선생의 선풍도골(仙風道骨)도 뵈오려니와, 선생께 무슨 신통한 조화 줌치(주머니의 방언)나 받을까함이었으나 그런 것은 없었다. 선생은 연기(年紀)가 육십은 되어 보이는데, 구레나룻이 보기 좋게 났으며, 약간 검게 보이고, 얼굴은 여위었으나 맑은 맵시다. 크고 검은 갓을 쓰시고 동저고리 바람으로 일을 보고 계셨다. 방문 앞에 놓인 무쇠 화로에서 약탕관이 김이 나며 끓고 있었는데, 독삼탕 냄새가 났다. 선생이 잡수시는 것이라고 했다. 방 내외에는 여러 제자들이 옹위하고 있었다. 그 중에서도 가장 친근하게 모시는 이는 손응구, 김연국, 박인호 같은 이들인데, 손응구는 장차 해월 선생의 후계자로 대도주가 될 의암 손병희로서 깨끗한 청년이었고, 김은 연기가 사십은 되어 보이는데 순실한 농부와 같았다. 이 두 사람은 다 해월 선생의 사위라고 들었다. 손씨는 유식해 보이고, 천을천수(天乙天水)라고 쓴 부적을 보건대 글씨 재주도 있는 모양이었다.

우리 일행이 해월 선생 앞에 있을 때에 보고가 들어왔다. 전라도 고부에서 전봉준이가 벌써 군사를 일으켰다는 것이다. 뒤이어 또 후보(後報)가 들어왔다. 어떤 고을의 원이 도유(동학 도를 닦는 선비)의 전 가족을 잡아 가두고 가산을 강탈하였다는 것이었다. 이 보고를 들으신 선생은 진노한 낯빛을 띠고 순 경상도 사투리로,

"호랑이가 몰려 들어오면 가만히 앉아 죽을까, 참나무 몽둥이라도 들고 나서서 싸우자!"

하시니 선생의 이 말씀이 곧 동원령(動員令)이었다. 각지에서 와서 대령하던 대접주(大接主)들이 물 끓듯 살기를 띠고 물러가기 시작하였다. 각각 제 지방에서 군사를 일으켜 싸우자는 것이었다.

우리 황해도에서 온 일행도 각각 접주라는 첩지를 받았다. 거기에는 두건 속에 '해월인(海月印)'이라고 전자로 새긴 인이 찍혀 있었다.

선생께 하직하는 절을 하고 물러나와 잠시 속리산을 구경하고 고향으로 돌

아오는 길이었다. 벌써 곳곳에 사람들이 떼를 지어 모이고, 평복에 칼 찬 사람을 가끔 만나게 되었다. 광혜원 장거리에 오니 1만 명이나 됨직한 동학군이 진을 치고 행인을 검사하고 있었다. 가관인 것은 평시에 동학당을 학대하던 양반들을 잡아다가 길가에 앉혀놓고 짚신을 삼기는 것이었다. 우리 일행은 증거를 보이고 무사히 통과하였다. 부근 촌락에서 밥을 짐으로 지어가지고 도소(都所: 이를테면 사령부)로 날라 오는 것을 무수히 길에서 만났다. 논에서 벼를 베던 농민들이 동학군이 물밀듯 모여드는 것을 보고 낫을 버리고 달아나는 것도 보았고, 서울에 이르러서는 경군(서울 군사)이 삼남을 향해서 행군하는 것도 만났다. 해주에 돌아왔을 때는 9월이었다.

황해도 동학당들도 들먹들먹하고 있었다. 첫째로는 양반과 관리의 압박으로 도인들의 생활이 불안하였고, 둘째로는 삼남(충청도, 전라도, 경상도)으로부터 향응하라는 경통이 빗발치듯했다. 그래서 15접주를 위시하여 여러 두목들이 회의한 결과 거사하기로 작정하고, 제 1회 총소집의 위치를 해주 죽천장으로 정하고 각처 도인에게 경통을 발하였다. 나는 팔봉산 밑에 산다고 하여서 접 이름을 팔봉이라고 짓고 푸른 갑사에 팔봉도소라고 크게 쓴 기를 만들고, 표어로는 척양척왜 넉 자를 써서 높이 달았다. 그러고는 서울서 토벌하러 내려올 경군과 왜병과 싸우기 위하여 연비 중에서 총기를 가진 이를 모아서 군대를 편제하기로 하였다. 나는 본시 산협잡쟁이요, 또 상놈인 까닭에 산포수 연비가 많아서 다 모아본즉 총을 가진 군사가 700명이나 되어 무력으로는 누구의 접보다도 나았다. 인근 부호의 집에 간직하였던 약간의 호신용 무기도 모아들였다.

최고회의에서 작성한 전략으로는 우선 황해도의 수부인 해주성을 빼앗아 탐관오리와 왜놈을 다 잡아 죽이기로 하고, 팔봉 접주 김창수로 선봉장을 삼는다는 것이었다. 이것은 내가 평소에 병서에 소양이 있고, 또 내 부대에 산포수가 많은 것도 이유겠지마는 자기네가 앞장을 서서 총알받이가 되기 싫은 것이 아마 가장 큰 이유일 것이다. 그러나 나는 쾌히 '선봉'이라고 쓴 사령기를 들고 말을 타고 선두에 서서 해주성을 향하여 전진하였다. 해주성 서문 밖 선녀산에 진을 치고 총공격령이 내리기를 기다리며 대기하고 있었다.

이윽고 총지휘부에서 총공격령이 내리고, 작전 계획은 선봉장인 나에게 일임한다는 명령이 왔다. 나는 이렇게 계획을 세워서 본부에 아뢰고 곧 작전을 개시하였다. 지금 성내에 아직 경군은 도착하지 아니하고 오합지중으로 된 수성군 200명과 왜병 7명이 있을 뿐이니, 선발대로 하여금 먼저 남문을 엄습케 하여 수성군의 힘을 그리로 끌게 한 후에 나는 서문을 깨뜨릴 터인즉 총소(총사령부)에서 형세를 보아서 허약한 편을 도우라는 것이었다. 총소에서는 내 계획을 채용하여 한 부대를 남문으로 향하여 행진케 하였다.

이 때에 수 명의 왜병이 성 위에 올라 대여섯 방이나 시험사격을 하는 바람에 남문으로 향하던 선발대는 도망하기 시작하였다. 왜병은 이것을 보고 돌아와서 달아나는 무리에게 총을 연발하였다. 나는 이에 전군을 지휘하여서 서문을 향하여 맹렬한 공격을 개시하였는데, 돌연 총소에서 퇴각하라는 명령이 내리고, 우리 선봉대는 머리도 돌리기 전에 따르던 군사가 산으로 들로 달아나는 것이 보였다. 한 군사를 붙들어 퇴각하는 까닭을 물으니 남문 밖에서 도유 서너 명이 총에 맞아 죽은 까닭이라고 했다.

이렇게 되니 선봉대만 혼자 머물 수도 없어서 비교적 질서 있게 퇴각하여 해주에서 서쪽으로 80리 되는 회학동 곽 감영 댁에 유진하기로 하였다. 무장한 군사는 축이 안 나고 거의 전부 따라와 있는 것이 대견하였다.

나는 이번의 실패에 분개하여서 잘 훈련된 군대를 만들기에 힘을 다하기로 하였다. 동학 도유거나 아니거나 전에 장교의 경험이 있는 자는 비사후폐(祕事厚幣:말을 정중히 하고 예물을 후하게 함)로 초빙하여 군사를 훈련하는 교관을 삼았다. 총 쏘기는 말할 것도 없고 행보하는 법이며 체조며 온갖 조련을 다하였다. 좋은 군대를 만드는 것이 싸움에 이기는 비결이라고 믿은 것이다. 하루는 어떤 사람 둘이 내게 면회를 청하였다. 구월산 밑에 사는 정덕현, 우종서라는 사람들이었다. 찾아온 까닭을 물었더니 그 대답이 놀라웠다. 동학군이란 한 놈도 쓸 것이 없는데 들은즉 내가 좀 낫단 말을 듣고 한번 보러 왔다는 것이다. 옆에 있던 내 부하들이 두 사람의 말이 심히 불공함을 분개하였다. 나는 도리어 부하를 책망하여 밖으로 내보내고, 이상한 손님과 셋이서 마주앉았다. 나는 공손히 두 사람을 향하여 '선생'이라 존칭하고, 이처럼 찾아와 주시니 무슨 좋은 계책을 가르쳐주시기를 바란다고 하였다. 그런즉 정씨가 더욱 교만한 태도로 말하기를, 비록 계책을 말하기로니 네가 알아듣기나 할까, 실행한 자격이 없으리라고 비웃은 뒤에, 더욱 호기 있는 어성으로, 동학 접주나 하는 자들은 어줍지 않게 호기가 충전하여 선비를 초개

와 같이 보니 너도 그런 사람이 아니냐고 나를 노려보았다. 나는 더욱 공손한 태도로,

"이 접주는 다른 접주와 다르다는 것을 선생께서 한 번 가르쳐보신 뒤에야 알 것이 아닙니까?"

하였다. 그들은 둘 다 나보다 10년은 연상일 것 같았다.

그제야 정씨가 흔연히 내 손을 잡으며 계책을 말하였다. 그것은 이러하였다.

1. 군기를 정숙히 하되 비록 병졸을 대하더라도 하대하지 아니하고 경어를 쓸 것.

2. 인심을 얻을 것이니, 동학군이 총을 가지고 민가로 다니며 집곡이니 집전이니 하고 강도적 행위를 하는 것을 엄금할 것.

3. 초현이니, 어진 이를 구하는 글을 돌려 널리 좋은 사람을 모을 것.

4. 전군을 구월산에 모으고 훈련할 것.

5. 재령, 신천 두 고을에 왜가 사서 쌓아둔 쌀 2000석을 몰수하여 구월산 패엽사에 쌓아두고 군량으로 쓸 것.

나는 곧 이 계획을 실시하기로 하고 즉시 전군을 집합장에 모아 정씨를 모주라, 우씨를 종사라고 공포하고 전군을 지휘하여 두 사람에게 최경례를 시켰다. 그러고는 구월산으로 진을 옮길 준비를 하던 차에, 어느 날 밤 신천 청계동 안 진사로부터 밀사가 왔다. 안 진사의 이름은 태훈이니, 그의 맏아들 중근은 나중에 이등박문을 죽인 안중근이다. 그는 글 잘하고 글씨 잘 쓰기로 이름이 서울에까지 떨치고, 또 지략도 있어 당시 조정의 대관들까지도 그를 무섭게 대우하였다. 동학당이 일어나매 안 진사는 이를 토벌하기 위하여 그의 고향인 청계동 자택에 의려소를 두고, 그의 자제들로 하여금 모두 의병이 되게 하고 포수 300명을 모집하여서 벌써 신천 지경 안에 있는 동학당을 토벌하기에 많은 성공을 하여서 각 접이 다 이를 두려워하고 경계하였던 터이다.

나는 정 모주로 하여금 이 밀사를 만나게 하였다. 그의 보고에 의하면, 나의 본진이 있는 회학동과 안 진사의 청계동이 불과 20리 상거이나, 만일 내가 무모하게 청계동을 치려다가 패하면 내 생명과 명성을 보장하기 어려울 것이니, 그러하면 좋은 인재를 하나 잃어버리게 될 것인즉, 안 진사가 나를 위하는 호의로 이 밀사를 보냈다는 것이었다. 이에 곧 나의 참모회의를 열어

서 의논한 결과, 저편에서 나를 치지 아니하면 나도 저편을 치지 아니할 것, 피차에 어려운 지경에 빠질 경우에는 서로 도울 것이라는 밀약이 성립되었다.

예정대로 나의 군사는 구월산으로 집결하였다. 재령, 신천에 있던 쌀도 패엽사로 옮겨왔다. 한 섬을 져오면 서 말을 준다고 하였더니 당일로 다 옮겨졌다. 날마다 군사 훈련도 여행(勵行: 힘써 행함)하였다. 또 인근 각 동에 훈령하여 동학당이라고 자칭하고 민간에 행패하는 자를 적발하여 엄벌하였더니 며칠이 안 가서 질서가 회복되고 백성이 안도하였다. 또 초현문을 발표하여 널리 인재도 수탐하여 송종호, 허곤 같은 유식한 사람을 얻었다. 패엽사에는 하은당이라는 도승이 있어서 수백 명 남녀 승도를 거느리고 있었는데, 나는 가끔 그의 법설을 들었다.

이러는 동안에 경군과 왜병이 해주를 점령하고, 옹진, 강령 등지를 평정하여 학령을 넘어온다는 기별이 들렸다. 그들의 목표가 구월산일 것은 상상하기 어렵지 아니하였다. 그러나 화근은 경군이나 왜병에 있지 아니하고 나와 같은 동학당인 이동엽의 군사에 있었다. 이동엽은 구월산 부근 일대에 가장 큰 세력을 가진 접주로서, 그의 부하는 나의 본진 가까이까지 침입하여 노략질을 함부로 하였다. 우리 군에서는 사정없이 그들을 체포하여 처벌하였기 때문에 피차간에 반목이 깊어진데다가, 우리 군사들 중에 우리 군율에 의한 형벌을 받고 앙심을 품은 자와 노략질을 마음대로 하고 싶은 자들이 이동엽의 군대로 달아나는 일이 날로 늘었다. 이리하여 이동엽의 세력은 날로 커지고 내 세력은 날로 줄었다. 이에 최고회의를 열어 의논한 결과, 나는 동학접주의 칭호를 버리기로 하고, 내 군대를 허곤에게 맡기기로 하였다. 이는 나의 병권을 빼앗으려 함이 아니요, 나를 살려내고자 하는 계책이었다. 이에 허곤은 송종호로 하여금 평양에 있는 장호민에게 보내는 소개 편지를 가지고 평양으로 떠나게 하였으니, 이것은 황주 병사의 양해를 얻어서 일을 정치적으로 해결하려 함이었다.

이때에 내 나이가 열아홉, 갑오년 섣달이었다. 나는 몸에 열이 나고 두통이 심하여서 자리에 눕게 되었다. 하은당 대사는 나를 그의 사처인 조실에 혼자 있게 하고 몸소 병구완을 하였다. 며칠 후에 내 병이 홍역인 것이 판명되어서 하은당은,

"홍역도 못한 대장이로군."

하고 웃었다. 그러고는 홍역을 다스린 경험이 있는 늙은 승수자 한 분을 가리어 내 조리를 맡게 하였다.

이렇게 병석에 누워 있노라니, 하루는 이동엽이 전군을 이끌고 패엽사로 쳐들어온다는 급보가 있고, 뒤이어 어지러이 총소리가 나며 순식간에 절 경내는 양군의 육박전이 벌어졌다. 그러나 원래 사기가 저상한데다가 장수를 잃은 나의 군사는 불의의 습격을 받아서 일패도지하고, 나의 본진은 적의 제압한바 되고 말았다. 나의 군사들은 보기도 흉하게 도망하여 흩어지는 모양이었다.

이윽고 이동엽의 호령이 들렸다.

"김 접주에게 손을 대는 자는 사형에 처한다. 영장 이종선 이놈만 잡아 죽여라."

하고 외쳤다.

이 말을 듣고 나는 이불을 차고 마루 끝에 뛰어 나서서,

"이종선은 내 명령을 받아서 무슨 일이나 행한 사람이니 만일 이종선이가 죽을 죄를 지었거든 나를 죽여라."

하고 외쳤다.

이동엽이 부하에게 명하여 나를 움직이지 못하게 붙잡게 하고 이종선만을 끌고 나가더니, 이윽고 동구에서 총소리가 들리자, 이동엽의 부하는 다 물러가고 말았다.

이종선이 죽었다는 말을 듣고 나는 동구로 달려 내려갔다. 과연 그는 총에 맞아 쓰러졌고, 그의 옷은 아직도 불이 붙어 타고 있었다. 나는 그의 머리를 안고 통곡하다가 내 저고리를 벗어 그 머리를 싸주었다. 그 저고리는 내가 남의 윗사람이 되었다 하여 어머니께서 지어 보내신, 평생에 처음 입어보는 명주 저고리였다. 동민들은 백설 위에 내가 벌거벗고 통곡하고 있는 것을 보고 의복을 가져다 입혀주었다. 나는 동민들을 지휘하여 이종선의 시체를 매장하였다.

이종선은 함경도 정평 사람으로, 장사차 황해도에 와서 살던 사람이다. 총사냥을 잘하고, 비록 무식하나 사람을 거느리는 재주가 있어서 내가 그를 화포령장으로 삼았던 것이다.

이종선을 매장한 나는 패엽사로 돌아가지 아니하고 부산동 정덕현 집으로

갔다. 내게서 그 동안 지낸 일을 들은 정씨는 태연한 태도로,
"이제 형은 할 일 다 한 사람이니 나와 함께 평안히 유람이나 떠나자."
하고 내가 이종선의 원수 갚을 말까지 눌러버리고 말았다. 이동엽이 패엽사를 친 것은 제 손으로 저를 친 것과 마찬가지다, 경군과 왜병이 이동엽을 치기를 재촉할 것이라고 하던 정씨의 말이 그대로 맞아서, 정씨와 내가 몽금포 근처에 숨어 있는 동안에 이동엽은 잡혀가서 사형을 당하였다. 구월산의 내 군사와 이동엽의 군사가 소탕되니 황해도의 동학당은 전멸이 된 셈이었다.

몽금포 근동에 석 달을 숨어 있다가 나는 정씨와 작반하여 텃골에 부모를 찾아뵈옵고, 정씨의 의견을 좇아 청계동 안 진사를 찾아 몸을 의탁하기로 하였다. 나는 패군지장으로서 일찍 적군이던 안 진사의 밑에 들어가 포로 신세가 되는 것을 불쾌하게 생각하였으나, 정씨는 안 진사의 위인이 그렇지 아니하여 심히 인재를 사랑한다는 말과, 전에 안 진사가 밀사를 보낸 것도 이런 경우를 당하면 자기에게 오라는 뜻이라고 역설함에 나는 그 말대로 한 것이었다.

텃골 본향에서 부모님을 뵈온 이튿날, 정씨와 나는 곧 천봉산을 넘어 청계동에 다다랐다. 청계동은 사면이 험준하고 수려한 봉란으로 에워 있고, 동네에는 띄엄띄엄 4, 50호의 인가가 있으며, 동구 앞으로 한 줄기 개울이 흐르고, 그곳 바위 위에는 '청계동천(淸溪洞川)'이라는 안 진사의 자필 각자(刻字: 새긴 글자)가 있었다.

동구를 막을 듯이 작은 봉우리 하나가 있었는데, 그 위에는 포대가 있고, 길 어귀에 파수병이 있어서 우리에게 누구냐고 물었다. 명함을 내주고 얼마 있노라니 의려장의 허가가 있다 하여 한 군사가 우리를 안내하여 의려소인 안 진사 댁으로 갔다. 문전에는 연당이 있고 그 가운데에는 작은 정자가 있었는데, 이것은 안 진사 6형제가 평일에 술을 마시고 시를 읊는 곳이라고 했다. 대청 벽상에는 의려소 석 자를 횡액으로 써 붙였다. 안 진사는 우리를 정청에 영접하여 수인사를 한 후에 첫말이,
"김 석사가 패엽사에서 위험을 면하신 줄을 알았으나 그 후 사람을 놓아서 수탐하여도 계신 곳을 몰라서 우려하였더니 오늘 이처럼 찾아주시니 감사하외다."
하고 다시,

"들으니 구경하(具慶下: 부모님 두 분이 다 살아계심)시던데 양위분은 안접하실 곳이 있으시오?"

하고 내 부모에 관한 것을 물으신다.

내가 별로 안접하실 곳이 없는 뜻을 말하였더니,· 안 진사는 즉시 오일선에게 총 멘 군사 30명을 맡기며,

"오늘 안으로 텃골로 가서 김 석사 부모 양위를 모셔오되, 근동에 있는 우마를 징발하여 그 댁 가산 전부를 반이해 오렸다."

하고 영을 내렸다.

이리하여 우리 집이 청계동에 우접하게 되니, 내가 스무 살 되던 을미년 2월일이었다.

내가 청계동에 머문 것은 불과 4,5 개월이었지만, 그 동안은 내게 가장 중요한 시기였다. 그것은 첫째로는 내가 안 진사와 같은 큰 인격에 접한 것이요, 둘째로는 고 산림과 같은 의기 있는 학자의 훈도를 받게 된 것이었다.

안 진사는 해주 부중에 10여 대나 살아오던 구가의 자제였다. 그 조부 인수가 진해 현감을 지내고는 세상이 차차 어지러워짐을 보고 세상에서 몸을 숨기고자 하여, 많은 재산을 가난한 일가에게 나누어주고 약 300석 추수하는 재산을 가지고 청계동으로 들어오니, 이는 산천이 수려하고 족히 피난처가 될 만한 것을 취함이었다. 이 때는 장손인 중근이 두 살 때였다. 안 진사는 과거를 하려고 서울 김종한의 문객이 되어 다년 유경하다가 진사가 되고는 벼슬할 뜻을 버리고 집으로 돌아와서 형제 여섯 사람이 술과 시로 세월을 보내고, 뜻있는 벗을 사귀기로 낙을 삼고 있었다. 안씨 6형제가 다 문장재사라 할 만하지마는, 그 중에서도 셋째인 안 진사가 눈에 정기가 있어 사람을 누르는 힘이 있고, 기상이 뇌락하여, 비록 조정의 대관이라도 그와 면대하면 자연 경외하는 마음이 일어났다. 그는 내가 보기에도 퍽 소탈하여서, 비록 무식한 하류들에게까지도 조금도 교만한 빛이 없이 친절하고 정녕하여서 상류나 하류나 다 그에게 호감을 가졌었다. 얼굴이 매우 청수하나 술이 과하여 코끝이 붉은 것이 흠이었다. 그는 율을 잘하여서 당시에도 그의 시가 많이 전송되었고, 내게도 그가 득의의 작을 흥 있게 읊어주는 일이 있었다. 그는 '황석공소서'를 자필로 써서 벽장문에 붙이고, 취흥이 나면 소리를 높여서 그것을 낭독하였다.

그때 안 진사의 맏아들 중근은 열세 살로, 상투를 짜고 있었는데, 머리를 자주색 수건으로 질끈 동이고 돔방총이라는 짧은 총을 메고 날마다 사냥을 일삼고 있어 보기에도 영기가 발발하고, 청계동 군사들 중에 사격술이 제일이어서 짐승이나 새나 그가 겨눈 것은 놓치는 일이 없기로 유명하였다. 그의 계부 태건과 언제나 함께 사냥을 다니고 있었다. 그들이 잡아오는 노루와 고라니로는 군사들을 먹이고, 또 진사 6형제의 주연의 안주를 삼았다. 진사의 둘째 아들 정근과 셋째 공근은 다 붉은 두루마기를 입고 머리를 땋아 늘인 도련님들로, 글을 읽고 있었는데, 진사는 이 두 아들에 대해서는 글을 읽지 않는다고 걱정도 하였으나 중근에 대해서는 아무 간섭도 안 하는 모양이었다.

고 산림의 이름은 능선인데, 그는 해주 서문 밖 비동에 세거하는 사람으로서, 중암 조중교의 문인이요, 의암 유인석과 동문으로서, 해서(海西:황해도 지역)에서는 행검으로 굴지되는 학자였다. 이 이도 안진사의 초청으로 이 청계동에 들어와 살고 있었다.

내가 고 산림을 처음 대한 것은 안 진사의 사랑에서였다. 그런데 자기의 사랑에 놀러오라는 그의 말에 나는 크게 감복하여 이튿날 그의 집에 찾아갔다. 선생은 늙으신 낯에 기쁨을 띠시고 친절하게 나를 영접하시며 맏아들인 원명을 불러 나와 상면케 하였다. 원명은 나이 서른 살쯤 되어 보였는데 자품(資稟: 사람된 바탕과 타고난 성품)은 명민한 듯하나 크고 넓음이 그 부친의 뒤를 이을 것 같지는 아니하였다. 원명에게는 15, 6세나 된 맏딸이 있었다.

고 선생이 거처하시는 방은 작은 사랑이었는데, 방 안에는 책이 가득 쌓여 있고, 네 벽에는 옛날에 이름난 사람들의 좌우명과 선생 자신의 심득 같은 것을 둘러 붙였으며, 선생은 가만히 꿇어앉아서 마음을 가다듬는 공부를 하시며 〈손무자〉, 〈삼략〉 같은 병서도 읽으셨다.

고 선생은 나더러, 내가 매일 안 진사의 사랑에 가서 놀더라도 정신 수양에는 효과가 적을 듯하니, 매일 선생의 사랑에 와서 세상사도 말하고 학문도 토론함이 어떠냐고 하였다. 나는 이러한 대 선생이 나에게 대하여 이처럼 특별한 지우(知遇:학식이나 인격을 인정하여 잘 대우함)를 주시는 것을 눈물겹게 황송하고 감사하게 생각하고, 나는 좋은 마음 가진 사람이 되려던 소원을 말씀드리고 모든 것을 고 선생의 지도에 맡긴다는 성의를 표하였다. 과거에 낙심하고 관상에 낙심하고 동학에 실패한, 자포자기에 가까운 심리를 가지게 되었는데, 나 같은 것도 고 선생과 같으신 큰 학자의 지도로 한 사람 구실을 할 수가 있을까? 스스로 의심하지 아니할 수 없었다. 이런 말씀을 아뢰었더니 고 선생은 이렇게 말씀하셨다.

"사람이 자기를 알기도 쉬운 일이 아닌데 하물며 남의 일을 어찌 알랴. 그러므로 내가 그대의 장래를 판단할 힘은 없으나, 내가 한 가지 그대에게 확실히 말할 것이 있으니, 그것은 성현을 목표로 하고 성현의 자취를 밟으라 하는 것이다. 이렇게 힘써 가노라면 성현의 지경에 달하는 자도 있고, 못 미치는 자도 있거니와, 이왕 그대가 마음 좋은 사람이 될 뜻을 가졌으니 몇 번 길을 잘못 들더라도 본심만 변치 말고 고치고 또 고치고, 나아가고 또 나아가면 목적지에 달할 날이 반드시 있을 것이니, 괴로워하지 말고 행하기만 힘쓰라."

이로부터 나는 매일 고 선생 사랑에 갔다. 선생은 내게 고금의 위인을 비평하여 주고, 당신이 연구하여 깨달은 바를 가르쳐주고, 〈화서아언〉이며 〈주자백선〉에서 긴요한 절구를 보여주셨다. 선생이 특히 역설하시는 바는 의리에 관해서였다. 비록 뛰어난 재능이 있더라도 의리에서 벗어나면 그 재능이 도리어 화단이 된다고 하셨다.

선생은 경서를 차례로 가르치는 방법을 취하지 아니하고, 내 정신과 재질을 보셔서 뚫어진 곳은 깁고 빈 구석을 채워주는 구전심수의 첩경을 택하셨다. 선생은 나를 결단력이 부족하다고 보셨음인지, 아무리 많이 알고 잘 판단하였더라도 실행할 과단력이 없으면 다 쓸데없다고 말씀을 하시고, '득수반지무족기 현애철수장부아(得樹攀枝無足奇 縣崖撤手丈夫兒: 나뭇가지를 잡아도 발에는 힘주지 않고, 벼랑에 매달려도 손을 놓을 수 있는 것이 장부다)'

라는 글귀를 힘 있게 설명하셨다.

가끔 안 진사가 고 선생을 찾아오셔서 두 분이 고금의 일을 강론하심을 옆에서 듣는 것은 참으로 비할 데 없이 재미있는 일이었다.

나는 가끔 고 선생 댁에서 놀다가 저녁밥을 선생과 같이 먹고, 밤이 깊어 인적이 고요할 때까지 국사를 논하는 일이 있었다.

고 선생은 이런 말씀도 하셨다.

"예로부터 천하에 흥하여보지 아니한 나라도 없고, 망해보지 아니한 나라도 없다. 그런데 나라가 망하는 데도 거룩하게 망하는 것이 있고, 더럽게 망하는 것이 있다. 어느 나라 국민이 의로써 싸우다가 힘이 다하여 망하는 것은 거룩하게 망하는 것이며, 그와는 반대로 백성이 여러 패로 갈라져 한 편은 이 나라에 붙고 한 편은 저 나라에 붙어서 외국에는 아첨하고 제 동포와는 싸워서 망하는 것은 더럽게 망하는 것이다. 이제 왜의 세력이 전국에 충만하여 궐내에까지 침입하여서 대신도 적의 마음대로 내고들이게 되었으니 우리나라가 제 2의 왜국이 아니고 무엇인가. 만고에 망하지 아니한 나라가 없고, 천하에 죽지 아니한 사람이 있던가. 이제 우리에게 남은 것은 일사보국(一死報國)의 일건사가 남아있을 뿐이다."

선생은 비감한 낯으로 나를 보시며 이 말씀을 하셨다. 나는 비분을 못 이겨 울었다.

망하는 우리나라를 망하지 않도록 붙들 도리는 없는가 하는 내 물음에 대해서 선생은 청국과 서로 맺는 것이 좋다고 하시고, 그 이유로는 이렇게 말씀하셨다.

"청국이 갑오년 싸움(청일전쟁, 1894년)에 진 원수를 반드시 갚으러 할 것이니, 우리 중에서 상당한 사람이 그 나라에 가서 그 국정도 조사하고 그 나라 인물과도 교의를 맺어두었다가 후일에 기회가 오거든 서로 응할 준비를 하여두는 것이 필요하다."

나는 선생의 이 말씀에 감동하여 청국으로 갈 마음이 생겼다. 그러나 나와 같이 어린 것이 한 사람 간다고 해서 무슨 일이 되랴 하는 뜻을 말씀드린즉 선생은 그렇게 생각하는 것을 책망하시고, 누구나 제가 옳다고 믿는 것을 혼자만이라도 실행하는 것이 필요하니, 저마다 남이 하기를 바랄 것이 아니라 저마다 제 일을 하면 자연 그 일을 하는 사람이 많아지는 것이라, 어떤 사람은 정계에, 또 어떤 사람은 학계나 상계에, 이처럼 자기가 합당한 방면으로 활동하여서 그 결과가 모이면 큰일이 이루어지는 것이라고 하셨다.

이 말씀에 나는 청국으로 떠날 결심을 하고, 그 뜻을 고 선생께 아뢰었다. 선생은 크게 기뻐하셔서 내가 떠난 뒤에는 내 부모까지 염려 마라 하셨다.

나는 의리로 보아 이 뜻을 안 진사에게 통함이 옳을까 하였으나, 고 선생은 이에 반대하셨다. 안 진사가 천주학을 믿을 의향이 있는 모양인데, 만일 그렇다면 이는 양이를 의뢰하려 함이니 대의에 어긋나는 일인즉 지금 이런 큰일을 의논할 수 없다. 그러나 안 진사는 확실한 인재니, 내가 청국을 유력(遊歷:여러 고장을 돌아다님)한 뒤에 좋은 일이 있을 때에 서로 의논하는 것도 늦지 아니하니, 이번에는 말없이 떠나라는 것이었다. 나는 무엇이나 고 선생의 지시대로 하기로 결심하고 먼 길을 떠날 준비를 하였다.

제2장. 기구한 젊은 때

내가 청국을 향하여 방랑의 길을 떠나기로 작정한 바로 전날, 나는 넌지시 안 진사를 마지막으로 한 번 보고 속으로만이라도 하직하는 정을 표현하려고 안 진사 댁 사랑에 갔다가 참빗장수 한 사람을 만났다. 그 언어동작이 아무리 보아도 예사 사람이 아닌 듯하여 인사를 청한즉 그는 전라도 남원 귓골 사는 김형진이란 사람이요, 나와 같은 안동 김 씨요, 연치는 나보다 8,9 세 위였다. 나는 참빗을 사겠노라고 그를 내 집으로 데리고 와서 하룻밤을 같이 자면서 그의 인물을 떠보았다. 과연 그는 보통 참빗장수가 아니요, 안 진사가 당시에 대문장, 대영웅이라는 말을 듣고 한 번 찾아보러 일부러 떠나온 것이라고 한다. 인격이 그리 뛰어나거나 학식이 도저한 인물은 못 되나 시국에 대하여서 불평을 품고 무슨 일이나 하여보자는 결심은 있어 보였다. 이튿날 그를 데리고 고 선생을 찾아 선생에게 인물 감정을 청하였더니, 선생은 그가 비록 주뇌가 될 인물은 못 되나 남을 도와서 일할 만한 소질은 있어 보인다는 판단을 내리셨다. 이에 나는 김 씨를 내 길동무 삼기로 하고, 집에서 먹이던 말 한 필을 팔아 여비를 만들어 청국으로 떠나게 되었다.

우리는 백두산을 보고 동삼성(만주)을 돌아서 북경으로 가기로 하였다. 평양까지는 예사대로 가서, 거기서부터는 나도 김형진 모양으로 참빗과 황화장수(행상)를 하기로 하고, 참빗과 붓, 먹과 기타 산읍에서 팔릴 만한 물건을 사서 둘이서 한 짐씩 걸머졌다. 그리고 평양을 떠나서 을밀대와 모란봉을 잠시 구경하고 강동, 양덕, 맹산을 거쳐 함경도로 넘어서서 고원, 정평을 지나 함흥 감영에 도착하였다. 강동 어느 장거리에서 하룻밤을 자다가 칠십 늙은이 주정뱅이한테 까닭 모를 매를 얻어맞고 한신이 회음에서 어떤 젊은 놈에게 봉변당하던 것을 이야기하고 웃은 일이 있었다. 고원 함관령에서 이 태조(조선 태조)가 말갈을 쳐 물리친 승전비를 보고, 함흥에서는 우리나라에서 제일 길다는 남대천 나무다리와 네 가지 큰 것 중에 하나라는 장승을 보았다. 이 장승은 큰 나무에 사람의 얼굴을 새긴 것인데, 머리에는 사모를 쓰고 얼굴에는 주홍칠을 하고 눈을 부릅뜨고 있는 것이 매우 위엄이 있었다. 장승은 2개씩 남대천 다리 머리에 갈라 서있었다.

옛날에 장승은 큰 길목에는 어디나 서있었으나 함흥의 장승이 그 중 가장 크기로 유명하여서 경주의 인경과 은진의 돌미륵과 연산의 쇠가마와 함께 사대물이라고 꼽히던 것이었다.

함흥의 낙민루는 이 태조가 세운 것으로 아직도 그대로 남아있었다.

흥원, 신포에서는 명태잡이 하는 것을 보고, 어떤 튼튼한 아낙네가 광주리에 꽃게 한 마리를 담아서 힘껏 이고 가는데, 게의 다리가 모두 내 팔뚝보다도 굵은 것을 보고 놀랐다.

함경도에 들어서서 가장 감복한 것은 교육제도가 황해도나 평안도보다 발달된 것이었다. 아무리 초가집만 있는 가난한 동네에도 서재와 도청은 기와집이었다. 흥원 지경 어느 서재에는 선생이 세 사람이 있어 학과를 고등, 중등, 초등으로 나눠서 각각 한 반씩 담당하며 가르치는 것을 보았다. 이것은 옛날 서당으로서는 드문 일이었다. 서당 대청 좌우에는 북과 종을 달고 북을 치면 글 읽기를 시작하고, 종을 치면 쉬었다. 더구나 북청은 함경도 중에서도 글을 숭상하는 고을이어서 내가 그곳을 지날 때에도 살아있는 진사가 30여 명이요, 대과에 급제한 조관이 일곱이나 있었다. 과연 문향이라고 나는 크게 탄복하였다.

도청이라는 것은 동네에서 공용으로 쓰는 집이다. 여염집보다 크기도 하고 화려하기도 하다. 사람들은 밤이면 여기 모여서 동네 일을 의논도 하고, 새끼 꼬기, 신 삼기도 하고, 이야기도 듣고, 놀기도 하고, 또 동네 안에 뉘 집에나 손님이 오면 집에서 식사만 대접하고 잠은 도청에서 자게 하니, 이를테면 공동 사랑이요, 여관이요, 공회당이다. 만일 돈 없는 나그네가 오면 도청 예산 중에서 식사를 공궤하기로 되어 있다. 모두 본받을 미풍이라고 생각하였다.

우리가 단천 마운령을 넘어서 갑산읍에 도착한 것이 을미년 7월이었다. 여기 와서 놀란 것은 기와를 인 관청을 제외하고는 집집마다 지붕에 풀이 무성하여 마치 사람이 살지 않는 빈 터와 같았다. 그러나 뒤에 알고 보니 이것은 지붕을 덮은 봇껍질을 흙덩이로 눌러놓으면 거기에서 풀이 무성하게 자라 아무리 악수가 퍼부어도 흙이 씻기지 아니한다고 한다.

봇껍질은 희고 빤빤하고 단단하여서 기와보다도 오래간다 하며, 사람이 죽어 봇껍질로 싸서 묻으면 1만년이 가도 해골이 흩어지는 일이 없다고 한다.

혜산진에 이르니 압록강을 사이에 두고 만주를 바라보는 곳이라 건너편 중국 사람의 집에서 개 짖는 소리가 들렸다. 거기서는 압록강도 걸어서 건널 만하였다.

혜산진에 있는 제천당은 우리나라 산맥의 조종이 되는 백두산 밑에 있어 예로부터 나라에서 제관을 보내어 하늘과 백두산 신께 제사를 드리는 곳이다. 그 주변에는 이렇게 쓰여 있었다.

'유월설색산백두이운무 만고유성수압록이흉용(六月雪色山白頭而雲霧 萬古流聲水鴨綠而洶湧:눈 쌓인 6월의 백두산에 운무가 감돌고 만고에 끊이지 않고 흐르는 압록강이 용솟음친다)'

우리는 백두산 가는 길을 물어가면서 서대령을 넘어 삼주, 장진, 후창을 거쳐 자성의 중강을 건너서 중국 땅인 마울산에 다다랐다.

지나온 길은 무비 험산준령이요, 어떤 곳은 7, 80 리나 무인지경도 있어서 밥을 싸가지고 간 적도 있었다. 산은 심히 험하나 맹수는 별로 없었고, 수풀이 깊어서 지척을 분별치 못할 때가 많았다. 나무는 하나를 벤 그루터기 위에 7, 8 명이 모여 앉아서 밥을 먹을 만한 것도 드물지 않다고 한다. 내가 본 것 중에도 통나무로 곡식 넣는 통을 파느라고 장정 하나가 그 통 속에 들어서서 도끼질을 하는 것이 있었다. 장관인 것은 이 산봉우리에 섰던 나무가 쓰러져서 저 산봉우리에 걸쳐 있는 것을 우리가 다리 삼아서 건너간 일이었다.

이 지경은 인심이 대단히 순후하고, 먹을 것도 넉넉하여서 나그네가 오면 극히 반가워하여 얼마든지 묵게 한 뒤에 보냈다. 곡식은 대개 귀밀과 감자요, 산의 개천에는 이면수라는 물고기가 많이 나는데 대단히 맛이 좋았다. 옷감으로 짐승의 가죽을 쓰는 것이 퍽이나 원시적이었다. 삼수 읍내에는 민가가 겨우 30호 밖에 없었다.

마울산에서 서북으로 노인치라는 영(嶺)을 넘고 또 넘어 서대령으로 가는 길에서 우리는 100리에 두어 사람 정도 우리 동포를 만났는데, 대부분 금점

꾼이었다. 만나는 사람마다 우리더러 백두산 가는 것이 향마적 때문에 위험하니 가지 말라고 하므로 우리는 유감이나마 백두산 참배를 중지하였다. 그래서 우리는 방향을 돌려 만주 구경이나 하리라 하고 통화로 갔다.

통화는 압록강 연변의 다른 현성과 마찬가지로 설립된 지 얼마 아니 되어서 관사와 성루의 서까래가 아직도 흰빛을 잃지 아니하였다. 성내에 인가가 모두 500호라는데, 그 중에서 우리나라 사람의 집도 하나 있었다. 남자는 변발을 하여서 중국 사람의 모양을 하고 현청에 통사로 있다는데, 그의 처자들은 우리의 옷을 입고 있었다. 거기서 10리쯤 가서 심 생원이라는 동포가 산다 하기로 찾아갔더니 정신없이 아편만 먹는 사람이었다.

만주로 돌아다니는 중에 가장 미운 것은 호통사였다. 몇 마디 한어를 배워가지고는 불쌍한 동포의 등을 긁어 피를 빨아먹는 것이었다. 우리 동포들은 갑오년 난리를 피하여 생소한 이 땅에 건너와서 중국 사람이 살 수가 없어서 내버린 험한 산골을 택하여 화전을 일구어서 조나 강냉이를 지어 근근이 연명하고 있었다. 호통사라는 놈들은 중국 사람들에게 붙어서 무리한 핑계를 만들어가지고 혹은 동포의 전곡을 빼앗고, 혹은 부녀의 정조를 유린하는 것이었다. 어떤 곳에를 가노라니 중국인의 집에 한복을 입은 처녀가 있기에 이웃사람에게 물어본즉 그 역시 호통사의 농간으로 그 부모의 빚값으로 중국인의 집에 끌려온 것이라고 하였다. 관전, 임강, 환인, 어디를 가도 호통사의 폐해는 마찬가지였다.

어디나 토지는 비옥하여서 한 사람이 지으면 열 사람이 먹을 만하였다. 오직 귀한 것은 소금이어서, 이것은 의주에서 물을 거슬러 올라와 사람의 등으로 져 나르는 것이라 한다. 동포들의 인심은 참으로 순후하여, 본국 사람이 오면 '앞대 나그네'가 왔다 하여 혈속과 같이 반가워하고, 집집이 다투어서 맛있는 것을 대접하려고 애를 쓰고, 남녀노소가 모여와서 본국 이야기를 들려달라고 졸랐다. 대부분이 청일 전쟁 때 피난 간 사람들이지만 간혹 본국에서 죄를 짓고 도망쳐 온 사람이 있었다. 그 중에는 민요에 장두가 되었던 (민란을 주도했던) 호걸도 있고, 공금을 포흠한 관속도 있었다.

집안의 광개토왕비는 아직 몰랐던 때라 보지 못한 것이 유감이거니와, 관전의 임경업 장군의 비각을 본 것이 기뻤다.

'삼국충신임경업지비(三國忠臣林慶業之碑)'라고 비면에 새겨 있는데, 이 지방 중국 사람들은 병이 나면 이 비각에 제사를 드리는 풍속이 있다고 한다.

이 지방으로 방랑하는 동안에 김이언이란 사람이 청국의 도움을 받아서 일본에 반항할 의병을 꾸미고 있다는 말을 들었다. 사람들이 전하는 바에 의하면 김이언은 벽동 사람으로서, 기운이 있고 글도 잘하여 심양자사에게 말 한 필과 〈삼국지〉 한 질을 상으로 받았기 때문에 중국사람 장령들에게도 대접을 받는다고 하였다. 우리는 이 사람을 찾아보기로 작정하고, 먼저 그 인물이 참으로 지사인가, 협잡꾼인가 아닌가를 염탐하기 위하여 김형진을 먼저 떠나보내고 나는 다른 길로 수소문을 하면서 따라가기로 하였다.

하루는 압록강을 거의 100리나 격한 노중에서 궁둥이에 관인을 찍은 말을 타고 오는 젊은 청국 장교 한 사람을 만났다. 그의 머리에 쓴 마라기(청국 군인의 모자)에는 옥로가 빛나고 붉은 솔이 너풀거렸다. 나는 덮어놓고 그의 말머리를 잡았다. 그는 말에서 내렸다. 나는 중국말을 몰랐으므로 내가 여행하는 취지를 적은 글을 만들어서 품에 지니고 있었는데, 이것을 그 장교에게 내어 보였다. 그는 내가 주는 글을 받아 읽더니 다 읽기도 전에 소리를 내어 울었다. 내가 놀라서 그가 우는 까닭을 물으니 그는 내 글 중에, '통피왜적여아불공대천지수(痛彼倭敵與我不共戴天之讐: 왜적과는 더불어 평생을 같이 살 수 없는 철천지 원수로다)'

라는 구절을 가리키며 다시 나를 잡고 울었다. 내가 필담을 하기 위해 필통을 꺼냈더니, 그가 먼저 붓을 들어 왜가 어찌하여 그대의 원수냐고 도리어 내게 묻는다. 나는 일본이 임진으로부터 세세에 걸쳐 원수일 뿐만 아니라, 지난달에 왜가 우리 국모를 불살라 죽였다고 쓰고, 다음에 그대야말로 무슨 연유로 내 글을 보고 이토록 통곡하는가 하고 물었다. 그의 대답을 듣건대, 그는 작년 평양 싸움에서 전사한 장수, 서옥생의 아들로서, 강계 관찰사에게 그 부친의 시체를 찾아주기를 청하였던 바, 찾았다 하기로 가본즉 그것은 그의 아버지의 시체가 아니므로 허행을 하고 집으로 돌아가는 길이라고 한다. 나는 평양 보통문 밖에 '서옥생전사지지'라는 목패를 보았다는 말을 하였다. 그의 집은 금주요, 집에는 1500명의 군사를 거느리고 있었는데, 그 아버지 옥생이 그 중에서 1000명을 데리고 출정하여서 전멸하였고 지금 집에는 500명이 남아 있으며, 재산은 넉넉하고, 자기의 나이는 서른 살이요, 아내는 몇 살이며, 아들이 몇, 딸이 몇이라고 자세히 가르쳐준 뒤에 내 나이를 물어, 내가 그보다 연하인 것을 알고는 그는 나를 아우라고 부를 터이니 그를 형이라고 부르라 하여 피차에 형제의 의를 맺기로 청하고, 서로 같은 원수를 가졌으니 함께 살면서 시기를 기다리자 하여 나더러 그와 같이 금주로 가기를 청하고, 내가 대답도 하기 전에 내 등에 진 짐을 벗겨 말에 달아매고 나를 붙들어 말안장에 올려놓고 자기는 걸어서 뒤를 따랐다.

나는 얼마를 가며 곰곰이 생각하였다. 기회는 썩 좋은 기회였다. 내가 원래 이 길을 떠난 것은 중국의 인사들과 교의를 맺자는 것이었으니, 이제 서씨와 같은 명가와 인연을 맺은 것은 고소원이라고 아니할 수 없다. 그러나 하나 마음에 걸리는 것은 김형진에게 알릴 길이 없는 것이었다. 만일 김형진만 같이 있었던들 나는 이때에 서를 따라갔을 것이다.

나는 근 1년이나 집을 떠나 있어 부모님 안부도 모르고, 또 서울 형편도 못 들었으니, 이 길로 본국에 돌아가 근친도 하고, 나라 일이 되어가는 양도 알아본 뒤에 금주로 형을 따라갈 것을 말하고 결연하게 그와 서로 작별하였다.

나는 참빗장수의 행세로 이집 저집에서 김이언의 일을 물어가며 서와 작별한 지 5, 6일 만에 김이언의 근거지 삼도구에 다다랐다.

김이언은 당년 50여 세에, 심양에서 500근 되는 대포를 앉아서 두 손으로 들었다 놓았다 할 만큼 기운이 있는 사람이었다. 보기에 용기가 부족한 것 같고, 또 자신이 과하여 남의 의사를 용납하는 도량이 없는 것 같았다. 도리어 그의 동지인, 초산에서 이방을 지냈다는 김규현이란 사람이 의리도 있고 책략도 있어 보였다.

김이언은 자기가 창의의 수령이 되어서 초산, 강계, 위원, 벽동 등지의 포수와, 강 건너 중국 땅에 사는 동포 중에 사냥총이 있는 사람을 모집하여서 약 300명가량 무장한 군사를 두고 있었다. 창의의 명의로는 국모가 왜적의 손에 죽었으니 국민 전체의 욕이라 참을 수 없다는 것이요, 이 뜻으로 글 잘하는 김규현의 붓으로 격문을 지어서 사방에 산포하였다. 나와 김형진 두 사람도 참가하기로 하여 나는 초산, 위원 등지에 숨어 다니며 포수를 모으는 일과 강계 성중에 들어가서 화약을 사오는 일을 맡았다. 거사할 시기는 을미년 동짓달 초생, 압록강이 얼어붙을 때로 하였다. 군사를 얼음 위로 몰아서 강계성을 점령하자는 것이었다.

나는 위원에서 내가 맡은 일을 끝내고 책원지인 삼도구로 돌아오는 길에 압록강을 건너다가 엷은 얼음을 밟아서 두 팔만 얼음 위에 남고 몸이 온통 강 속으로 빠져버렸다. 나는 솟아오를 길이 없어서 목청껏 사람 살리라고 소리 지를 뿐이었다. 내 소리를 들은 동민들이 나와서 나를 얼음 구멍에서 꺼내어 인가로 데리고 갔을 때에 내 의복은 벌써 딱딱한 얼음덩어리가 되어 있었다.

마침내 강계성을 습격할 날이 왔다. 우선 고산리를 쳐 거기 있는 무기를 빼앗아서 무기 없는 군사에게 나누어 주었다. 이것이 첫 실책이었다. 나는 고산리를 먼저 치지 말고 곧장 강계성을 엄습하자고 주장하였다. 우리가 고산리를 쳤다는 소문이 들어가면 강계성의 수비가 더욱 엄중할 것이니, 고산리에서 약간의 무기를 더 얻는 것보다는 출기부의(出其不意)로 강계를 덮치는 것이 유리하다는 것이었다. 김규현, 백 진사 등 참모도 내 의견에 찬성하였으나 김이언은 종시 제 고집을 세우고 듣지 아니하였다.

고산전에서 무기를 빼앗은 우리 군사는 이튿날 강계로 진군하여 야반에 독로강 빙판으로 전군을 몰아 선두가 인풍루에서 10 리쯤 되는 곳에 다다랐을 때에 강남 쪽 송림 속에서 화승불이 번쩍번쩍하는 것이 보였다. 그때에는 모두 화승총이었으므로 군사는 불붙은 화승을 들고 있었던 것이다. 그 송림 속으로부터 강계대 장교 몇 명이 나와 김이언을 찾아보고 첫말로 묻는 말이, 이번에 오는 군사 중에 청병이 있느냐 하는 것이었다. 김이언은 이에 대하여 이번에는 청병은 아니 왔다, 그러나 우리가 강계를 점령하였다고 기별하는 대로 오기로 하였다고 말하였다. 이것은 정직한 말일는지는 모르거니와 전략적인 대답은 아니었다. 애초에 나는 우리 중에 몇 사람이 청국 장교로 차리고 선두에 설 것을 주장하였으나, 김이언은 우리 국모의 원수를 갚으려는 이 싸움에 청병의 위력을 가장하는 것은 옳지 아니하니, 강계성 점령은 당당하게 흰 옷을 입은 우리가 할 것이요, 또 강계대의 장교도 이미 내응할 약속이 있으니 염려 없다고 고집하였다.

나는 이에 대하여 강계대의 장교라는 것이 애국심으로 움직이기보다도 세력에 쏠릴 것이라 하여 청국 장교로 가장하는 것이 전략상 극히 필요하다고 하였으나, 김이언은 끝까지 듣지 아니하였던 것이다. 그랬던 차에 이제 강계대 장교가 머리를 흔들고 돌아가는 것을 보니 나는 벌써 대세가 틀렸다고 생각하였다. 아니나 다를까, 그 장교들이 그들의 진지로 돌아갈 때쯤 하여 화승불들이 일제히 움직이더니 탕탕 하고 포성이 진동하고 탄알이 빗발같이 이리로 날아왔다. 잔뜩 믿고 마음을 놓고 있던 이 편의 1000여 명 군마는 얼음판 위에서 대혼란을 일으켜 이리 뛰고 저리 뛰어 달아나기를 시작하고, 벌써 총에 맞아 쓰러지는 자, 죽는다고 아우성을 치고 우는 자가 여기저기 있었다.

나는 일이 다 틀렸음을 알고, 또 김이언으로 보면 이번에 여기서 패하고는 다시 회복 못할 것으로 보고 김형진과 함께 슬며서 떨어져서 몸을 피하기로 하였다. 그래서 우리는 군사들이 달아나는 것과는 반대 방향으로, 도리어 강계성에 가까운 쪽으로 피하였다. 인풍루 바로 밑의 동네로 갔더니 어느 집에도 사람은 없었다. 우리는 그 중에 가장 큰 집으로 갔다. 밖에서 불러도 대답이 없고 안에 들어가도 사람은 없는데, 빈 집에 큰 제상이 놓이고, 그 위에는 갖은 음식이 벌여져 있고, 상 밑에는 술병이 있었다. 우리는 우선 술과 안주를 한바탕 배불리 먹었다. 나중에 주인이 돌아와서 하는 말이, 그 아버지 대상제를 지내다가 총소리에 놀라서 식구들과 손님들이 모두 산으로 피난하였던 것이라 한다.

우리는 이튿날 강계를 떠나 되넘이 고개를 넘어 수일 만에 신천으로 돌아왔다. 청계동으로 가는 길에 나는 호열자로 하여서 고 선생의 맏아들 원명의 부처가 구몰하였다는 말을 듣고 크게 놀랐다. 나는 집에도 가기 전에 먼저 고 선생 댁을 찾았더니, 선생은 도리어 태연자약하셨다. 나는 어색하여 말문이 막혔다. 내가 부모님 계신 집으로 가려고 하직을 할 때에 고 선생은 뜻 모를 말씀을 하셨다.

"곧 성례를 하게 하자."

하시는 것이었다. 집에 와서 부모님의 말씀을 듣잡고 비로소 내가 없는 동안에 고 선생의 손녀, 즉 원명의 딸과 나와 약혼이 되었다는 것을 알았다. 부모님은 번을 갈아서 약혼이 되던 경로를 말씀하셨다. 아버지의 말씀은 이러하였다.

하루는 고 선생이 집에 찾아오셔서 아버지를 보시고 요새는 아들도 없고 고적할 터이니 선생의 사랑에 오셔서 담화나 하자는 것이었다. 그래서 어느 날 아버지께서 고 선생 댁 사랑에를 가셨더니 고 선생은 아버지께 내가 어려서 자라던 일을 물으셨다. 아버지께서는 내가 어려서 공부를 열심히 하던 일, 해주에 과거보러 갔다가 비관하고 돌아오던 일, 상서를 보고는 제 상이 좋지 못하였다고 낙심하던 일, 상이 좋지 못하니 마음이나 좋은 사람이 된다고 동학에 들어가 도를 닦던 일, 이웃 동네에 사는 강 씨와 이 씨는 조상의 뼈를 파는 죽은 양반이지마는 저는 마음을 닦고 몸으로 행하여 산 양반이 되겠다던 일 등을 말씀하셨다.

또한 어머님의 말씀은, 내가 어렸을 때 강령에서 살적에 칼을 가지고 그 집 식구를 모두 찔러 죽인다고 신풍 이 생원 집에 갔다가 칼을 빼앗기고 매만 맞고 돌아왔다는 것, 돈 스무 냥을 허리에 두르고 떡을 사먹으러 가다가 아버지께 되게 매를 맞은 것, 푸른 물감을 온통 꺼내다가 개천에 풀어놓은 것을 보고 어머니가 단단히 때려주셨다는 것 같은 것 등이었다.

이랬더니 하루는 고 선생이 아버지께, 나와 고 선생의 장손녀와 혼인하면 어떠냐고 말을 내시고, 아버지께서는 문벌로 보나, 덕행으로 보나, 또 내 외모로 보나 어찌 감히 선생의 가문을 욕되게 하랴 하여 사양하셨다. 그런즉 고 선생은 아버지를 보시고 내가 못생긴 것을 한탄 말라고, 창수는 범의 상이니 장차 범의 냄새를 피우고 범의 소리를 내어 천하를 놀라게 할 날이 있을 것이라고 말씀하셨다. 이리하여서 내 약혼이 된 것이었다.

나는 부모님의 말씀을 듣고 고 선생께서 나 같은 것을 그처럼 촉망하셔서 사랑하시는 손녀를 허하심에 대하여 큰 책임을 감당키 어렵게 생각하였다. 더구나 선생께서,

"나도 맏아들 부처가 다 죽었으니 앞으로는 창수에게 의탁하려오."

하셨다는 것과 또,

"내가 청계동에 와서 청년을 많이 대하여보았으나 창수만한 남아는 없었소."

하셨다는 말씀을 듣자올 때에는 더욱 몸 둘 곳이 없었다. 그 규수로 보더라도 그 얼굴이나 마음이나 가정교훈을 받은 점으로나 나는 만족하였다.

이 약혼에 대하여 부모님이 기뻐하심은 말할 것도 없었다. 외아들을 장가들인다는 것만도 기쁜 일이거늘, 하물며 이름 높은 학자요, 양반의 집과 혼인을 하게 된 것을 더욱 영광으로 생각하시는 모양이었다. 그래서 비록 없는 살림이라도 혼인 준비에 두 집이 다 바빴다.

아직 성례전이지마는 고 선생 댁에서는 나를 사위로 보는 모양이어서, 혹시 선생 댁에서 저녁을 먹게 되면 그 처녀가 상을 들고 나오고, 6, 7세

되는 그의 어린 동생은 나를 아재라고까지 부르고 반가워하였다. 이를테면 내 장인 장모인 원명 부처의 장례도 내가 조력하여서 지냈다.

나는 선생께 이번 여행에서 본 바를 보고하였다. 두만강, 압록강 건너편의 땅이 비옥하고, 또 지세도 요새로 되어 있어 족히 동포를 이식하고 양병도 할 수 있다는 것이며, 그곳 인심이 순후한 것이며, 또 서옥생의 아들과 결의(結義)형제가 되었다는 것 등을 낱낱이 아뢰었다.

때는 마침 김홍집 일파가 일본의 후원으로 우리나라 정권을 잡아서 신장정이라는 법령을 발하여 급진적으로 모든 제도를 개혁하던 무렵으로서, 그 새 법의 하나로 나온 것이 단발령이었다. 대군주 폐하라고 부르는 상감께서 먼저 머리를 깎고 양복을 입으시고는 관리로부터 서민에 이르기까지 모두 깎게 하자는 것이었다. 이 단발령이 팔도에 내렸으나 백성들이 응종하지 아니하기 때문에 서울을 비롯하여 감영, 병영 같은 큰 도회지에서는 목목이 군사가 지켜져서 행인을 막 붙잡고 상투를 잘랐다. 이것을 늑삭(억지로 깎는다는 뜻)이라 하여 늑삭을 당한 사람은 큰일이나 난 것처럼 통곡을 하였다. 이 단발령은 크게 민원을 일으켜서 어떤 선비는 도끼를 메고,

"이 목을 자를지언정 이 머리는 깎지 못하리라"

하는 뜻으로 상소를 올렸다. '차라리 지하에 목 없는 귀신이 될지언정, 살아서 머리 깎은 사람은 아니 되리라'는 글이 마치 격서 모양으로 입에서 입으로 전파하여서 민심을 선동하였다.

이처럼 단발을 싫어하고 반대하는 이유가 다만 유교의 '신체발부수지부모 불감훼상효지시야(身體髮膚受之父母 不敢毁傷孝之始也: 내 온몸을 부모로부터 받았으니 감히 이를 상하지 않게 하는 것이 효의 시작이다)'에서 나온 것만이 아니요, 이것은 일본이 시키는 것이라는 반감에서 온 것이었다.

군대와 경찰관은 이미 단발이 끝나고 문관도 공리에 이르기까지 실시하는 중이었다.

나는 고 선생께 안 진사와 상의하여 의병을 일으킬 것을 진언하였다. 이를테면 단발 반대의 의병이었고, 단발 반대를 곧 일본 배척으로 생각하였던 것이다.

회의는 열렸으나 안 진사의 뜻은 우리와 달랐다. 이길 가망이 없는 일을 일으킨다면 실패할 것밖에 없으니 천주교나 믿고 있다가 시기를 보아서 일

어나자는 것이 안 진사의 의사였다. 그는 머리를 깎이게 된다면 깎아도 좋다고까지 말하였다.

안 진사의 말에 고 선생은 두말하지 않고,

"진사, 오늘부터 자네와 끊네."

하고 자리를 차고 일어나 나갔다. 끊는다는 것은 우리나라에서 예로부터 선비가 절교를 선언하는 말이다.

이 광경을 보고 나도 안 진사에 대하여 섭섭한 마음이 났다. 안 진사 같은 인격으로서, 되었거나 못 되었거나 제 나라에서 일어난 동학은 목숨을 내어놓고 토벌까지 하면서 서양 오랑캐의 천주학을 한다는 것은 괴이한 일이거니와, 그는 그렇다 하더라도 목을 잘릴지언정 머리를 깎지 못하겠다는 생각은커녕 단발할 생각까지 가졌다는 것은 대의에 어긋난 일이라고 생각하였다.

안 진사의 태도에 실망한 고 선생과 나는 얼른 내 혼인이나 하고 청계동을 떠나기로 작정하였다. 나는 금주 서옥생의 아들을 찾아갈 생각이었다.

그런데 천만 염외에 불행한 일이 또 하나 생겼다. 어느 날 아침 일찍이 고 선생이 나를 찾아오셔서 대단히 낙심한 얼굴로 이런 말씀을 하셨다.

"어제 내가 사랑에 앉았노라니 웬 김가라는 자가 찾아와서 '당신이 고 아무개요?' 하기로 그렇다 한즉, 그 자가 내 앞에 다가와 칼을 내어놓으며 하는 말이, '들으니 당신이 손녀를 김창수에게 허혼을 하였다 하니, 그러면 첩으로 준다면 모르되 정실로는 아니 되리다. 김창수는 벌써 내 딸과 약혼한 지가 오래요.' 그러기로 나는, '김창수가 정혼한 데가 없는 줄 알고 내 손녀를 허한 것이지, 만일 약혼한 데가 있다면야 그러할 리가 있는가. 내가 김창수를 만나서 해결할 터이니 돌아가라'고 해서 돌려보내기는 했으나 내 집안에서는 모두 큰 소동이 났네."

나는 이 말을 듣고 모든 일이 재미없이 된 줄을 알았다. 그래서 선생께 뚝 잘라 이렇게 여쭈었다.

"제가 선생님을 사모하옵기는 높으신 가르침을 받잡고자 함이옵지 손서가 되는 것이 본의는 아니오니 혼인하고 못 하는 것에 무슨 큰 상관이 있사오리까. 저는 혼인은 단념하고 사제의 의리로만 평생에 선생님을 받들겠습니다."

내 말을 듣고 고 선생은 눈물을 흘리시고, 나를 얻어 손서를 삼으려다가 이 괴변이 났다는 것을 자탄하시고, 끝으로,

"그렇다면 혼인 일사는 갱무거론일세. 그런데 지금 관리의 단발이 끝나고는 백성에게도 단발을 실시할 모양이니 시급히 피신하여 단발화를 면하게. 나는 단발화가 미치면 죽기로 작정했네."

하셨다.

나는 마음을 지어먹고 고 선생의 손녀와 혼인을 아니 하여도 좋다고 장담은 하였으나 내심으로는 여간 섭섭하지 아니하였다. 나는 그 처녀를 깊이 사랑하고 정이 들었던 것이었다.

이 혼사에 훼사를 놓은 김가라는 사람은 함경도 정평에 본적을 둔 김치경이다. 10여 년 전에 아버지께서 술집에서 그를 만나 술을 같이 자시다가 김에게 8, 9세 되는 딸이 있단 말을 들으시고 취담으로,

"내 아들과 혼사하자"

하여 서로 언약을 하고, 그 후에 아버지는 그 언약을 지키셔서 내 사주도 보내시고 또 그 계집애를 가끔 우리 집에 데려다 두기도 하셨는데, 서당 동무들이 '함지박장수 사위'라고 나를 놀리는 것도 싫었고, 또 한 번은 얼음판에 핑구를 돌리고 있는데 그 계집애가 따라와서 제게도 핑구를 하나 만들어 달라고 나를 조르는 것이 싫고 미워서, 집에 돌아와 어머니께 떼를 써서 그 애를 제 집으로 돌려보내고 말았다. 그러나 약혼을 깨뜨린 것은 아니었다.

그 후 여러 해를 지내어서 갑오년 청일전쟁이 일어나자 사람들은 아들딸을 혼인이나 시켜야 한다고 어린 것들까지도 부랴부랴 성례를 하는 것이 유행하였다. 그때 동학 접주로 동분서주하던 내가 하루는 여행을 하고 돌아오니 집에서는 그 여자와 나와 성례를 한다고 술과 떡을 마련하고 모든 혼구를 다 차려놓고 나를 기다리고 있었다. 그러나 나는 한사코 싫다고 버티어서 마침내 김치경도 도리어 무방하게 생각하여 아주 이 혼인은 파혼이 되고, 김은 그 딸을 돈을 받고 다른 사람에게 정혼까지 한 것이었다. 그런데 내가 고 씨 집에 장가든다는 소문을 듣고 김은 돈이라도 좀 얻어먹을 양으로 고 선생 댁에 와서 야료를 한 것이었다. 아버지께서는 크게 분노하여 김치경을 찾아가서 김과 한바탕 싸우셨으나 이미 엎질러진 물이라서 다시 주워 담을 수는 없었다. 이리하여 내 혼인 문제는 불행한 끝을 맺고, 고 선생도 청계동에 더 계실 뜻이 없어 해주 비동의 고향으로 돌아가시고, 나는 금주 서씨의 집으로 가느라고 역시 청계동을 떠났다. 이리하여서 내 방랑의 길은 다시 계

속되었다.

평양 감영에 다다르니 관찰사 이하로 관리 전부가 벌써 단발을 하였고, 이제는 길목을 막고 행인을 막 붙들어서 상투를 자르고 있었다. 사람들은 머리를 아니 깎이려고 슬몃슬몃 평양을 빠져나와 촌으로 산읍으로 피난을 가고, 백성이 원망하는 소리가 길에 찼다. 이것을 보고 나는 머리끝까지 화가 치밀어 올랐다. 어떻게 하여서라도 왜의 손에 노는 이 나쁜 정부를 들어 엎어야 한다고 주먹을 불끈불끈 쥐었다.

안주 병영에 도착하니 게시판에 단발을 정지하라는 영이 붙어있었다. 임금은 개혁파가 싫어서 러시아 공사관으로 도망하시고, 수구파들은 러시아 세력에 등을 대고 총리대신 김홍집을 때려죽이고, 개혁의 수레바퀴를 뒤로 돌려놓은 것이었다. 이로부터 우리나라에 러시아와 일본의 세력 다툼이 시작되고, 친아파와 친일파의 갈등이 벌어지게 되었다.

나는 한성 정국의 변동으로 심기가 일전하였다. 구태여 외국으로 갈 것이 무엇이냐, 삼남에서는 곳곳에 의병이 일어난다고 하니 본국에 머물러 시세를 관망하여서 새로 거취를 정하기로 하고, 길을 돌려 용강을 거쳐서 안악으로 가기로 하였다.

나는 치하포 나룻배에 올랐다. 때는 병신년 2월 하순이라, 대동강 하류인 이 물길에는 얼음산이 수없이 흘러내렸다. 남녀 15, 6명을 태운 우리 나룻배는 얼음산에 싸여서 행동의 자유를 잃고 진남포 아래까지 밀려 내려갔다가 조수를 따라서 다시 상류로 오르락내리락하게 되었다. 선객은 말할 것도 없고 선부들까지도 이제는 죽었다고 울고불고하였다. 해마다 이 때 이 길목에서는 이런 참변이 생기는 일이 많았는데, 우리가 지금 그것을 당하게 된 것이었다. 배에는 양식이 없으니 비록 파선하기를 면하더라도 사람들이 얼어 죽거나 굶어죽을 것이다.

다행히 나귀 한 마리가 있으니 이 모양으로 여러 날이 가게 될 경우에는 잔인하나마 잡아먹기로 하고, 한갓 울고만 있어도 쓸데없으니 선객들도 선부들과 함께 힘을 써보자고 내가 발론하였다. 여럿이 힘을 합하여서 얼음산을 떠밀어 보자는 것이다.

나는 몸을 날려 성큼 얼음산에 뛰어 올라서 형세를 돌아보았다. 그러고는 큰 산을 의지하여 작은 산을 떠밀고, 이러한 방법을 반복하여서 간신히 한 줄기 살 길을 찾았다. 이리하여 치하포에서 5리쯤 떨어진 강 언덕에 내리니, 강 건너 서쪽 산에 지는 달이 아직 빛을 남기고 있었다. 찬바람 속에 밤길을 걸어서 치하포 배주인 집에 드니 풍랑으로 뱃길이 막혀서 묵는 손님이 삼간 방에 가득히 누워서 코를 골고 있었다.

우리 일행도 그 틈에 끼어 막 잠이 들려 할 즈음에 벌써 먼저 들었던 사람들이 일어나서 오늘 일기가 좋으니 새벽 물에 배를 건너게 해달라고 야단들이다. 이윽고 아랫방에서부터 벌써 밥상이 들기 시작하였다.

나도 할 수 없이 일어나 앉아서 내 상이 오기를 기다리면서 방 안을 휘둘러보았다. 가운데 방에 단발한 사람 하나가 눈에 띄었다. 그가 어떤 행객과 인사하는 것을 들으니 그의 성은 정씨요, 장연에 산다고 한다. 장연에서는 일찍 단발령이 실시되어서 민간인들도 머리를 깎은 사람이 많았다. 그러나 그 말씨가 장연 사투리가 아니요, 서울말이었다. 조선말이 썩 능숙하지마는 내 눈에는 분명 왜놈이었다. 자세히 살펴보니 그의 흰 두루마기 밑으로 군도집이 보였다. 어디로 가느냐 한즉 그는 진남포로 가는 길이라고 한다. 보통으로 장사나 공업을 하는 일인 같으면 이렇게 변복, 변성명을 할 까닭이 없으니 이는 필시 국모를 죽인 삼포오루(三浦梧樓: 미우라 고로) 놈이거나 그렇지 아니하면 그의 일당일 것이요, 설사 이도 저도 아니라 하더라도 우리 국가와 민족에 독균이 되기는 분명한 일이니, 저놈 한 놈을 죽여서라도 하나의 수치를 씻어보리라고 나는 결심하였다. 그리고 나는 내 힘과 환경을 헤아려 보았다. 삼간 방 40여명 손님 중에 그놈의 패가 몇이나 더 있는지는 알 수 없으나, 열일곱 여덟 살 정도로 보이는 총각 하나가 그의 곁에서 수종을 들고 있었다.

나는 궁리하였다. 저놈은 둘이요, 또 칼이 있고, 나는 혼자요, 또 적수공권이다. 게다가 내가 저놈에게 손을 대면 필시 방 안에 있는 사람들이 달려들어 말릴 것이요, 사람들이 나를 붙잡고 있는 틈을 타서 저놈의 칼은 필시 내 목에 떨어질 것이다. 이렇게 망설일 때에 내 가슴은 울렁거리고 심신이 혼란하여 진정할 수가 없어서 심히 고민하였다. 그때에 문득 고 선생의 교훈 중에, '득수반지부족기 현애철수장부아(得樹攀枝不足奇 懸崖撤手丈夫兒)'

라는 글이 생각났다. 벼랑을 잡은 손을 탁 놓아라. 그것이 대장부다. 나는 가슴속에 한 줄기 광명이 비침을 깨달았다. 그리고 자문자답하였다.

"저 왜놈을 죽이는 것이 옳으냐?"

"옳다."

"네가 어려서부터 마음 좋은 사람이 되기를 원하였느냐?"

"그렇다."

"의를 보았거든 할 것이요, 일의 성불성을 교계하고 망설이는 것은 몸을 좋아하고 이름을 좋아하는 자의 일이 아니냐."

"그렇다. 나는 의를 위하는 자요, 몸이나 이름을 위하는 자가 아니다."

이렇게 자문자답하고 나니 내 마음의 바다에 바람은 자고 물결은 고요하여 모든 계교가 저절로 솟아올랐다. 나는 40명 객과 수백 명 동민을 눈에 안 보이는 줄로 꽁꽁 동여 수족을 못 놀리게 하여놓고, 다음에는 저 왜놈에게 티끌만한 의심도 일으키지 말아서 안심하고 있게 하여 놓고, 나 한 사람만이 자유자재로 연극을 할 방법을 취하기로 하였다.

다른 손님들이 자던 입에 새벽 밥상을 받아 아직 삼분지 일도 밥을 먹기 전에 그보다 나중 상을 받은 나는 네댓 술에 한 그릇 밥을 다 먹고 일어나서 주인을 불러 내가 오늘 해 전으로 700리 길을 걸어야 하겠으니, 밥 일곱 상을 더 차려오라고 하였다. 37, 8세 됨직한 골격이 준수한 주인은 내 말에 대답은 아니 하고 방 안에 있는 다른 손님들을 둘러보며,

"젊은 사람이 불쌍하다. 미친놈이로군."

하고 들어가 버렸다.

나는 목침을 베고 한편에 드러누워서 방 안의 무리와 그 왜놈의 동정을 살피고 있었다. 어떤 유식한 듯한 청년은 주인의 말을 받아 나를 미친놈이라고 하고, 또 어떤 담뱃대를 붙여 문 노인은 그 젊은 사람을 책하는 말로,

"여보게, 말을 함부로 말게. 지금인들 이인(異人)이 없으란 법이 있겠나. 이러한 말세에 이인이 나는 법일세."

하고 슬쩍 나를 바라보았다. 그 젊은 사람도 노인의 눈을 따라 나를 흘끗 보더니 입을 삐죽하고 비웃는 어조로,

"이인이 없을 리야 없겠죠마는 아 저 사람 생긴 꼴을 보세요. 무슨 이인이 저렇겠어요."

하고 내게 들려라 하고 소리를 높였다.

그러나 그 왜는 별로 내게 주목하는 기색도 없이 식사를 필하고는 밖으

로 나가 문설주에 몸을 기대고 서서 방 안을 들여다보면서 총각이 연가(밥값) 회계하는 것을 보고 있었다.

나는 때가 왔다 하고 서서히 일어나 '이놈!' 소리를 치면서 발길로 그 왜놈의 복장을 차니 그는 한 길이나 거의 되는 계하에 나가떨어졌다. 나는 나는 듯이 쫓아 내려가 그놈의 모가지를 밟았다. 삼간 방문 네 짝이 일제히 열리며 그리로 사람들의 모가지가 쑥쑥 내밀어졌다. 나는 몰려나오는 무리를 향하여,

"누구나 이 왜놈을 위하여 감히 내게 범접하는 놈은 모조리 죽일 테니 그리 알아라!"

하고 선언하였다.

이 말이 끝나기도 전에 내 발에 채이고 눌렸던 왜놈이 몸을 빼쳐서 칼을 빼어 번쩍거리며 내게로 덤비었다. 나는 내 면상에 떨어지는 그의 칼날을 피하면서 발길을 들어 그의 옆구리를 차서 거꾸러뜨리고 칼을 잡은 손목을 힘껏 밟은즉 칼이 저절로 언 땅에 소리를 내고 떨어졌다.

나는 그 칼을 들어 왜놈의 머리에서부터 발끝까지 점점이 난도를 쳤다. 2월 추운 새벽이라 빙판이 진 땅 위에 피가 샘솟듯 흘렀다. 나는 손으로 그 피를 움켜 마시고, 또 왜의 피를 내 낯에 바르고 피가 뚝뚝 떨어지는 장검을 들고 방으로 들어가면서, 아까 왜놈을 위하여 내게 범하려던 놈이 누구냐 하고 호령하였다. 미처 도망하지 못한 행객들은 모조리 방바닥에 넙적 엎드려, 어떤 이는,

"장군님, 살려주십시오. 나는 그놈이 왜놈인 줄 모르고 예사 사람으로 알고 말리려고 나갔던 것입니다."

하고, 또 어떤 이는,

"나는 어저께 바다에서 장군님과 함께 고생하던 사람입니다. 왜놈과 같이 온 사람이 아닙니다."

하고 모두 겁이 나서 벌벌 떨고 있는 사람들 중에 아까 나를 미친놈이라고 비웃던 청년을 책망하던 노인만이 가슴을 떡 내밀고 나를 정면으로 바라보면서,

"장군님, 아직 지각없는 젊은 것들이니 용서하십시오."

하였다.

이 때에 주인 이 선달 화보가 감히 방 안에는 들어오지도 못하고 문 밖에 꿇어앉아서,

"소인이 눈깔만 있고 눈동자가 없사와 누구신 줄을 몰라 뵈옵고 장군님을 멸시하였사오니 죽어도 한이 없사옵니다. 그러하오나 그 왜놈과는 아무 관계도 없사옵고, 다만 밥을 팔아먹은 죄밖에 없사옵니다. 아까 장군님을 능욕한 죄로 그저 죽여줍소서."

하고 땅바닥에 머리를 조아렸다. 내가 주인에게 그 왜가 누구냐고 물어서 얻은 바에 의하면, 그 왜는 황주에서 조선 배 하나를 얻어 타고 진남포로 가는 길이라 했다. 나는 주인에게 명하여 그 배의 선원을 부르고 배에 있는 그 왜의 소지품을 조속히 들이라 하였다. 이윽고 선원들이 그 왜의 물건을 가지고 와서 저희들은 다만 선가를 받고 그 왜를 태운 죄밖에 없으니 살려달라고 빌었다.

소지품에 의하여 조사한즉 그 왜는 육군 중위 토전양량(土田譲亮:쓰치다 조스케)이란 자요, 엽전 600냥이 짐에 들어있었다. 나는 그 돈에서 선인들의 선가를 떼어주고, 나머지는 이 동네 가난한 사람을 구제하라고 분부하였다. 주인 이 선달이 곧 동장이었다.

시체의 처치에 대하여 나는 이렇게 분부하였다. 왜놈은 다만 우리나라와 국민의 원수가 될 뿐만 아니라 물속에 있는 어별들에게도 원수인즉, 이 왜의 시체를 강에 넣어 고기들로 하여금 나라의 원수의 살을 먹게 하라 하였다.

주인 이 선달은 매우 능간하게 일변 세수 제구를 들이고, 일변 밥 일곱 그릇을 한 상에 놓고 다른 상 하나에는 국수와 찬수를 놓아서 들였다. 나는 세수를 하여 얼굴과 손에 묻은 피를 씻고 밥상을 당기어서 먹기 시작하였다. 밥 한 그릇을 다 먹은 지가 10분밖에 안 되었지마는 과격한 운동을 한 탓으로 한두 그릇은 더 먹을 법 하여도 일곱 그릇을 다 먹을 수는 없었다. 그러나 아까 한 말을 거짓말로 돌리기도 창피하여서, 양푼을 하나 올리라 하여 양푼에 밥과 식찬을 한데 쏟아 비비고 숟가락을 하나 더 청하여 두 숟가락을 포개어가지고 한 숟가락 밥이 사발통만하도록 보기 좋게 큼직큼직하게 떠서 두어 그릇 턱이나 먹은 뒤에 숟가락을 던지고 혼잣말로,

"오늘은 먹고 싶은 왜놈의 피를 많이 먹었더니 밥이 아니 들어가는고."

하고 시치미를 뗐다.

식후에 토전의 시체와 그의 돈 처치를 다 분별하고 나서, 주인 이화보를 불러 지필을 대령하라 하여 '국모의 원수를 갚으려고 이 왜를 죽였노라'하는 뜻의 포고문을 한 장 쓰고, 그 끝에 해주 백운방 기동 김창수'라고 서명까지 하여 큰길가 벽상에 붙이게 하고, 동장인 이화보더러 이 사실을 안악 군수에게 보고하라고 명한 후에 유유히 그곳을 떠났다.

신천읍에 오니 이 날이 마침 장날이라 장꾼들이 많이 모였는데, 이곳저곳에서 치하포를 이야기하는 것이 들렸다. 어떤 장사가 나타나서 한 주먹으로 일인을 때려죽였다는 둥, 나룻배가 빙산에 끼인 것을 그 장사가 강에 뛰어들어서 손으로 얼음을 밀어서 그 배에 탄 사람을 살렸다는 둥, 밥 일곱 그릇을 눈 깜짝할 새에 다 먹더라는 둥 말들을 하고 있었다.

집에 돌아와 부모님께 지난 일을 낱낱이 아뢰었더니, 부모님은 날더러 어디로 피하라고 하셨으나, 나는 나라를 위하여서 정정당당한 일을 한 것이니 비겁하게 피하기를 원하지 않을뿐더러, 만일 내가 잡혀가 목이 떨어지더라도 이로써 만민에게 교훈을 준다 하면 죽어도 영광이라 하여 집에서 잡으러 오기를 기다렸다.

그로부터 석 달이나 지나서 병신년 5월 열 하룻날 새벽에 내가 아직 자리에 누워 일어나기도 전에 어머니께서 사립문을 여시고,

"얘, 우리 집을 앞뒤로 보지 못하던 사람들이 둘러싸누나."

하시는 말씀이 끝나자 철편과 철퇴를 든 수십 명이,

"네가 김창수냐?"

하고 덤벼들었다.

나는,

"그렇다. 나는 김창수이거니와 그대들은 무슨 사람이관데 요란하게 남의 집에 들어오느냐?"

한즉 그제야 그 중의 한 사람이 '내부훈령등인(內部訓令等因)'이라 한 체포장을 내어 보이고 나를 묶어 앞세웠다. 순검과 사령이 도합 30여명이요, 내 몸은 쇠사슬로 여러 겹을 동여매고 한 사람씩 앞뒤에서 나를 결박한 쇠사슬 끝을 잡고 나머지 사람들은 전후좌우로 나를 옹위하고 해주로 향하여 길을 재촉했다. 동네 20여 호가 일가이지마는 모두 겁을 내어 하나도 감히 문을 열고 내다보는 이가 없었다. 이웃동네 강씨, 이 씨네 사람들은 김창수

가 동학을 한 죄로 저렇게 잡혀 간다고 수군거리는 것이 보였다.

이틀 만에 나는 해주옥에 갇힌 몸이 되었다. 어머니는 밥을 빌어다가 내 옥바라지를 하시고, 아버지는 영리청, 사령청 계방을 찾아 예전 낯으로 내 석방운동을 하셨으나, 사건이 워낙 중대한지라 아무 효과도 없었다.

옥에 갇힌 지 한 달이나 넘어서 목에 큰 칼을 쓴 채로 선화당 뜰에 끌려 들어가서 감사 민영철에게 첫 심문을 받았다. 민영철은,

"네가 안악 치하포에서 일인을 살해하고 도적질을 하였다지?"

하는 말에 나는,

"그런 일이 없소."

하고 딱 잡아떼었다.

감사가 언성을 높여서,

"이놈, 네 행적에 증거가 소연하거든 그래도 모른다 할까? 여봐라, 저놈을 단단히 다루렷다."

하는 호령에 사령들이 달려들어 내 두 발목과 무릎을 칭칭이 동이고 붉은 칠을 한 몽둥이 2개를 다리 새에 들이밀고 한 놈이 1개씩 몽둥이를 잡고 힘껏 눌러서 주리를 틀었다. 단번에 내 정강이의 살이 터져서 뼈가 하얗게 드러났다. 지금 내 왼편 정강이 마루에 있는 큰 허물은 그 때에 상한 자리다. 나는 입을 다물고 대답을 아니 하다가 마침내 기절하였다.

이에 주리를 그치고 내 면상에 냉수를 뿜어서 소생시킨 뒤에 감사는 다시 같은 말을 물었다. 나는 소리를 가다듬어서,

"민의 체포장을 보온 즉 내부훈령등인이라 하였은즉 이것은 관찰부에서 처리할 안건이 아니오니 내부로 보고하여 주시오."

하였다. 나는 서울에 가기 전에는 내가 그 일인을 죽인 동기를 말하지 아니하리라고 작정한 것이었다. 내 말을 듣고 민 감사는 아무 말도 없이 나를 다시 내려 가두었다. 그로부터 두 달이 지난 7월 초승에 나는 인천으로 이수가 되었다. 인천 감리영으로부터 4, 5명의 순검이 해주로 와서 나를 데리고 가는 것이었다.

일이 이렇게 되니 내가 집에 돌아올 기약이 망연하여서, 아버지는 집이며 가장 집물을 모두 방매하여가지고 서울이거나 인천이거나 내가 끌려가는 대로 따라가셔서 하회에 보시기로 하여 일단 집으로 돌아가시고 어머니만

나를 따라오셨다.

해주를 떠난 첫날은 연안 읍에서 하룻밤을 자고, 이튿날 나진포로 가는 길에 읍에서 5리쯤 가서 길가 어느 무덤 곁에서 쉬게 되었다. 이 날은 일기가 대단히 더워서 순검들도 참외를 사먹으며 다리쉼을 하였다. 우리가 쉬고 있는 곁 무덤 앞에는 비석 하나가 서 있었다. 앞에는 효자이창매지묘라고 하고 뒤에는 그의 사적이 적혀 있었다. 그 비문에 의하건대, 이창매는 본래 연안부의 통인으로서 그 어머니가 죽으매 춥거나 덥거나 비가 오거나 바람이 불거나 한결 같이 그 어머니의 산소를 모셨다 하여 나라에서 효자정문을 내렸다 하였고, 또 이창매의 산소 옆의 그 아버지의 묘소 앞에는 그가 신을 벗어놓고 계절 앞으로 걸어 들어간 발자국과 무릎을 꿇었던 자리와 향로와 향함을 놓았던 자리에는 영영 풀이 나지 못하였고, 혹시 사람들이 그 움푹 패인 자리를 메우는 일이 있으면 곧 뇌성이 진동하여 큰 비가 퍼부어 그 흙을 씻어내고야 만다고 한다.

그 근처 사람들과 순검들이 이런 이야기를 하는 것을 귀로 듣고 돌비에 새긴 사적을 눈으로 보매 나는 순검들이 알세라 어머님이 알세라 하고 피섞인 눈물을 흘렸다. 저 이창매는 죽은 부모에 대하여서도 저처럼 효성이 지극하였거늘 부모의 생전에야 오죽하였으랴. 그런데 거의 넋을 잃으시고 허둥허둥 나를 따라오시는 내 어머니를 보라. 나는 얼마나 불효한 자식인가. 나는 쇠사슬에 끌려서 그 자리를 떠나면서 다시금 다시금 이 효자의 무덤을 돌아보고 수없이 마음으로 절을 하였다.

내가 나진포에서 인천으로 가는 배를 탄 것이 병신년 7월 25일, 달빛도 없이 캄캄한 밤이었다. 물결조차 아니 보이고 다만 소리뿐이었다. 배가 강화도를 지날 때쯤 하여 나를 호송하는 순검들이 여름 더위 길에 몸이 곤하여 마음 놓고 잠든 것을 보시고 어머니는 뱃사공에게도 안 들릴 만한 입안의 말씀으로,

"얘야, 네가 이제 가면 왜놈의 손에 죽을 터이니 차라리 맑고 맑은 물에 나와 같이 죽어서 귀신이라도 모자가 같이 다니자."

하시며 내 손을 이끄시고 뱃전으로 가까이 나가셨다. 나는 황공하여 어찌 할 바를 모르면서 이렇게 여쭈었다.

"제가 이번 가서 죽을 줄 아십니까. 결코 안 죽습니다. 제가 나라를 위하

여 하늘에 사무친 정성으로 한 일이니 하늘이 도우실 것입니다. 분명히 안 죽습니다."

어머니는 그래도 바다에 빠져 죽자고 손을 끄시므로, 나는 더욱 자신 있게,

"어머니, 저는 분명히 안 죽습니다."

하고 어머니를 위로하였다. 그제야 어머니도 죽을 결심을 버리시고,

"나는 네 아버지하고 약속했다. 네가 죽는 날이면 양주가 같이 죽자고."

하시고 하늘을 우러러 두 손을 비비시면서 알아듣지 못할 낮은 음성으로 축원을 올리셨다. 여전히 천지는 캄캄하고 보이지 않는 물결소리만 들렸다.

나는 인천옥에 들어갔다. 내가 인천옥에 이수된 것은, 갑오경장에 외국사람과 관련된 사건을 심리하는 특별재판소를 인천에 둔 까닭이었다.

내가 들어있는 감옥은 내리에 있었다. 마루터기에 감리서가 있고, 그 좌익이 경무청, 우익이 순검청인데, 감옥은 순검청 앞에 있고, 그 앞에 이 모든 관아로 들어오는 2층 문루가 있었다. 높이 둘러쌓은 담 안의 나지막한 건물이 옥인데, 이것을 반으로 갈라서 한 편에는 징역하는 전중이와 강도, 절도, 살인 등의 큰 죄를 지은 미결수를 가두고, 다른 편에는 잡수를 수용하였다. 미결수는 평복이지마는 징역하는 죄수들은 퍼런 옷을 입고 있었고, 저고리 등에는 강도, 살인, 절도, 이 모양으로 먹으로 죄명을 썼다. 이 죄수들이 일하러 옥 밖에 끌려 나갈 때에는 좌우 어깨를 아울러 쇠사슬로 동여서 이런 것을 둘씩 둘씩 한 쇠사슬에 잡아매어 짝패를 만들고, 쇠사슬 끝매듭이 죄수의 등에 가게 하였는데, 여기를 자물쇠로 채웠다. 이렇게 한 죄수를 압뢰(간수)가 몰고 다니는 것이 보였다.

처음 인천옥에 갇힐 때에 나는 도적으로 취급되어서 아홉 사람을 함께 채우는 기다란 차꼬에 다른 도적 8명의 한복판에 발목을 잠갔다. 한 달 전에 잡혀왔다는 치하포 주인 이화보가 내가 옥에 들어오는 것을 보고 반가워하였다. 그 날 내가 토전양량을 죽인 이유를 써서 이화보의 집 벽에 붙인 것을 일인이 떼어서 감추고 나를 완전히 강도로 본 것이라고 한다. 어머니가 옥문 밖까지 따라오셔서 눈물을 흘리고 서 계신 것을 나는 잠깐 고개를 돌려서 뵈었다.

어머니는 향촌에서 생장하셨으나 무슨 일에나 과감하시고, 더욱 침선이 능하시므로 감리서 삼문 밖 개성 사람 박영문의 집에 가서 사정을 말씀하시

고 그 집 식모로 들어가셔서 이 자식의 목숨을 살리시려 하였다. 이 집은 당시 인천항에서 유명한 물상객주로, 살림이 크기 때문에 식모, 침모의 일이 많았다. 어머니는 이런 일을 하시는 값으로 하루 삼시 내게 밥을 들이게 한 것이었다. 하루는 옥사정이 나를 불러서 어머니도 의접할 곳을 얻으시었고 밥도 하루 삼시 들어오게 되었으니 안심하라고 일러주었다. 다른 죄수들이 퍽 나를 부러워하였다. 나는 옛 사람이 '애애부모 생아구로 욕보기은 호천망극(哀哀父母 生我劬勞 欲報基恩 昊天罔極: 부모님께서 나를 낳으시고 기르신 고생하심이 커서 그 은혜에 보답코자 하나 하늘처럼 높아 다할 길이 없음이 슬프도다)'

이라 한 것을 다시금 생각하지 아니할 수 없었다. 어머니께서는 나를 먹여 살리시느라고 천 겹 만 겹의 고생을 하셨다. 불경에 부모와 자식은 천천생의 은애의 인연이라는 말이 진실로 허사가 아니다.

옥 속은 더할 수 없이 불결하고 아직도 여름이라 참으로 견딜 수가 없었다. 게다가 나는 장질부사가 들어서 고통이 극도에 달하였다. 한 번은 나는 자살을 할 생각으로 다른 죄수들이 잠든 틈을 타서 이마에 손톱으로 '충'자를 새기고 허리띠로 목을 매어 숨이 끊어지고 말았다. 숨이 끊어진 동안의 일이었다. 나는 삽시간에 고향으로 가서 내가 평소에 친애하던 재종제 창학과 놀았다.

'고원장재목 혼거불수초(故園長在目 魂去不須招: 오랜 세월 고향을 눈앞에 그리며 지내니, 굳이 부르지 않아도 내 영혼은 이미 가 있구나)'

가 과연 허언이 아니었다.

문득 정신이 드니 옆에 있는 죄수들이 죽겠다고 고함을 치고 야단들을 하고 있었다. 내가 죽은 것을 걱정하여 그자들이 그러는 것이 아니라 아마 인사불성 중에 내가 몹시 요동을 하여서 차꼬가 흔들려서 그자들의 발목이 아팠던 모양이었다.

그 후로는 사람들이 지켜서 내가 자살할 기회도 주지 아니하였거니와, 나 자신도 병에 죽거나 원수가 나를 죽여서 죽는 것은 무가내하라 하더라도 내 손으로 내 목숨을 끊는 일은 아니하리라고 작정하였다.

그러는 동안에 병은 나았으나 보름 동안이나 음식을 입에 대어보지 못하여서 기운이 탈진하여 갱신을 못하였다. 그런 때에 나를 심문한다는 기별이 왔다.

나는 생각하였다. 해주에서 다리뼈가 드러나는 악형을 겪으면서도 함구불언한 뜻은 내부에 가서 대관들을 대하여 한 번 크게 말하려 함이었지마는, 이제는 불행히 병으로 인하여 언제 죽을는지 모르니, 부득불 이곳에서라도 왜를 죽인 취지를 다 말하리라고.

나는 옥사정의 등에 업혀서 경무청으로 들어갔다. 들어가면서 도적 문초하는 형구가 삼엄하게 벌여 놓인 것을 보았다. 옥사정이 업어다가 내려놓은 내 꼴을 보고 경무관 김윤정은 어찌하여 내 형용이 저렇게 되었느냐고 물은즉, 옥사정은 열병을 앓아서 그리 되었다고 아뢰었다.

김윤정은 나를 향하여,

"네가 정신이 있어, 족히 묻는 말에 대답할 수 있느냐?"

하고 묻기로 나는,

"정신은 있으나 목이 말라붙어서 말이 잘 나오지 아니하니 물을 한 잔 주면 마시고 말하겠소."

하고 대답하였다. 그런즉 김 경무관은 술을 들이라 하여 물 대신에 술을 먹여주었다.

김 경무관은 청상에 앉아 차례대로 성명, 주소, 연령을 물은 뒤에, 모월 모일 안악 치하포에서 일인 하나를 살해한 일이 있느냐고 묻기로 나는,

"있소."

하고 분명히 대답하였다.

"그 일인을 왜 죽였어? 그 재물을 강탈할 목적으로 죽였다지?"

하고 경무관이 묻는다. 나는 이때로다 하고 없는 기운이건마는 소리를 가다듬어,

"나는 국모 폐하의 원수를 갚으려고 왜구 1명을 때려죽인 사실은 있으나, 재물을 강탈한 사실은 없소."

하였다. 그런즉 청상에 늘어앉은 경무관, 총순, 권임 등이 서로 맥맥히 돌아볼 뿐이요, 정내는 고요하였다.

옆 의자에 걸터앉아서 방청인지 감시인지 하고 있던 일본 순사(뒤에 들으니 와타나베라고 한다)가 심문 벽두에 정내에 공기가 수상한 것을 보았음인지 통역에게 무슨 일이냐고 묻는 모양인 것을 보고 나는 죽을힘을 다하여,

"이놈!"

하는 한 소리 호령을 하고 말을 이어서,

"소위 만국공법 어느 조문에 통상, 화친하는 조약을 맺고서 그 나라 임금이나 왕후를 죽이라고 하였더냐. 이 개 같은 왜놈아. 너희는 어찌하여 감히 우리 국모 폐하를 살해하였느냐. 내가 살아서는 이 몸을 가지고, 죽으면 귀신이 되어서 맹세코 너희 임금을 죽이고 너희 왜놈들을 씨도 없이 다 없이 해서 우리나라의 치욕을 씻고야 말 것이다."

하고 소리를 높여 꾸짖었더니 와타나베 순사는 그것이 무서웠던지

"칙쇼, 칙쇼"

하면서 대청 뒤로 사라져버리고 말았다. '칙쇼'는 짐승이란 뜻으로 일본말의 욕이란 것을 나중에 들어서 알았다. 정내의 공기는 더욱 긴장하여졌다.

배석하였던, 총순인지 주사인지는 분명치 아니하나, 어떤 관원이 경무관 김윤정에게 이 사건이 심히 중대하니 감리 영감께 아뢰어 친히 심문하게 함이 마땅하다는 뜻을 진언하니, 김 경무관이 고개를 끄덕여 그 의견에 동의한다. 이윽고 감리사 이재정이 들어와서 경무관이 물러난 주석에 앉고 경무관은 이 감리사에게 지금까지의 심문 경과를 보고한다. 정내에 있는 관속들은 상관들의 분부 없이 내게 물을 갖다가 먹여준다.

나는 이 감리사가 나를 심문하기 시작하기 전에 먼저 그를 향하여 입을 열었다.

"나 김창수는 하향(遐鄕) 일개 천생이건마는 국모 폐하께옵서 왜적의 손에 돌아가신 국가의 수치를 당하고서는 청천백일 하에 제 그림자가 부끄러워 왜구 한 놈이라도 죽였거니와, 아직 우리 사람으로서 왜왕을 죽여 국모 폐하의 원수를 갚았다는 말을 듣지 못하였거늘, 이제 보니 당신네가 몽백(국상으로 백립을 쓰고 소복을 입었다는 말)을 하였으니, 춘추대의에 군부의 원수를 갚지 못하고는 몽백을 아니 한다는 구절은 잊어버리고 한갓 영귀와 총록을 도적질하려는 더러운 마음으로 임금을 섬긴단 말이오?"

감리사 이재정, 경무관 김윤정, 기타 청상에 있는 관원들이 내 말을 듣는 기색을 살피건대 모두 낯이 붉어지고 고개가 수그러졌다. 모두 양심에 찔리는 것이라고 나는 생각하였다.

내 말이 끝난 뒤에도 한참 잠자코 있던 이 감리사가 마치 내게 하소연하

는 것과 같은 언성으로,

"창수가 지금 하는 말을 들으니 그 충의와 용감을 흠모하는 반면에 황송하고 참괴한 마음이 비길 데 없소이다. 그러나 상부의 명령대로 심문하여 올려야 하겠으니 사실을 상세히 공술해주시오."

하고 말에도 경어를 썼다. 이때에 김윤정이 아직 내 병이 위험상태에 있다는 뜻으로 이 감리사에게 수군수군하더니, 옥사정을 명하여 나를 옥으로 데려가라고 명했다. 내가 옥사정의 등에 업혀 나가노라니 많은 군중 속에 어머니의 얼굴이 눈에 띄었다. 그 얼굴에 희색이 있는 것을 보고 나는 아마 군중이나 관속들에게서 내가 관청에서 한 일을 듣고 약간 안심하신 것이라고 생각하였다. 나중에 어머니께 들은 말씀이거니와 그날 내가 심문을 당한다는 말을 들으시고 어머니는 옥문 밖에 와서 기다리시다가 내가 업혀 나오는 꼴을 보시고 '저것이 병중에 정신없이 잘못 대답하다가 당장에 맞아 죽지나 않나'하고 무척 근심하셨다고 한다. 그러나 사람들이 내가 감리사를 책망하는데 감리사는 아무 대답도 못하였다는 둥, 내가 일본 순사를 호령하여 내쫓았다는 둥, 김창수는 해주 사는 소년인데 민 중전마마의 원수를 갚느라고 왜놈을 때려죽였다는 둥 하는 말을 듣고 안심이 되셨다고 하셨다. 나를 업고 가는 옥사정이 어머니 앞을 지나가며,

"마나님, 아무 걱정 마시오. 어쩌면 이런 호랑이 같은 아들을 두셨소?"

하던 것을 나는 기억한다.

나는 감방에 돌아오는 길로 한바탕 소동을 일으켰다. 나를 전과 같이 다른 도적과 함께 차꼬를 채워두는 데 대하여 나는 크게 분개하여 벽력같은 소리로,

"내가 아무 의사도 발표하기 전에는 나를 강도로 대우하거나 무엇으로 하거나 잠자코 있었다마는 이왕 내가 할 말을 다 한 오늘날에도 나를 이렇게 홀대한단 말이냐. 땅에 금을 그어놓고 이것이 옥이라 하더라도 그 금을 넘을 내가 아니다. 내가 당초에 도망할 마음이 있었다면 그 왜놈을 죽인 자리에 내 주소와 성명을 갖추어서 포고문을 붙이고 집에 와서 석 달이나 잡으러 오기를 기다렸겠느냐. 너희 관리들은 왜놈을 기쁘게 하기 위하여 내게 이런 나쁜 대우를 한단 말이냐."

하면서 어떻게나 내가 몸을 요동하였던지 한 차꼬 구멍에 발목을 넣고

있는 8명 죄수 모두가 말을 더 보태어서, 내가 한 다리로 차꼬를 들고 일어나는 바람에 자기네 발목이 다 부러졌노라고 떠들었다. 이 소동을 듣고 경무관 김윤정이 들어와서,

"이 사람은 다른 죄수와 다르거늘 왜 도적 죄수와 같이 둔단 말이냐. 즉각으로 이 사람을 좋은 방으로 옮기고 일체 몸은 구속치 말고 너희들이 잘 보호하렷다."

하고 옥사정을 한편 책망하고 한편 명령하였다. 이로부터 나는 옥중에서 왕이 되었다.

그런 지 얼마 아니하여서 어머니가 면회를 오셨다. 어머니 말씀이, 아까 내가 심문을 받고 나온 뒤에 김 경무관이 돈 150냥(30원)을 보내며 내게 보약을 사 먹이라 하였다 하며, 어머니께서 우거하시는 집주인 내외는 말할 것도 없고 사랑손님들까지도 매우 나를 존경하여서,

"옥중에 있는 아드님이 무엇을 자시고 싶어 하거든 말만 하면 해드리리다"

하더라고 말씀하셨다.

내가 아홉 사람의 발목을 넣은 큰 차꼬를 한 발로 들고 일어났다는 것은 이화보를 여간 기쁘게 하지 아니하였다. 대개 그가 잡혀 와서 고생하는 이유가 살인한 죄인을 놓아 보냈다는 것이기 때문이었다. 밥 일곱 그릇 먹고 700리 가는 장사를 어떻게 결박을 지우느냐고 변명하던 그의 말이 오늘에야 증명된 것이었다.

이튿날부터는 내게 면회를 구하는 사람들이 밀려오기 시작하였다. 감리서, 경무청, 순검청, 사령청의 수백 명 관속들이 내게 대한 선전을 한 것이었다. 인천항에서 세력 있는 사람 중에도, 또 막벌이꾼 중에도 다음 번 내 심문 날에는 미리 알려달라고 아는 관속들에게 부탁을 하였다고 한다.

둘째 심문 날에도 나는 전번과 같이 압뢰의 등에 업혀서 나갔는데, 옥문 밖에 나서면서 둘러보니 길에는 사람이 가득 찼고, 경무청에는 각 관아의 관리와 항내의 유력자들이 모인 모양이요, 담장이나 지붕이나 내가 심문을 받을 경무청 뜰이 보이는 곳에는 사람들이 하얗게 올라가 있었다.

정내에 들어가 앉으니 김윤정이 슬쩍 내 곁으로 지나가며,

"오늘도 왜놈이 왔으니 기운껏 호령을 하시오."

한다. 김윤정은 지금은 경기도 참여관이라는 왜의 벼슬을 하고 있으나

그 때에 나는 그가 의기 있는 사람이라고 생각하였다. 설마 관청을 연극장으로 알고 나를 한 배우로 삼아서 구경거리를 만든 것일 리는 없으니, 필시 항심 없는 무리의 일이라 그때에는 참으로 의기가 생겼다가 날이 감에 따라서 변한 것이라고 보는 것이 옳을 것이다.

두 번째 심문에서 나는 할 말은 전번에 다 하였으니 더 할 말은 없다고 한마디로 끝내고, 뒷방에 앉아서 나를 넘겨다보고 있는 와타나베를 향하여 또 일본을 꾸짖는 말을 퍼부었다.

그 이튿날부터는 더더욱 면회하러 오는 사람이 많았다. 그들은 대개 내 의기를 사모하여 왔노라, 어디 사는 아무개니 내가 출옥하거든 만나자, 설마 내 고생이 오래랴, 안심하라, 이런 말을 하였다. 이렇게 찾아오는 사람들은 거의 다 음식을 한 상씩 잘 차려 가지고 와서 나더러 먹으라고 권하였다. 나는 가져온 사람이 보는 데서 한두 젓가락 먹고는 나머지는 죄수들에게 차례로 나누어 주었다.

그때의 감옥 제도는 지금과는 달라서 옥에서 하루 삼시 밥을 주는 것이 아니라 죄수가 짚신을 삼아서 거리에 내다 팔아서 쌀을 사다가 죽이나 끓여 먹게 되어 있었다. 그러므로 내게 들어온 좋은 음식을 얻어먹는 것은 그들의 큰 낙이었다.

제 3차 심문은 경무청에서가 아니요, 감리서에서 감리 이재정 자신이 하였는데, 인천 인사가 많이 모인 모양이었다. 요샛말로 하면 방청이다. 감리는 내게 대하여 매우 친절히 말을 묻고, 다 묻고 나서는 심문서를 내게 보여 읽게 하고 고칠 것은 나더러 고치라 하여 수정이 끝난 뒤에 나는 '백(白)' 자에 이름을 두었다. 이 날은 일인이 없었다.

수일 후에 일인이 내 사진을 박는다 하여 나는 또 경무청으로 업혀 들어갔다. 이 날도 사람이 많이 모여 있었다. 김윤정은 내 귀에 들리라고,

"오늘 저 사람들이 창수의 사진을 박으러 왔으니, 주먹을 불끈 쥐고 눈을 딱 부릅뜨고 박히시오."

한다.

그러나 우리 관원과 일인 사이에 사진을 박히리, 못 박히리 하는 문제가 일어나서 한참 동안 옥신각신하다가 필경은 청사 내에서 사진을 박는 것은 허할 수 없으니 노상에서나 박으라 하여서 나를 노상에 앉혔다. 일인이 나를

수갑을 채우든지, 포승으로 얽든지 하여 죄인 모양을 하여달라고 요구한 데 대하여 김윤정은,

"이 사람은 계하죄인인즉 대군주 폐하께서 분부가 계시기 전에는 그 몸에 형구를 댈 수 없다"

하여서 딱 거절하였다.

그런즉 일인이 다시 말하기를,

"형법이 곧 대군주 폐하의 명령이 아니오? 그런즉 김창수를 수갑을 채우고 포승으로 얽는 것이 옳지 않소?"

하고 기어이 나를 결박하여놓고 사진박기를 주장하였다. 이에 김윤정은,

"갑오경장 이후에 우리나라에서는 형구는 폐하였소."

하고 잡아뗀다. 그런즉 왜는 또,

"귀국 감옥 죄수들을 본즉 다 쇠사슬을 하고 다니는데……."

하고 깐깐하게 대들었다.

이에 김 경무관은 와락 성을 내며,

"죄수의 사진을 찍는 것은 조약에 정한 의무는 아니오. 참고 자료에 불과한 세세한 일에 내정 간섭은 받을 수 없소"

하고 소리를 높여서 꾸짖는다. 둘러섰던 관중들은 경무관이 명관이라고 칭찬하고 있었다.

이리하여서 나는 자유로운 몸으로 길에 앉은 대로 사진을 박게 되었는데, 일인이 다시 경무관에게 애걸하여서 겨우 내 옆에 포승을 놓고 사진을 박는 허가를 얻었다.

나는 며칠 전보다는 기운이 회복되었으므로 모여 선 사람들을 향하여 한바탕 연설을 하였다.

"여러분! 왜놈들이 우리 국모 민 중전마마를 죽였으니 우리 국민에게 이런 수치와 원한이 또 어디 있소? 왜놈의 독이 궐내에만 그칠 줄 아시오? 바로 당신들의 아들과 딸들이 필경은 왜놈의 손에 다 죽을 것이오. 그러니 여러분! 당신들도 나를 본받아서 왜놈을 만나는 대로 다 때려죽이시오. 왜놈을 죽여야 우리가 사오."

하고 나는 고함을 쳤다.

와타나베가 내 곁에 와서,

"네가 그렇게 충의가 있으면 왜 벼슬을 못하였나?"

하고 직접 내게 말을 붙였다.

"나는 벼슬을 못할 상놈이니까 조그마한 왜놈이나 죽였다마는 벼슬을 하는 양반들은 너희 황제의 모가지를 베어서 원수를 갚을 것이다."

하고 나는 와타나베에게 대답하였다.

나는 이날 김윤정에게 이화보를 놓아달라고 청하였더니 이화보는 그날로 석방되어 좋아라고 돌아갔다.

이로부터 나는 심문은 다 끝나고 판결만을 기다리는 한가한 몸이 되었다. 내가 이 동안에 한 일은 독서, 죄수에게 글을 가르치는 것, 죄수들을 위하여 소장을 대서하는 것이었다.

나는 아버지께서 들여 주신 〈대학〉을 읽고 또 읽었다. 글도 좋거니와 다른 책도 없기 때문이었다. 그런데 나는 감리서에 다니는 어떤 젊은 관리의 덕으로 천만의외에 여기서 내 20 평생에 꿈도 못 꾸던 새로운 책을 읽어서 새로운 문화에 접촉할 수가 있었다. 그 관리는 나를 찾아와서 여러 가지 새로운 말을 하여 주었다. 구미 문명국의 이야기며, 우리나라가 옛 사상, 옛 지식만 지키고 척양척왜로 외국을 배척만 하는 것으로는 도저히 나라를 건질 수 없다는 것이며, 널리 세계의 정치, 문화, 경제, 과학 등을 연구하여서 좋은 것은 받아들여서 우리 힘을 길러야 한다는 것을 말하고,

"창수와 같은 의기남아로는 마땅히 신학식을 구하여서 국가와 국민을 새롭게 할 것이니, 이것이 영웅의 사업이지, 한갓 배외사상만을 가지고는 나라가 멸망하는 것을 막을 수 없지 아니한가."

하여 나를 일깨워줄뿐더러, 중국에서 발간된 〈태서신사〉, 〈세계지지〉 등 한문으로 된 책자와 국한문으로 번역된 조선 책도 들여 주었다. 나는 언제 사형의 판결과 집행을 받을지 모르는 몸인 줄 알면서도 아침에 옳은 길을 듣고, 저녁에는 죽어도 좋다는 생각으로 이 신서적을 수불석권하고 탐독하였다. 내가 이렇게 열심히 읽는 것을 보고 감리서 관리도 매우 좋아하였다.

이런 책들을 읽는 동안에 나는 서양이란 것이 무엇이며, 오늘날 세계의 형편이 어떠하다는 것도 아는 동시에, 나 자신과 우리나라에 대한 비판도 하게 되었다. 나는 고 선생이 조상의 제사에 부르는 축문에 명나라 연호인 영력 몇 년을 쓰는 것이 우리 민족으로서는 옳지 아니한 것도 깨달았고, 안

진사가 서양 학문을 한다고 절교하던 것이 고 선생의 달관이 아니라고 보게 되었다.

내가 청계동에 있을 때에는 고 선생의 학설을 그대로 받아 척양척왜를 나의 유일한 천직으로 알았고, 옳은 도가 한 줄기 살아 있는 데는 오직 우리나라뿐이요, 저 머리를 깎고 양복을 입은 무리들은 모두 금수와 같은 오랑캐라고만 믿고 있었다. 그러나 〈태서신사〉 한 권만 보아도 저 눈이 움푹 들어가고 코가 우뚝 솟은 사람들이 결코 원숭이에서 얼마 멀지 아니한 오랑캐가 아니요, 오히려 나라를 세우고 백성을 다스리는 좋은 법과 아름다운 풍속을 가졌고, 저 큰 갓을 쓰고 넓은 띠를 두른 신선과 같은 우리 탐관오리야말로 오랑캐의 존호를 받을 것이라고 생각하였다.

나는 이에 우리나라에 가장 필요한 것은 저마다 배우고 사람마다 가르치는 것이라 깨달았다. 옥중에 있는 죄수들을 보니 글을 아는 이는 없고, 또 그들의 생각이나 말이 모두 무지하기 짝이 없어서 이 백성을 이대로 두고는 결코 나라의 수치를 씻을 수도 없고, 다른 나라와 겨루어나갈 부강한 힘을 얻을 수도 없다고 단정하였다.

이에 나는 내가 깨달은 바를 실행하여서 내 목숨이 있는 날까지 같이 옥중에 있는 죄수들만이라도 가르쳐보려 하였다. 죄수는 들락날락하는 자를 아울러 평균 100명가량인데, 그 열에 아홉까지는 양서부지(일자무식)였다. 내가 글을 가르쳐주마. 한즉 그들은 마다고는 아니하고 배우는 체를 하였으나, 그 중에 몇 사람을 제외하고는 글에 뜻이 있는 것보다 내 눈에 들어서 맛있는 음식을 얻어먹으려는 것이 목적인 것 같았다. 도적이나 살인으로 세상을 살아가는 그들에게는 글을 배워서 더 좋은 사람이 되어보겠다는 생각조차 일어나지 아니하는 것 같았다.

조덕근이란 자는 〈대학〉을 배우기로 하였는데, 그 서문에 '인생팔세 개입소학'이라는 구절을 소리 높여 읽다가, '개입소학'을 '개 아가리 소학'이라고 하여서 나는 허리가 끊어지도록 웃었다. 이 자는 화개동 갈보의 서방으로서 갈보 하나를 중국으로 팔아 보낸 죄로 10년 징역을 받은 것이었다. 때는 건양 2년 즈음이라, 〈황성신문〉이 창간되었다 하여 누가 내게 들여 주는 어느 날 신문에 내 사건의 전말을 대강 적고 나서, 김창수가 인천 감옥에서 죄수들에게 글을 가르치므로 감옥은 학교가 되었다고 쓰여 있었다.

나는 죄수의 선생 노릇을 하는 한편, 또 대서소도 벌인 셈이 되었다. 억울하게 잡혀온 죄수의 말을 듣고 내가 소장을 써주면 그것으로 놓여나가는 이도 있어서 내 소장 대서가 소문이 나게 되었다. 더구나 옥에 갇혀 있으면서 밖에 있는 대서인에게 소장을 써 달래려면 매우 힘도 들고 돈도 들었다. 그런데 같은 감방에 마주 앉아서 충분히 할 말을 다 하고 소장을 쓰는 것은 인찰지 사는 값밖에는 도무지 비용이 들지 아니하였다. 내가 소장을 쓰면 꼭 득송한다고 사람들이 헛소문을 내어서 관리 중에 내게 소장을 지어달라는 자도 있고, 어느 관원에게 돈을 빼앗겼다하는 사람의 원정을 지어서 상관에게 드려 그 관리를 파면시킨 일도 있었다. 이러므로 옥리들도 나를 꺼려서 죄수를 함부로 학대하지 못하였다.

이렇게 글을 가르치고, 대서를 한 여가에 나는 죄수들에게 소리도 시키고 나도 소리를 배우고 놀았다. 나는 농촌 생장이지마는 기음노래(김매는 노래) 한 가락, 갈까보다(춘향가의 일부) 한 마디도 할 줄을 몰랐다.

그때 옥의 규칙이 지금과는 달라서 낮잠을 재우고 밤에는 조금도 눈을 붙이지 못하게 하였으니, 이것은 다들 잠든 틈을 타서 죄수가 도망할 것을 염려함에서였다. 그러므로 죄수들은 밤새도록 소리도 하고 이야기책도 읽기를 허하였던 것이다. 이 규칙은 내게는 적용되지 아니하였으나 다른 사람들이 그러므로 나도 자연 늦도록 놀다가 자게 되었다. 자꾸 듣는 동안에 자연 시조니 타령이니 남이 하는 소리의 맛을 알게 되어서 나도 배울 생각이 났다. 나는 갈보 서방 조덕근한테 평시조, 엮음시조, 남창 지름, 여창 지름, 적벽가, 새타령, 개구리타령 등을 배워서 남들이 할 때면 나도 한몫 들었다.

이러고 있는 동안에 세월이 흘러서 7월도 거의 다 갔다. 하루는 〈황성신문〉에 다른 살인 죄인, 강도 죄인 몇과 함께 인천 감옥에 있는 살인강도 김창수를 아무 날 처교한다는 기사가 난 것을 보았다. 그 날짜는 7월 스무 이렛날이든가 했다. 사람이 이런 일을 당하면 부러 태연한 태도를 꾸밀 법도 하지마는 어찌된 일인지 내 마음은 조금도 경동되지 아니하였다. 교수대를 오를 시간을 겨우 반일을 격하고도 나는 음식이나 독서나 담화를 평상시처럼 하고 있었다. 그것은 아마 고 선생께 들은 말씀 중에 박태보가 보습으로 단근질을 받을 때에,

"이 쇠가 식었으니 더 달구어 오너라."

한 것이며, 심양에 잡혀갔던 심학사의 사적을 들은 영향이라고 생각되었다.

내가 사형을 당한다는 신문기사를 본 사람들은 뒤를 이어 찾아와서 마지막 인사를 하고는 눈물을 흘렸다. 이를테면 조상이다. 아무 나으리, 아무 영감하는 사람들도 찾아와서,

"김 석사, 살아 나와서 상면할 줄 알았더니 이것이 웬일이오?"

하고 두 주먹으로 눈물을 씻고 갔다.

그런데 이상한 것은 밥을 손수 들고 오시는 어머니가 평시와 조금도 다름이 없으심이었다. 아마 사람들이 내가 죽게 되었다는 말을 아니 알려드린 것인가 하였다.

나는 조상하는 손님이 돌아간 뒤에도 여느 때처럼 〈대학〉을 읽고 있었다. 인천 감옥 죄수의 사형 집행은 언제나 오후에 하게 되었고, 처소는 우각동이란 것을 알므로 나는 아침과 점심을 잘 먹었다. 죽을 때에는 어떻게 하리라 하는 마음 준비도 할 마음이 없었다. 나는 이렇게 아무렇지도 아니하건마는 다른 죄수들이며 글을 배운 제자들, 그리고 나한테 소장을 써 받고 송사에 대한 지도를 받아오던 잡수들이 애통해 하는 양은 그들이 제 부모상에 그러하였을까 의심하리만큼 간절하였다.

차차 시간은 흘러서 오후가 되고 저녁때가 되었다. 교수대로 끌려 나갈 시간이 바짝바짝 다가오는 것이다. 나는 내 목숨이 끊어질 순간까지 성현의 말씀에 잠심하여 성현과 동행하리라 하고 몸을 단정히 하고 앉아서 〈대학〉을 읽고 있었다. 그럭저럭 저녁밥이 들어왔다. 사람들은 내가 특별한 죄수가 되어서 밤에 집행하는 것이라고 생각을 하고 있었다. 나는 예기하지 아니하였던 저녁 한 때를 이 세상에서 더 먹은 것이었다.

밤이 초경은 되어서, 밖에서 여러 사람이 떠들썩하고 가까이 오는 인기척이 나더니 옥문 열리는 소리가 들렸다. 나는,

'옳지, 이제 때가 왔구나.'

하고 올 것을 가만히 기다리고 있었다. 나와 한 방에 있는 죄수들은 제가 죽으러 나가기나 하는 것처럼 모두 낯빛이 변하여 덜덜 떨고 있었다. 이때 문 밖에서,

"창수, 어느 방에 있소?"

하는 소리가 들렸다.

"이 방이오."

하는 내 대답은 듣는 것 같지도 않고, 방문을 열기 전부터 어떤 소리가,

"아이고, 이제는 창수 살았소! 아이고, 감리 영감과 전 서원과 각청 직원이 아침부터 밥 한 술 못 먹고 끌탕만 하고 있었소—창수를 어찌 차마 우리 손으로 죽이느냐고. 그랬더니 지금 대군주 폐하께옵서 대청에서 감리 영감을 불러 계시고, 김창수 사형을 정지하랍신 친칙을 받잡고 밤이라도 옥에 내려가 김창수에게 전지하여 주랍신 분부를 듣고 왔소. 오늘 얼마나 상심하였소?"

하고 관속들은 친동기가 죽기를 면하기나 한 것처럼 기뻐하였다. 이것이 병진년 윤 8월 26일이었다. 뒤에 알고 보니 내가 사형을 면하고 살아난 데는 두 번 아슬아슬한 일이 있었으니, 그것은 이러하였다.

법무대신이 내 이름과 함께 몇 사형 죄인의 명부를 가지고 입궐하여 상감의 칙재를 받았다. 상감께서는 다 재가를 하였는데, 그때에 입직하였던 승지 중의 하나가 내 죄명이 국모보수(國母報讐: 국모의 원수를 갚음)인 것을 보고 이상하게 여겨서 이미 재가 된 안건을 다시 가지고 어전에 나아가 임금께 보인즉, 상감께서는 즉시 어전회의를 여시어 내 사형을 정지하기로 결정하시고, 곧 인천 감리 이재정을 전화로 부르신 것이라 했다. 그러므로 그 승지의 눈에 '국모보수' 네 글자가 아니 띄었더라면 나는 예정대로 교수대의 이슬이 되었을 것이니, 이것이 첫째로 이상한 인연이었다.

둘째로는 전화가 인천에 통하게 된 것이 바로 내게 관한 전화가 오기 사흘 전이었다고 한다. 만일 서울과 인천 사이에 전화 개통이 아니 되었던들 아무리 위에서 나를 살리려 하셨더라도 그 은명이 오기 전에 나는 벌써 죽었을 것이었다고 한다.

그러자, 감리서 주사가 뒤이어 찾아와서 하는 말에 의하면 내가 사형을 당하기로 작정되었던 날 인천항 내의 서른두 물상객주들이 통문을 돌려서 매 호에 한 사람 이상 구각동으로 김창수 처형 구경을 가되, 각기 엽전 한 냥씩을 가지고 가서 그것을 모아 김창수의 몸값을 삼자, 만일 그것만으로 안 되거든 부족액은 서른두 객주가 담당하자고 작정하였더라고 한다. 감리서 주사는 내게 이런 말을 들려주고 끝으로,

"아무러하거나 김 석사, 이제는 천행으로 살아났소. 며칠 안으로 궐내에서 은명이 계실 터이니 아무 염려 말고 계시오."

하고 갔다.

이제는 다들 내가 분명히 사형을 면한 것을 알게 되었다. 마치 상설이 날리다가 갑자기 춘풍이 부는 것과 같았다. 옥문이 열리는 소리에 벌벌 떨고 있던 죄수들은 내게 전하는 이러한 소식을 듣고 좋아서 죽을 지경인 모양이었다. 신골방망이로 차꼬를 두드리며 온갖 노래를 다 부르고 청(靑)바지저고리짜리들이 얼씨구나 좋을시고 하고 춤을 춘다, 익살을 부린다, 마치 푸른 옷을 입은 배우들의 연극장을 지어낸 듯하였다.

죄수들은 내가 그냥 아무 일도 없는 듯이 태연자약한 것은 이렇게 무사하게 될 줄을 미리 알았던 것이라고 제멋대로 해석하고, 나를 이인이라 하여 앞날 일을 내다보는 사람이라고들 떠들었다. 더구나 어머님은 갑곶 바다에서

"내가 안 죽습니다"

하던 말을 기억하시고 내가 무엇을 아는 사람인 것처럼 생각하시는 모양이요, 아버지도 그런 생각을 가지시는 것 같았다.

대군주의 칙령으로 김창수의 사형이 정지되었다는 소문이 전파되니 전일에 와서 영결하던 사람들이 이번에는 조상이 아니요, 치하하러 왔다. 하도 면회 인이 많으므로 나는 옥문 안에 자리를 깔고 앉아서 몇 날 동안 응접을 하였다. 전에는 다만 나의 젊은 의기를 애석히 여기는 것뿐이었거니와, 칙명으로 내 사형이 정지되는 것을 보고는 미구에 위에서 소명이 내려서 내가 영귀하게 되리라고 짐작하고 벌써부터 내게 아첨하는 사람조차 생기게 되었다. 이런 일은 일반 사람들뿐만 아니라 관리 중에도 있었다.

하루는 감리서 주사가 의복 한 벌을 가지고 와서 내게 주고 말하기를, 이것은 병마우후 김주경이라는 강화 사람이 감리 사또에게 청하여 전하는 것인즉 이 옷을 갈아입고 있다가 그 김주경이 오거든 만나라고 하였다.

이윽고 한 사람이 찾아왔는데 나이는 사십이나 되어 보이고, 면목이 단단하게 생겼다. 만나서 별 말이 없고 다만,

"고생이나 잘하시오. 나는 김주경이오"

하고는 돌아갔다.

어머님께서 저녁밥을 가지고 오셔서 하시는 말씀이 김 우후가 아버지를 찾아와서 부모님 양주의 옷감과, 용처에 보태라고 돈 200냥을 두고 가며 열흘 후에 또 오마고 하였다 했다.

"네가 보니 그 양반이 어떻더냐? 밖에서 듣기에는 아주 훌륭한 사람이라 하더구나."

하시기로 나는,

"사람을 한 번 보고 어찌 잘 알 수 있습니까마는 그 사람이 하는 일은 고맙습니다."

하였다.

김주경에게 내 일을 알린 것은 인천옥에 사령반수로 있는 최덕만이었다. 최덕만은 본래 김의 집 비부였었다. 김주경의 자는 경득이니, 강화 아전의 자식이었다. 병인양요 뒤에 대원군이 강화에 3000명의 무사를 양성하고 섬 주위에 두루 포루를 쌓아 국방 영문을 세울 때에 포량 고지기(군량을 둔 창고를 지키는 소임)가 된 것이 그의 출세의 시초였다. 그는 성품이 호방하여 초립동이 시절에도 글 읽기를 싫어하고 투전을 일삼았다.

한번은 그 부모가 그를 징계하기 위하여 며칠 동안 고방 속에 가두었더니, 들어갈 때에 그는 투전목 하나를 감추어 가지고 들어가서 거기 갇혀 있는 동안에 투전에 대한 여러 가지 묘법을 터득하여가지고 나와서 투전목을 수만 개 만들되, 투전 짝마다 저만 알 수 있는 표를 하였다. 이 투전목을 강화도 안에 있는 여러 포구에 분배하여 뱃사람들에게 팔게 하고 자기는 이 배 저 배로 돌아다니면서 투전을 하였다. 어느 배에서나 쓰는 투전목은 다 김주경이가 만든 것이라, 그는 투전 짝의 표를 보아 알기 때문에 얼마 아니 하여서 수십만의 돈을 땄다.

김주경은 그렇게 투전하여 얻은 돈으로 강화와 인천의 각 관청의 관속을 매수하여 그의 지휘에 복종케 하고, 또 꾀 있고 용맹 있는 날탕패를 많이 모아 제 식구를 만들어놓고는 어떠한 세도 있는 양반이라도 비리의 일을 하는 자가 있으면 직접이거나 간접이거나 꼭 혼을 내고야 말았다. 경내에 도적이 나서 포교가 범인을 잡으러 나오더라도 먼저 김주경에게 물어보아서 그가 잡아가라면 잡아가고, 그에게 맡기고 가라면 포교들은 거역을 못하였다. 당시에 강화에는 큰 인물 둘이 있으니 양반에는 이건창이요, 상놈에는 김주경이라고 하였다. 이 두 사람은 강화유수도 건드리지를 못하였다. 대원군은 이런 말을 듣고 김주경에게 군량을 맡은 중임을 맡긴 것이다.

하루는 사령반수 최덕만이 내게 와서 하는 말이, 김주경이 어느 날 자기 집에 와서 밥을 먹으면서 말하기를, 김창수를 살려내야 할 터인데, 요새 정부의 대관 놈들이 모두 눈깔에 동록이 슬어서 돈밖에는 아무것도 보이지 아니하니, 이번에 집에 가서 가산을 보두 족쳐 팔아가지고 김창수의 부모 중의 한 분을 데리고 서울로 가서 무슨 짓을 해서라도 석방 운동을 하겠노라 하더라고 하였다. 최덕만이 이 말을 한 지 10여 일 후에 과연 김주경이가 인천에 와서 내 어머니를 모시고 서울로 갔다.

뒤에 듣건대 김주경은 당시 법무대신 한규설을 찾아서 내 말을 하고, 이런 사람을 살려내어야 충의지사가 많이 나올 터이니, 폐하께 입주하여 나를 놓아주도록 하라고 하였다. 한규설도 내심으로는 찬성이나, 일본공사 임권조(林權助:하야시 곤스케)가 벌써 김창수를 아니 죽였다는 것을 문제 삼아서 대신 중에 누구든지 김창수를 옹호하는 자는 무슨 수단으로든지 해치려 하니, 막무가내로 폐하께 입주하는 일을 거절하므로 김주경은 분개하여 대관들을 무수히 졸욕하고 나와서 공식으로 법부에 김창수 석방을 요구하는 소지를 올렸더니 그제야 '기의가상 사관중대 미가천평향아(基義可尙 事關重大 未可擅便向事: 의는 가상하나 일이 중대하여 여기서 마음대로 할 수 없다)'하였다.

그 뒤에도 제 2차, 3차로 관계있는 각 아문에 소장을 드려 보았으나 어디나 마찬가지로 이리 미루고 저리 미루어 결말을 보지 못하였다. 이 모양으로 김주경은 7, 8개월 동안이나 나를 위하여 송사를 하는 통에 그 집 재산은 다 탕진되었고, 아버지와 어머니도 번갈아서 인천에서 서울로 오르락내리락하셨으나 필경 아무 효과도 없이 김주경도 마침내 나를 석방하는 운동을 중지하고 말았다.

김주경은 소송을 단념하고 집에 돌아와서 내게 편지를 하였는데, 보통으로 위문하는 말을 한 끝에 오언절구 한 수를 적었다.

"탈농진호조 발호기상린 구충필어효 청간의려인(脫籠眞好鳥 拔扈豈常鱗 求忠必於孝 請看依閭人: 새는 조롱을 벗어나야 좋은 새며, 고기가 통발을 벗어나니 어찌 예사스러우랴. 충신은 반드시 효 있는 집에서 찾고 효자는 평민의 집에서 볼 수 있을 것이다.)"

라고 하였다. 이것은 내게 탈옥을 권하는 말이었다. 나는 김주경이 그간 나를 위하여 심력을 다한 것에 감사하고, 구차히 살 길을 위하여 생명보다 중한 광명을 버릴 뜻이 없으니 염려하지 말라고 답장하였다.

김주경은 그 후 동지를 규합하여 관용선 청룡환, 현익호, 해룡환 세 척 중에서 하나를 탈취하여 해적이 될 준비를 하다가 강화 군수의 염탐한 바가 되어서 일이 틀어지고 도망하였는데, 중로에서 그 군수의 행차를 만나서 군수를 실컷 두들겨 주고 해삼위(블라디보스토크) 방면으로 갔다고도 하고, 근방 어느 곳에 숨어있다고도 하였다.

그 후에 아버지는 김주경이 서울 각 아문에 드렸던 소송 문서 전부를 가지고 강화의 이건창을 찾아서 나를 구출할 방책을 물으셨으나, 그도 역시 탄식할 뿐이었다고 한다.

나는 그대로 옥중 생활을 계속하고 있었다. 나는 신학문을 열심히 공부하였다. 나는 만사를 하늘의 뜻에 맡기고 성현으로 더불어 동행하자는 생각은 조금도 변함이 없었으므로 탈옥 도주는 염두에도 두지 아니하고 있었다. 그러나 10년수 조덕근, 김백석, 3년수 양봉구, 이름은 잊었으나 종신수도 하나 있어서 그들은 조용할 때면 가끔 내게 탈옥하자는 뜻을 비쳤다. 그들은 내가 하려고만 하면 한 손에 몇 명씩 쥐고 공중으로 날아서라도 그들을 건져낼 수 있는 것같이 생각하는 모양이었다. 두고두고 그들이 눈물을 흘려가며 살려달라고 조르는 바람에 내 마음도 움직이기 시작하였다. 그들의 생각에는 나는 얼마 아니하여 위로부터 은명이 내려서 크게 귀하게 되겠지마는 나마저 나가면 자기들은 어떻게 살랴 하는 것이었다.

나는 생각하였다. 상감께서 나를 죄인으로 알지 아니하심은 내 사형을 정지하라신 친칙으로 보아 분명하고, 동포들이 내가 살기를 원하는 것도 김주경을 비롯하여 인천항의 물상객주들이 돈을 모아서 내 목숨을 사려고 한 것으로 알 수 있지 아니하냐. 상하가 다 내가 살기를 원하나 나를 놓아주지 못하는 것은 오직 왜놈 때문이다. 내가 옥중에서 죽어버린다면 왜놈을 기쁘게 할 뿐인즉 내가 탈옥을 하더라도 의리에 어그러질 것이 없다고. 이리하여 나는 탈옥할 결심을 하였다. 내가 조덕근에게 내 결심을 말한즉 그는 벌써 살아난 듯이 기뻐하면서 무엇이나 내가 시키는 대로 할 것을 맹세하였다. 나는 그에게 집에 말하여 돈 200냥을 들여오라 하였더니 밥을 나르는 사람 편에 기별하여서 곧 가져왔다. 이것으로 탈옥의 한 가지 준비는 된 셈이었다.

둘째로 큰 문제가 있으니, 그것은 강화 사람 황순용이라는 사람을 손에 넣는 것이었다. 황가는 절도죄로 3년 징역을 거의 다 치르고 앞으로 나갈 날이 멀지 아니하므로 감옥의 규례대로 다른 죄수를 감독하는 직책을 맡아 가지고 있었다. 이놈을 손에 넣지 아니하고는 일이 될 수가 없었다. 그런데 이 황가에게 한 약점이 있었으니, 그것은 그가 김백석을 남색으로 지극히 사랑하는 것이었다. 김백석은 아직 17, 8세의 미소년으로, 절도 3범으로 10년 징역의 판결을 받고 복역한지가 한 달쯤 된 사람이었다. 나는 김백석을 이용하여 황가를 손에 넣기로 계획을 정하였다.

나는 조덕근으로 하여금 김백석을 충동하여, 김백석으로 하여금 황가를 졸라서 황가로 하여금 내게 김백석을 탈옥시켜주기를 빌게 하였다. 계교는 맞았다. 황가는 날더러 김백석을 놓아달라고 빌었다. 나는 그를 준절히 책망하고 다시는 그런 죄 될 말은 말라고 엄명하였다. 그러나 김백석에게 자꾸 졸리우는 그는 하루에도 몇 번씩 눈물을 흘리면서 나를 졸랐다. 내가 뿌리치면 뿌리칠수록 그의 청은 간절하여서 한번은,

"제가 대신 징역을 져도 좋으니 백석이면 살려줍시오."

하고 황가는 울었다. 비록 더러운 애정이라 하여도 애정의 힘은 과연 컸다. 그제야 내가 황가의 청을 듣는 것같이, 그러면 그러라고 허락하였다. 황은 백배 사례하고 기뻐하였다. 이리하여 둘째 준비도 끝이 났다.

다음에 나는 아버지께 면회를 청하여 한 자 길이 되는 세모난 철창 하나를 들여주십사하고 여쭈었다. 아버지께서는 얼른 알아차리고 그날 저녁에 새 옷 한 벌에 그 창을 싸서 들여 주셨다.

이제는 마지막으로 탈옥할 날을 정하였으니, 그것은 무술년 3월 초아흐렛날이었다.

이날 나는 당번하는 옥사정 김가에게 돈 150냥을 주어, 오늘 밤에 내가 죄수들에게 한 턱을 낼 터이니 쌀과 고기와 모주 한 통을 사 달라 하고 따로 돈 스물닷 냥을 옥사정에게 주어 그것으로는 아편을 사먹으라고 하였다. 옥사정이 아편쟁인 줄을 내가 알았기 때문이다. 내가 죄수에게 턱을 낸 것은 전에도 한두 번이 아니었기 때문에 옥사정도 예사로이 알았을 뿐더러 아편 값 스물닷 냥이 생긴 것이 무엇보다도 좋아서 두말없이 모든 것을 내 말대로 하였다. 관속이나 죄수나 나는 조만간 은명으로 귀히 되리라고 믿었기 때문에 아무도 내가 탈옥 도주를 하리라고는 꿈에도 생각할 리가 없었다. 조덕근, 양봉구, 황순용, 김백석 네 사람도 나는 그냥 옥에 머물러 있고, 자기네

만을 빼어놓을 줄만 알고 있었다.

저녁밥을 들고 오신 어머님께, 자식은 오늘 밤으로 옥에서 나가겠으니 이 밤으로 배를 얻어 타고 고향으로 돌아가셔서 자식이 찾아갈 때를 기다리라고 여쭈었다.

50명 징역수와 30명 미결수들은 주렸던 창자에 고깃국과 모주를 실컷 먹고 취흥이 도도하였다. 옥사정 김가더러 이 방 저 방 돌아다니며 죄수들 소리나 시키며 놀자며 내가 청하였더니 김가는 좋아라고,

"이놈들아, 김 서방님 들으시게 장기대로 소리들이나 해라."

하고 생색을 보이고는 저는 소리보다 좋은 아편을 피우려고 제 방에 들어가 버렸다.

나는 적수 방에서 잡수 방으로, 잡수 방에서 적수 방으로 왔다 갔다 하다가 슬쩍 마루 밑으로 들어가서 바닥에 깐 박석(정방형으로 구운 옛날 벽돌)을 창끝으로 들춰내고 땅을 파서 옥 밖에 나섰다. 그리고 옥 담을 넘을 줄사다리를 매어놓고 나니 문득 딴 생각이 났다. 다른 사람을 끌어내려다가 무슨 일이 날는지는 모르니, 이 길로 나 혼자만 나가버리자 하는 것이었다. 그 자들은 좋은 사람도 아니니 기어코 건져낸들 무엇하랴. 그러나 얼른 돌려 생각하였다. 사람이 현인군자에게 죄를 지어도 부끄러웁거늘 하물며 저들과 같은 죄인에게 죄인이 되고서야 어찌 하늘을 이고 땅을 밟으랴. 종신토록 수치가 될 것이다.

나는 내가 나온 구멍으로 다시 들어가서 천연덕스럽게 내 자리에 돌아가 앉았다. 그들은 여전히 흥에 겨워서 놀고 있었다. 나는 눈짓으로 조덕근의 무리를 하나씩 불러서 나가는 길을 일러주어 다 내보내고 다섯째로 내가 나가보니 먼저 나온 네 녀석은 담을 넘을 생각도 아니 하고 밑에 소복하니 모여앉아서 벌벌 떨고 있었다. 나는 하나씩 하나씩 궁둥이를 떠받쳐서 담을 넘겨 보내고 마지막으로 내가 담을 넘으려 할 때 먼저 나간 녀석들이 용동 마루로 통하는 길에 면한 판장을 넘느라고 왈가닥거리고 소리를 내어서 경무청과 순검청에서 무슨 일이 난 줄 알고 비상소집의 호각소리가 나고 옥문 밖에서는 벌써 퉁탕퉁탕하고 급히 달리는 소리가 들렸다.

나는 아직도 옥 담 밑에 서 있었다. 이제는 내 방으로 돌아갈 수도 없은즉 재빨리 달아나는 것 밖에 없건마는 남을 넘겨주기는 쉬워도 한 길 반이

나 넘는 담을 혼자 넘기는 어려웠다. 나 혼자는 줄사다리로 어름어름 넘어갈 새도 없었다. 옥문 열리는 소리, 죄수들이 떠들썩하는 소리가 들려왔다. 나는 죄수들이 물통을 마주 메는 한 길이나 되는 몽둥이를 짚고 몸을 솟구쳐서 담 꼭대기에 손을 걸고 저편으로 뛰어넘었다. 이렇게 된 이상에는 내 길을 막는 자가 있으면 사생의 결단을 하고 결투할 결심으로 판장을 넘지 아니하고 내 쇠창을 손에 들고 바로 삼문을 나갔다. 삼문을 지키는 파수 순검들은 비상소집에 들어간 모양이어서 거기는 아무도 없었다. 나는 탄탄대로로 나왔다. 들어온 지 2년 만에 인천옥을 나온 것이었다.

제3장. 방랑의 길

옥에서는 나왔으나 어디로 갈 바를 몰랐다. 늦은 봄 밤 안개가 자욱한데다가 인천은 연전 서울 구경을 왔을 때에 한번 지났을 뿐이라, 길이 생소하여 어디가 어딘지 알 수가 없었다. 나는 지척을 분간할 수 없는 캄캄한 밤에 물결소리를 더듬어서 모래사장을 헤매다가 훤히 동이 틀 때에 보니 기껏 달아난다는 것이 감리서 바로 뒤 용동 마루터기에 와 있었다. 잠시 숨을 돌리고 휘휘 둘러보노라니 수십 보 밖에 어떤 순검 한 명이 칼 소리를 제그럭제그럭 하고 내가 있는 데로 달려오고 있었다. 나는 길가 어떤 가겟집 함실아궁이를 덮은 널빤지 밑에 몸을 숨겼다. 순검의 흔들리는 환도집이 바로 코끝을 스칠 듯이 지나갔다.

아궁이에서 나오니 벌써 훤하게 밝았는데, 천주교당의 뾰족집이 보였다. 그것이 동쪽인 줄 알고 걸어갔다.

나는 어떤 집에 가서 주인을 불렀다. 누구냐 하기로

"아저씨, 나와 보세요."

하였더니 그는 나와서 의심스러운 눈으로 나를 보았다. 나는 김창수인데, 간밤에 인천 감리가 비밀 석방하여주었으나 이 꼴을 하고 대낮에 길을 갈 수가 없으니 날이 저물 때까지 집에 머물게 해달라고 청하였다. 주인은 안 된다고 거절하였다. 또 얼마를 가노라니까 모군꾼 하나가 상투바람에 두루마기를 걸치고 소리를 하며 내려왔다. 나는 또 사실을 말하고 빠져나갈 길을 물었더니, 그 사람은 대단히 친절하게 나를 이끌고 좁은 뒷골목 길로 요리조리 사람의 눈에 안 띄게 화개동 마루터기까지 가서 이리 가면 수원이요, 저리 가면 시흥이니, 마음대로 어느 길로든지 가라고 일러주었다. 미처 그의 이름을 못 물어본 것이 한이다.

나는 서울로 갈 작정으로 시흥 가는 길로 들어섰다. 내 행색을 보면 누가 보든지 참말로 도적놈이라 할 것이다. 염병에 머리털은 다 빠져서 새로 난 머리카락을 노끈으로 비끄러매어서 솔잎상투로 짜고, 머리에는 수건을 동이고, 두루마기도 없이 동저고릿바람인데, 옷은 가난한 사람의 것이 아닌 새것이면서 땅 밑으로 기어 나올 때에 군데군데 묻은 흙이 물이 들어서 스스로 살펴보아도 평상한 사람으로 보이지는 아니하였다.

인천 시가를 벗어나서 5리쯤 가서 해가 떴다. 바람결에 호각소리가 들리고 산에도 사람이 희끗희끗하였다. 내 이런 꼴로는 산에 숨더라도 수사망에 걸릴 것 같으므로 허허실실로 차라리 대로변에 숨으리라 하고 길가 잔솔밭에 들어가서 솔포기 밑에 몸을 감추고 드러누웠다. 얼굴이 감추어지지 않는 것은 솔가지를 꺾어서 덮어놓았다. 아니나 다를까, 칼 찬 순검과 벙거지 쓴 압뢰들이 지껄이며 내가 누워 있는 옆으로 지나갔다. 그들이 주고받는 말에서 나는 조덕근은 서울로, 양봉구는 배로 달아난 것을 알았고, 내게 대해서는

"김창수는 장사니까 잡기 어려울 거야. 허기야 잘 달아났지. 옥에서 썩으면 무얼 하게."

하는 소리를 들었다. 그 소리의 주인이 누군지 나는 다 알 수가 있었다.

나는 온종일 솔포기 속에 누워 있다가 순검 누구누구며 압뢰 김장석 등이 도로 내 발부리를 지나서 인천으로 돌아가는 것을 보고야 누웠던 자리에서 일어나 나오니, 벌써 황혼이었다. 나오기는 하였으나 어제 이른 저녁밥 이후로는 물 한 방울 못 먹고 눈 한 번 못 붙인 나는 배는 고프고 몸은 곤하여 촌보를 옮기기가 어려웠다.

나는 가까운 동네 어떤 집에 가서, 황해도 연안에 가서 쌀을 사가지고 오다가 북성고지 앞에서 배 파선을 한 서울 청파 사람이라고 말하고 밥을 좀 달라고 하였더니, 주인이 죽 한 그릇을 내다 주었다. 나는 누구에게 정표로 받아서 몸에 지니고 있던 화류면경을 꺼내어 그 집 아이에게 뇌물로 주고 하룻밤 드새기를 청하였으나 거절을 당하였다. 그러고 보니 죽 한 그릇에 엽전 한 냥을 주고 사먹은 셈이 되었다. 그때 엽전 한 냥이면 쌀 한 말 값도 더 되었다. 나는 또 한 집 사랑에 들어갔으나 또 퇴짜를 맞고 하릴없이 방앗간에서 자기로 하였다. 나는 옆에 놓인 짚단을 날라다가 덮고 드러누웠다. 인천 감옥 이태의 연극이 이에 막을 내리고 방앗감 잠이 둘째 막의 개시로구나, 하면서 소리를 내어서 〈손무자〉와 〈삼략〉을 외웠다. 지나가는 사람들이,

"거지가 글을 다 읽는다."
하는 것은 상관없으나, 또 어떤 사람이,
"예사 거지가 아니야. 아까 저 사랑에 온 것을 보니 수상한 사람이야."
하는 말에는 대단히 켕겼다. 그래서 나는 미친 사람의 모양을 하느라고 귀둥대둥 혼자 욕설을 퍼붓다가 잠이 들었다.
새벽 일찍 일어나서 버리고개를 향하고 소로로 가다가, 밥을 빌어먹을 생각으로 어떤 집 문전에 섰다. 나는 거지들이 기운차고 넌출지게 밥을 내라고 떠들던 양을 생각하고,
"밥 좀 주시우."
하고 불러 보았으나, 내 딴에는 소리껏 외친다는 것이 개가 짖을 만한 소리밖에 안 나왔다. 주인은 밥은 없으니 숭늉이나 먹으라고 숭늉 한 그릇을 내 주었다. 그것을 얻어먹고 또 걸었다.
오랫동안 좁은 세계에서 살다가 넓은 천지에 나와서 가고 싶은 대로 활활 갈 수 있는 것이 참으로 신통하고 상쾌하였다. 나는 배고픈 줄도 모르고 옥에서 배운 시조와 타령을 하면서 부평, 시흥을 지나 그날 당일로 양화도 나루에 다다랐다. 강만 건너면 서울이건마는 날은 저물고, 배는 고프고, 또 나룻배를 탈래야 뱃삯이 없었다. 그래서 나는 동네 서당을 찾아 들어갔다.
선생과 인사를 청한즉 그는 내가 나이 어리고 의관이 분명치 못함을 봄인지 초면에 하대를 하였다. 나는 정색하고,
"선생이 이렇게 교만무례하고 어찌 남을 가르치겠소? 내가 일시 운수가 불길하여 길에서 도적을 만나 의관과 행리를 다 빼앗기고 이 꼴로 선생을 대하게 되었소마는 사람을 그렇게 괄시하는 법이 어디 있소. 허, 예절을 알 만한 이를 찾아온다는 것이, 어참, 봉변이로고."
하고 일변 책하고 일변 빼었다. 선생은 곧 사과하고 다시 인사를 청하였다. 그러고는 그날 밤을 글 토론으로 지내고, 아침에는 선생이 아이 하나에게 편지를 써주기로 나룻배 주인에게 전하여 나를 뱃삯 없이 건너게 하였다.
나는 옥에서 사귀었던 진오위장을 찾아갔다. 이 사람은 남영희궁에 청지기로 있는 사람으로서, 배오개 유기장이 5, 6인과 짜고 배를 타고 인천 바다에 떠서 백동전을 사주하다가 깡그리 붙들려서 1년 동안이나 나와 함께 옥살이를 하였다. 그들은 내게 생전 못 잊을 신세를 졌노라 하여 날더러 출옥

하는 날에는 꼭 찾아달라는 말을 남기고 나갔다.

내가 영희궁을 찾아간 것은 황혼이었다. 진오위장은 마루 끝에 나와서 물끄러미 나를 바라보더니,

"아이고머니, 이게 누구요?"

하고 버선발로 마당에 뛰어 내려와서 내게 매달렸다. 그리고 내 손을 끌고 방으로 들어가서 내가 나온 곡절을 듣고는 일변 식구들을 불러서 내게 인사를 시키고, 일변 사람을 보내어 예전 공범들을 청해왔다. 그들은 내 행색이 수상하다 하여 '나는 갓을 사오리다.' '나는 망건을 사오겠소.' '나는 두루마기를 내리다.' 하여 한 사람이 한 가지씩 추렴을 모아서 나는 3, 4년 만에 비로소 의관을 하고 나니 저절로 눈물이 떨어졌다. 이렇게 나는 날마다 진오위장 일파와 모여 놀며 며칠을 유련하였다.

그러는 동안에 나는 조덕근을 두 번이나 찾아 갔으나, 이 핑계 저 핑계 하고 나를 전혀 만나주지 아니하였다. 중죄인인 나를 아는 체하는 것이 이롭지 못하다고 생각하는 모양이었다.

진오위장 집에서 잘 먹고, 잘 놀고, 수일을 쉬어서 여러 사람이 모아주는 노자를 한 짐 잔뜩 걸머지고 삼남 구경을 떠나느라고 동작 나루를 건넜다. 그때에 내 심회가 심히 울적하여 승방뜰이라는 데서부터 술 먹기를 시작하여 매일 장취로 비틀거리고 걷는 길이 수원 오산장에 다다랐을 때에 벌써 한 짐 돈을 다 써버리고 말았다. 나는 오산장에서 서쪽에 있는 김삼척의 집을 찾기로 하였다. 주인은 삼척영장을 지낸 사람으로, 아들이 6형제가 있는데, 그 중 맏아들인 김동훈이 인천항에서 장사를 하다가 실패한 관계로 인천옥에서 한 달 정도 고생을 할 때에 나와 절친하게 되었다. 그가 옥에서 나올 때 내 손을 잡고 꼭 후일에 서로 만나기를 약속한 것이었다. 나는 김삼척 집에서 대환영을 받아서 그 아들 6형제와 더불어 밤낮으로 술을 먹고 소리를 하며 며칠을 놀다가 노자까지 얻어가지고 또 길을 떠났다.

강경에서 공종렬을 찾으니, 그도 인천옥에서 사귄 사람으로서, 그 어머니도 옥에 면회하러 왔을 때에 알았으므로 많은 우대를 받고, 공종렬의 소개로 그의 매부 진선전을 전라도 무주에서 찾은 후, 나는 이왕 삼남에 왔던 길이니 남원에서 김형진을 찾아보리라 하고 이동(귓골)을 찾아갔다. 동네 사람 말이 김형진의 집이 과연 대대로 이 동네에 살았으나, 연전에 김형진이 동학에 들어가

가족을 끌고 도망한 후로는 소식이 없다고 했다. 나는 대단히 섭섭하였다.
전주 남문 안서에서 약국을 하는 최군선이 자기의 매부라는 말을 김형진에게 들었던 것을 기억하고 찾아갔으나 최는 대단히 냉랭하게, 그가 처남인 것은 사실이나 무거운 짐을 그에게 지우고 벌써 죽었다고 원망조로 말할 뿐이었다. 나는 비감을 누를 수 없어서 부중으로 헤매었다. 마침 그날이 전주 장날이어서 사람이 많았다. 나는 어떤 백목전 앞에 서서 백목을 파는 청년 하나를 보았다. 그의 모습이 김형진과 흡사하기로 그가 흥정을 하여가지고 나오기를 기다려서 붙잡고,
"당신 김 서방 아니오?"
하고 물은즉, 그가 그렇다고 하기로 나는 다시,
"노형이 김형진 씨 계씨 아니시오?"
하였더니, 그는 무슨 의심이 났는지 머뭇머뭇하고 대답을 못했다. 나는
"나는 황해도 해주 사는 김창수요. 노형 백씨 생전에 혹시 내 말을 못 들으셨소?"
하였더니, 그제서야 그는 눈물을 흘리면서 그의 형이 생전에 노상 내 말을 하였을 뿐 아니라, 임종시에도 나를 못 보고 죽는 것이 한이라고 하였다는 말을 하였다.
나는 그 청년을 따라서 금구 원평에 있는 그의 집으로 갔다. 조그마한 농가였다. 그가 그 어머니와 형수에게 내가 왔다는 말을 고하니 집 안에서는 곡성이 진동하였다. 김형진이 죽은 지 열아흐레째 되는 날이었다.
나는 궤연(신주를 모신 곳)에 곡하고 늙은 어머니와 젊은 과수(寡守: 남편이 죽은 후 혼자 사는 여자)에게 인사를 하였다. 고인에게는 맹문이라는 8, 9세 되는 아들이 있고, 그의 아우에게는 맹렬이라는 아들이 있었다. 나는 이 집에서 가버린 벗을 생각하여 수일을 더 쉬고 목포로 갔다. 그것도 무슨 목적이 있는 것은 아니었다. 그때의 목포는 아직 신개항지여서 관청이 건축도 채 아니 된 엉성한 곳이었다. 여기서 우연히 양봉구를 만났다. 나와 같이 탈옥한 넷 중의 한 사람이다. 그에게서 나는 조덕근이 다시 잡혀서 눈 하나가 빠지고 다리가 부러졌다는 말과, 그때에 당직이던 김가는 아편 인으로 죽었단 말을 들었다. 내게 관한 소문은 못 들었다고 하였다. 양봉구는 약간의 노자를 내게 주고 이곳은 개항장이 되어서 팔도 사람이 다 모여드는 데니 오

래 머물 곳이 못 된다 하여 어서 떠나라고 권하였다.

나는 목포를 떠나서 광주를 지나, 함평에 이름난 육모정 이 진사 집에 과객으로 하룻밤을 잤다. 이 진사는 부유한 사람은 아니었으나, 육모정에는 언제나 빈객이 많았고, 손님들께 조석을 대접할 때에는 이 진사도 손님들과 함께 상을 받았다. 식상은 주인이나 손님이나 일체 평등이요, 조금도 차별이 없었고, 하인들이 손님을 대하는 태도는 그 주인께 대하는 것과 똑같이 하였다. 이것은 주인 이 진사의 인격의 표현이어서 참으로 놀라운 규모(본보기)요, 가풍이었다.

육모정은 이 진사의 정자거니와 그 속에는 침실, 식당, 응접실, 독서실, 휴게실 등이 구비되었다. 그때에 글을 읽던 두 학동이 지금의 이재혁, 이재승 형제다.

나는 하룻밤을 쉬어 떠나려 하였으나 이 진사가 굳이 만류하여 얼마든지 더 묵어서 가라는 말에는 은근한 신정이 품겨 있었다. 나는 주인의 정성에 감동되어 육모정에서 보름을 더 묵었다.

내가 내일 이 진사 집을 떠난다는 말을 듣고 자기 집으로 청한 사람이 있었다. 그는 나보다 다소 연장자인 장년의 한 선비로, 내가 육모정에 묵는 동안 날마다 와서 담화하던 사람이었다.

나는 그의 청을 물리칠 수 없어서 저녁밥을 먹으러 그의 집으로 갔다. 집은 참말 게딱지와 같고 방은 단 한 칸뿐이었다. 그 부인이 개다리소반에 주인과 겸상으로 저녁상을 들여왔다. 주발 뚜껑을 열고 보니 밥은 아니요, 무엇인지 모를 것이었다. 한 숟가락을 떠서 입에 넣으니 맛이 쓰기가 곰의 쓸개와 같았다. 이것은 쌀겨와 팥으로 만든 겨범벅이었다. 주인은 내가 이 진사 집에서 매일 흰 밥에 좋은 반찬을 먹는 것을 보았지마는 조금도 안되었다는 말도 없고 미안하다는 빛도 없이 흔연히 저도 먹고 내게도 권하였다. 나는 그의 높은 뜻과 깊은 정에 감격하여 조금도 아니 남기고 다 먹었다.

나는 함평을 떠나 강진, 고금도, 완도를 구경하고 장흥을 거쳐 보성으로 갔다. 보성에서는 송곡면(지금은 득량면이라고 고쳤다고 한다) 득량리에 사는 종씨 김광언이라는 이를 만나 그 문중의 여러 댁에서 40여 일이나 묵고, 떠날 때에는 그 동네에 사는 선씨 부인한테 필낭 하나를 신행(贐行:먼 길을 떠나는 사람에게 주는 시문이나 물건) 선물로 받았다.

보성을 떠나 나는 화순, 동복, 담양을 두루 구경하고 하동 쌍계사에 들러 칠불아자방(七佛亞字房: 칠불암의 아자방)을 보고 다시 충청도로 올라와 계룡산 갑사에 도착한 것은 감이 벌겋게 익어 달리고, 낙엽이 날리는 늦은 가을이었다. 나는 절에서 점심을 사먹고 앉았더니 동학사로부터 왔노라고 점심을 시켜먹는 유산객 하나가 있었다. 통성명을 한즉, 그는 공주에 사는 이 서방이라고 하였다. 연기는 40이 넘은 듯한데 그가 들려주는 자작의 시로 보거나 그의 말로 보거나 퍽 비관을 품은 사람이었다. 비록 초면이라도 피차가 다 허심탄회한 말이 서로 맞았다. 그가 어디로 가는 길이냐고 묻기로, 나는 개성에 생장하여 장사를 업으로 삼다가 실패하여 홧김에 강산 구경을 떠나서 삼남으로 돌아다닌 지가 1년이 장근하노라고 대답하였다. 그러면 마곡사가 40리밖에 아니 되니 같이 가서 구경하자고 하였다. 마곡사라면 내가 어려서 동국명현록을 읽을 때에 서 화담 경덕이 마곡사 팥죽 가마에 중이 빠져 죽는 것을 대궐 안에 동지 하례를 하면서 보았다는 말에서 들은 일이 있었다. 나는 이 서방과 같이 마곡사를 향하여 계룡산을 떠났다.

길을 걸으면서 이 서방은 홀아비라는 것이며, 사숙에 훈장으로 여러 해 있었다는 것이며, 지금은 마곡사에 들어가 중이 되려 하니 나도 같이 하면 어떠냐고 하였다. 나도 중이 될 생각이 없지는 아니하나 돌연히 일어난 문제라 당장에 대답은 안 하였다.

마곡사 앞 고개를 올라선 때는 벌써 황혼이었다. 산에 가득 단풍이 누릇불긋하여 '유자비추풍(遊子悲秋風)'의 감회를 깊게 하였다. 마곡사는 저녁 안개에 잠겨 있어서 풍진에 더럽힌 우리의 눈을 피하는 듯하였다. 뎅, 뎅, 인경이 울려왔다. 저녁 예불을 알리는 소리다. 일체 번뇌를 버리라 하는 것같이 들렸다.

이 서방이 다시 다져 물었다.

"김 형, 어찌하시려오? 세사를 다 잊고 나와 같이 중이 됩시다."

나는 웃으며,

"여기서 말하면 무엇하오? 중이 되려는 자와 중을 만드는 자와 마주 대한 자리에서 작정합시다."

이렇게 대답하였다.

우리는 안개를 헤치고 고개를 내려서 산문으로 한 걸음 한 걸음 걸어 들어갔다. 걸음마다 내 몸은 더러운 세계에서 깨끗한 세계로, 지옥에서 극락으로, 세간에서 출세간으로 옮아가는 것이었다. 매화당을 지나 소리쳐 흐르는 내 위에 걸린 긴 나무다리를 건너 심검당에 들어가니, 머리 벗어진 노승 한 분이 그림 폭을 펴놓고 보다가 우리를 보고 인사했다. 이 서방은 전부터 이 노승과 숙면이었고, 그는 포봉당이라는 이였다. 이 서방이 나를 심검당에 두고 자기는 다른 데로 갔다. 이윽고 나를 위한 밥이 나왔다. 저녁상을 물리고 앉았노라니 어떤 하얗게 센 노승 한 분이 와서 내게 공손히 인사를 했다. 나는 거짓말로 본래 송도 태생이오며, 조실부모하고, 강근지친도 없어서 혈혈단신이 강산 구경이나 다니노라고 말하였다. 그런즉 그 노승은 속성은 소씨요, 익산 사람으로서 머리를 깎고 노승이 된 지가 50년이나 되노라 하고, 은근히 나더러 상좌가 되기를 청하였다. 나는 본시 재질이 둔탁하고 학식이 천박하여 노사에게 누가 될까 저어하노라 하고 겸사하였더니, 그는 내가 상좌만 되면 고명한 스승의 밑에서 불학을 공부하여 장차 큰 강사가 될지 아니냐고 강권하였다.

이튿날 이 서방은 벌써 머리를 달걀같이 밀고 와서 내게 문안을 하고 하는 말이, 하은당이 이 절 안에 갑부인 보경 대사의 상좌이니 내가 하은당의 상좌만 되면 내가 공부하기에 학비 걱정은 없을 것이라고, 어서 삭발하기를 권하였다. 나도 하룻밤 청정한 생활에 모든 세상 잡념이 식은 재와 같이 되었으므로 출가하기로 작정하였다.

얼마 후에 나는 놋칼을 든 사제 호덕삼을 따라서 냇가로 나아가 쭈그리고 앉았다. 덕삼은 삭발진언을 송알송알 부르더니 머리가 선뜩하며 내 상투가 모래 위에 뚝 떨어졌다. 이미 결심을 한 일이건마는 머리카락과 함께 눈물이 떨어짐을 금할 수 없었다.

법당에서는 종이 울렸다. 나의 득도식을 알리는 것이었다. 산내 각 암자로부터 착가사 장삼한 수백 명의 승려가 모여들고, 향적실에는 공양주가 불공밥을 짓고 있었다. 나도 검은 장삼, 붉은 가사를 입고 대웅보전으로 이끌려 들어갔다. 곁에서 덕삼이가 배불하는 것을 가르쳐주었다. 은사 하은당이 내 법명을 원종이라고 명하여 불전에 고하고, 수계사 용담회상이 경문을 낭독하고 내게 오계를 준다. 예불의 절차가 끝난 뒤에는 보경 대사를 위시하여 산중에 나이 많은 여러 대사들께 차례로 절을 드렸다. 그리고 날마다 절하는 공부를 하고 진언집을 외우고 초발심자경문을 읽고 중의 여러 가지 예법과 규율을 배웠다. 정신 수양에 대하여서는, '승행에는 하심이 제일이라'

하여 교만한 마음을 떼는 것을 주로 삼았다. 사람에게 대하여서만이 아니라 짐승, 벌레에 대하여서까지도 공경하는 마음을 가지라는 것이다. 어젯밤 나더러 중이 되라고 교섭할 때에는 그렇게 공손하던 은사 하은당이 오늘 낮부터는,

"얘, 원종아!"

하고 막 해라를 하고,

"이놈 생기기를 미련하게 생겨먹었으니 고명한 중은 될까 싶지 않다. 상판대기가 저렇게도 밉게 생겼을까. 어서 가서 나무도 해오고 물도 길어!"

하고 막 종으로 부리려 든다. 나는 깜짝 놀랐다. 중이 되면 이렇게까지 될 줄은 몰랐다. 내가 망명객이 되어 사방으로 유리하는 몸은 되었지마는, 영웅심도 있고, 공명심도 있고, 평생에 한이 되던 상놈의 껍질을 벗고 양반이 되어도 월등한 양반이 되어서 우리 집을 멸시하는 양반들을 한번 내려다보겠다는 생각을 가슴속에 감추고 있었다. 그런데 이제 중놈이 되고 보니 이러한 허영적인 야심은 불씨 문중에서는 터럭 끝만치도 용서하지 못하는 악마여서, 이러한 악념이 마음에 움틀 때에는 호법선신의 힘을 빌려서 일체법공의 칼로 뿌리째 베어버려야 했다. 내가 어쩌다가 이런 데를 들어왔나 하고 혼자 웃고 혼자 탄식한 일도 있었다. 그러나 기왕 중이 되었으니 하라는 대로 순종할 길 밖에 없었다. 나는 장작도 패고 물도 긷고 하라는 것은 다 하였다.

하루는 물을 길어오다가 물통 하나를 깨뜨린 죄로 스님한테 눈알이 빠지도록 야단을 맞았다. 어떻게 심하게 스님이 나를 나무라셨는지 보경당 노승님께서 한탄을 하셨다.

"전자에도 남들이 다 괜찮다는 상좌를 들여 주었건마는 저렇게 못 견디게 굴어서 다 내어 쫓더니, 이제 또 저렇게 하니 원종인들 오래 붙어 있을 수 있나. 잘 가르치면 제 앞씈이는 할 만하건마는."

하고 하은당을 책망하셨다. 이것을 보니 나는 적이 위로가 되었다.

나는 낮에는 일을 하고 밤이면 다른 사미들과 같이 예불하는 법이며, 〈천수경〉, 〈심경〉 같은 것을 외고, 또 수계사이신 용담 스님께 〈보각서장〉을 배웠다. 용담은 당시 마곡에서 불학만이 아니라 유가의 학문도 잘 아시기로 유

명한 이였다. 학식만이 아니라, 위인이 대체를 아는 이여서 누구나 존경할 만한 높은 스승이었다.

용담께 시주하는 상좌 혜명이라는 젊은 불자가 내게 동정이 깊었고, 또 용담 스님도 하은당의 가풍이 괴상함을 가끔 걱정하시면서 나를 위로하셨다. '견월망지(見月忘指)'라 달을 보면 그만이지 그 달을 가리키는 손가락이야 아무려면 어떠냐 하는 말씀을 하시고, 또 칼날 같은 마음을 품어 성나는 마음을 끊으라 하여 '인(忍)'자의 이치를 가르쳐 주셨다. 하은당이 심하게 나를 볶으시는 것이 모두 내 공부를 도우심으로 알라는 뜻이다.

이 모양으로 살아가는 동안에 반년의 세월이 흘러서 무술년도 다 가고 기해년이 되었다. 나는 고생이 되지마는 다른 중들은 나를 부러워하였다. 보경당이나 하은당이 다 70, 80 노인이시니, 그분네만 작고하시면 그 많은 재산이 다 내 것이 된다는 것이었다. 추수기를 보면 백미로만 받는 것이 200석이나 되고, 돈과 물건으로 있는 것이 수십만 냥이나 되었다. 그러나 나는 청정적멸의 도법에 일생을 바칠 생각이 생기지 아니하였다. 인천옥에서 떠난 후에 소식을 모르는 부모님도 그 후에 어찌되셨는지 알고 싶고, 나를 구해내려다가 집과 몸을 아울러 망쳐버린 김주경의 간 곳도 찾고 싶고, 해주 비동에 고 후조 선생(후조는 고 선생의 당호다)도 뵙고 싶고, 그때에 천주학을 한다고 해서 대의의 반역으로 곡해하고 불평을 품고 떠난 청계동의 안 진사를 찾아 사과도 할 마음이 때때로 흉중에 오락가락하여 보경당의 재물에 탐을 낼 생각은 꿈에도 일어나지 아니하였다.

그래서 하루는 보경당께 뵈옵고,

"소승이 기왕 중이 된 이상에는 중으로서 배울 것을 배워야 하겠사오니, 금강산으로 가서 경공부를 하고 일생에 충실한 불자가 되겠나이다."

하고 아뢰었다.

보경당은 내 말을 들으시고,

"내 벌써 그럴 줄 알았다. 네 원이 그런 데야 할 수 있느냐."

하시고 즉석에서 하은당을 부르셔서 한참 동안 서로 다투시다가 마침내 나에게 세간을 내어주셨다. 나는 백미 열 말과 의발을 받아가지고 하은당을 떠나 큰 방으로 옮아왔다. 그날부터 나는 자유였다. 나는 그 쌀 열 말을 팔아서 노자를 만들어가지고 마곡을 떠나 서울로 향하였다.

수일을 걸어 서울에 도착한 것은 기해년 봄이었다. 그때까지 서울 성 안에는 승니를 들이지 않는 국금(國禁)이 있었다. 나는 문 밖으로 이 절 저 절 돌아다니다가 서대문 밖 새 절에 가서 하루 묵는 중에 사형 혜명을 만났다. 그는 화장사에 은사를 찾아가는 길이라 하고, 나는 금강산에 공부 가는 길이라고 하였다. 혜명과 작별하고 나는 풍기 혜정이라는 중을 만났다. 그가 평양 구경을 가는 길이라 하기로 나와 동행하자고 하였다. 임진강을 건너 송도를 구경하고 나는 해주 감영을 보고 평양으로 가자하여 혜정을 이끌고 해주로 갔다.

수양산 신광사 북암이라는 암자에 머물면서 나는 혜정에게 약간 내 사정을 통하고, 그에게 텃골 집에 가서 내 부모와 비밀히 만나 그 안부를 알아오되, 내가 잘 있단 말만 아뢰고 어디 있단 것은 알리지 말라고 부탁하였다. 이렇게 부탁해 놓고 혜정의 회보만 기다리고 있었더니 바로 4월 29일 석양에 혜정의 뒤를 따라 부모님 양주께서 오셨다. 혜정에게서 내 안부를 들으신 부모님은, 네가 내 아들이 있는 곳을 알 터이니 너만 따라가면 내 아들을 볼 것이다 하고 혜정을 따라 나서신 것이었다.

북암에서 하루를 묵어서 양친을 모시고 나는 중의 행색으로 혜정과 같이 평양 길을 떠났다. 길을 가면서 한마디씩 하시는 말씀을 종합건대, 무술년 3월 초아흐렛날 부모님은 해주 본향에 돌아오셨으나 순검이 뒤따라와서 두 분을 다 잡아다가 3월 13일 인천옥에 가두었다. 어머니는 얼마 아니하여 놓여나시고, 아버지는 석 달 후에야 석방되셨다. 그로부터 두 분은 고향에 계시면서 내 생사를 몰라 주야로 마음을 졸이셨고, 꿈자리만 사나워도 종일 식음을 전폐하셨다. 그러하신지 이태만에 혜정이 찾아간 것이었다. 만나고 보니 내가 살아있는 것은 다행하나 중이 된 것은 슬프다고 하셨다.

5월 초나흗날 평양에 도착하여 하룻밤을 여관에서 쉬고, 이튿날인 단옷날에 모란봉 그네 뛰는 구경을 하고 돌아오는 길에 나는 내 앞길에 중대한 영향을 준 사람을 만났다.

관동 골목을 지나노라니 어떤 집 사랑에, 머리에 지포관을 쓰고 몸에 심수의를 입고 두 무릎을 모으고 점잔하게 꿇어앉아 있는 사람을 보았다. 나는 문득 호기심을 내어 한번 수작을 붙여보리라 하고 계하에 이르러,

"소승 문안드리오."

하고 합장하고 허리를 굽혔다. 그 학자는 물끄러미 나를 바라보더니 들어오라고 하였다. 들어가 인사를 한즉 그는 간재 전우의 문인 최재학으로, 호를 극암이라 하여 상당이 이름이 높은 이였다. 나는 공주 마곡사의 중이라는 말과 이번 오는 길에 천안 금곡에 전간재 선생을 찾았으나 마침 출타하신 중이어서 못 만났다는 말과, 이제 우연히 고명하신 최 선생을 뵈오니 이만 다행이 없다는 말을 하고 그와 몇 마디 도리에 관한 문답을 하였더니 최 선생은 나를 옆에 앉은 어떤 수염이 좋고 위풍이 늠름한 노인에게 소개하였다. 그는 당시 평양 진위대에 참령으로 있는 전효순이었다. 소개가 끝난 뒤에 최극암은 전 참령에게,

"이 대사는 학식이 놀라우니 영천암 방주를 내이시면 영감 자제와 외손들의 공부에 유익하겠소. 영감 의향이 어떠시오?"

하고 나를 추천한다.

전 참령은,

"거 좋은 말씀이오. 지금 곁에서 듣는 바에도 대사의 고명하심을 흠모하오. 대사의 의향은 어떠시오? 내가 자식 놈 하나와 외손자 놈들을 최 선생께 맡겨서 영천암에서 공부를 시키고 있는데, 지금 있는 주지승이 성행이 불량하여 술만 먹고 도무지 음식 제절을 잘 돌아보지를 아니하여서 곤란 막심하던 중이오."

하고 내 허락을 청하였다. 나는 웃으며

"소승의 방탕이 본래 있던 중보다 더할지 어찌 아시오?"

하고 한 번 사양했으나 속으로 다행히 여겼다. 부모님을 모시고 구걸하기도 황송하던 터이라 한 곳에 자리를 잡고 싶었던 까닭이다.

전 참령은 평양서윤 홍순욱을 찾아가더니 얼마 아니하여 '승 원종으로 영천사 방주를 차정함'이라는 첩지를 가지고 와서 즉일로 부임하라고 나를 재촉하였다. 이리하여 나는 영천암 주지가 되었다.

영천암은 평양서 서쪽으로 약 40리, 대보산에 있는 암자로서, 대동강 넓은 들과 평양을 바라보는 경치 좋은 곳에 있었다. 나는 혜정과 같이 영천암으로 가서 부모님을 조용한 방에 거처하시게 하고, 나는 혜정과 같이 한 방을 차지하였다. 학생이란 것은 전효순의 아들 병선, 그의 사위 김윤문의 세 아들 장손, 중손, 차손과 그 밖에 김동원 등 몇몇이 있었다. 전효순은 간일하여

좋은 음식을 평양에서 지어 보내고, 또 산 밑 신흥동에 있는 육고에서 영천사에 고기를 대기로 하여 나는 매일 내려가서 고기를 한 짐씩 져다가 끓이고 굽고 하여 중의 옷을 입은 채로 터놓고 막 먹었다. 때때로 최재학을 따라 평양에 들어가서도 사숭재에서 시인 황경환 등과 시화나 하고 고기로 꾸미한 국수를 막 먹었다. 그리고 염불을 아니 하고 시만 외우니 불가에서 이르는바 '손에 돼지 대가리를 들고 입으로 경을 읽는' 중이 되고 말았다. 이리하여서 시승 원종이라는 칭호는 얻었으나 같이 와 있던 혜정에게는 실망을 주었다. 혜정은 내 신심이 쇠하고 속심만 증장하는 것을 보고 매우 걱정하였으나 고기 안주에 술 취한 중의 귀에 그런 충고가 들어갈 리가 없었다. 그는 내 불심이 회복되기 어려운 것을 보고 영천암을 떠난다 하여 행리를 지고 나서서 산을 내려가다가는 차마 나와 작별하기가 어려워서 되돌아오기를 달포나 하다가 마침내 경상도로 간다고 떠나고 말았다. 아버지도 내가 다시 머리를 깎는 것을 원하지 아니하셔서 나는 머리를 기르고 중노릇을 하다가 그 해 가을도 늦어서 나는 다리를 들여서 상투를 짜고 선비의 의관을 하고 부모를 모시고 해주 본향으로 돌아왔다.

고향에 돌아온 나를 환영하는 사람은 없고, 창수가 돌아왔으니 또 무슨 일 저지르기를 하지나 않나 하고 친한 이는 걱정하고 남들은 비웃었다. 그 중에서도 준영 계부는 아무리 하여도 나를 신임하지 아니하셨다. 그는 지금 마음을 잡아서 그 중씨(둘째 형)인 아버지께도 공손하고 농사도 잘하시건마는 내게 대하여는 할 수 없는 난봉으로 아시는 모양이어서, '되지 못한 그놈의 글 다 내버리고 부지런히 농사를 한다면 장가도 들여 주고 살림도 시켜주지만, 그렇지 아니한다면 나는 몰라요."

하고 부모님께 나를 농군이 되도록 명령하시기를 권하셨다. 그러나 부모님은 나를 농군으로 만드실 뜻은 없으셔서, 그래도 무슨 큰 뜻이 있어 장래에 이름난 사람이 되려니 하고 내게 희망을 붙이시는 모양이었다. 이렇게 내가 농군이 되느냐 안 되느냐 하는 문제가 아버지 형제분 사이에 논쟁이 되고 있는 동안에 기해년도 다 가고 경자년 봄 농사일을 시작할 때가 되었다.

계부는 조카인 나를 꼭 사람을 만들려고 결심하신 모양이어서 새벽마다 우리 집에 오셔서 내 단잠을 깨워서 밥을 먹여가지고는 가래질 터로 끌고 가셨다. 나는 며칠 동안 순순히 계부의 명령에 복종하였으나 아무리 하여도 마음이 붙지 아니하여 몰래 강화를 향하여 고향을 떠나고 말았다. 고 선생과 안 진사를 못 찾고 가는 것이 섭섭하였으나 아직 내어놓고 다닐 계제도 아니므로 생소한 곳으로 가기로 한 것이었다.

나는 김두래라고 변명하고 강화에 도착하여서 남문 안 김주경의 집을 찾으니 김주경은 어디 갔는지 소식이 없다 하고 그 셋째 아우 진경이라는 사람이 나와서 나를 접대하였다.

"나는 연안 사는 김두래일세. 자네 백씨와 막역한 동지일러니 수년간 소식을 몰라서 전위해 찾아온 길일세."

하고 나를 소개하였다. 경진은 나를 반가이 맞아 그동안 지낸 일을 말하였다. 그 말에 의하면 주경은 집을 떠난 후로 3, 4년이 되어도 음신이 없어서 진경이가 형수를 모시고 조카들을 기르고 있다고 했다. 집은 비록 초가나, 본래는 크고 넓게 써 잘 지었는데, 여러 해 거두지를 아니하여 많이 퇴락되였다.

사랑에는 평소에 주경이 앉았던 보료가 있고, 신의를 어기는 동지를 친히 벌하기에 쓰던 것이라는 나무 몽둥이가 벽상에 걸려 있었다. 나와 노는 일곱 살 먹은 아이가 주경의 아들인데 이름이 윤태라고 했다.

나는 진경에게 모처럼 그 형을 찾아왔다가 그저 돌아가기가 섭섭하니 얼마 동안 윤태에게 글을 가르치면서 소식을 기다리고 싶다고 하였더니 진경은, 그러지 않아도 윤태와 그 중형(仲兄: 둘째 형)의 두 아들이 글을 배울 나이가 되었건마는 적당한 선생이 없어서 놀리고 있었다는 말을 하고, 곧 그 중형 무경에게로 가서 조카 둘을 데려왔다. 나는 이날부터 촌 학구(글방의 스승)가 된 것이었다. 윤태는 〈동몽선습〉, 무경의 큰아들은 〈사략초권〉, 작은놈은 〈천자문〉을 배우기로 하였다. 내가 글을 잘 가르친다는 소문이 나서 차차 학동이 늘어서 한 달이 못 되어 30명이나 되었다. 나는 심혈을 다하여 가르쳤다.

이렇게 한 지 석 달을 지낸 어느 날, 진경은 이상한 소리를 혼자 중얼거렸다.

"글쎄, 유인무도 이상한 사람이야. 김창수가 왜 우리 집에를 온담."

하는 것이었다. 나는 이 말에 가슴이 뜨끔하였으나 모르는 체하였다. 그래도 진경은 내게 설명하였다. 그 말은 이러하였다.

유인무는 부평 양반으로서, 연전에 상제로 읍에서 삼십 리쯤 되는 곳에 이 우해 와서 3년쯤 살다가 간 사람인데, 그 때에 김주경과 반상의 별을 초월하여 서로 친하게 지낸 일이 있었는데, 김창수가 인천옥을 깨뜨리고 도망한 후에 여러 번째 해주 김창수가 오거든 급히 알려달라는 편지를 하였는데, 이번에 통진 사는 이춘백이라는 김주경과도 친한 친구를 보내니 의심 말고 김창수의 소식을 말하라는 것이었다.

나는 진경이가 내 행색을 아나 떠보려고,

"김창수가 그래 한 번도 안 왔나?"

하고 물었다. 진경은 딱하다는 듯,

"형장도 생각해보시오. 여기서 인천이 지척인데 피신해 다니는 김창수가 왜 오겠소?"

한다.

"그럼 유인무가 왜놈의 염탐꾼인 게지."

나는 이렇게 진경에게 물어보았다. 진경은,

"아니오. 유인무라는 이는 그런 양반이 아니오. 친히 뵈온 적은 없으나, 형님 말씀이 유 생원은 보통 벼슬하는 양반과는 달라서 학자의 기풍이 있다고 하오."

하고 유인무의 인물을 극구 칭송한다. 나는 그 이상 묻는 것도 수상쩍을 것 같아서 그만하고 입을 다물었다.

이튿날 조반 후에 어떤 키가 후리후리하고 얼굴이 숨숨 얽은, 50세나 되었음직한 사람이 서슴지 않고 사랑으로 들어오더니, 내 앞에서 글을 배우고 있던 윤태를 보고,

"그 새에 퍽 컸구나. 안에 들어가서 작은아버지 나오시래라, 내가 왔다고."

하는 양이 이춘백이라고 나는 생각하였다.

"백씨 소식 못 들었지?"

"아직 아무 소식 없습니다."

"허어, 걱정이로군. 유인무의 편지 보았지?"

"네, 어제 받았습니다."

주객 간에 이런 문답이 있고는 진경이가 장지를 닫아서 내가 앉아 있는 방을 막고 둘이서만 이야기를 했다. 나는 아이들의 글 읽는 소리는 아니 듣고 두 사람의 말에만 귀를 기울였다. 그들의 문답은 이러하였다.

"유인무란 양반이 지각이 없으시지, 김창수가 형님도 안 계신 우리 집에 왜 오리라고 자꾸 편지를 하는 거야요?"

"자네 말이 옳지마는 여기밖에 알아볼 데가 없지 아니한가. 그가 해주 본향에 갔을 리는 없고, 설사 그 집에서 김창수 있는 데를 알기로서니 발설을 할 리가 있겠나. 유인무로 말하면 아랫녘에 내려가 살다가 서울 다니러 왔던 길에 자네 백씨가 김창수를 구해내려고 가산을 탕진하고 부지거처로 피신했다는 말을 듣고 자네 백씨의 의기를 장히 여겨서 아무리 하여서라도 김창수를 건져내어야겠다고 결심하였으나, 법으로 백씨가 할 것을 다 하여도 안 되었으니 인제 힘으로 할 수 밖에 없다고 하여서 13명 결사대를 조직하였던 것일세. 나도 그 중 한 사람이야. 그래서 인천항 중요한 곳 7, 8처에 석유를 한 통씩 지고 들어가서 불을 놓고 그 소란 통에 옥을 깨뜨리고 김창수를 살려내기로 하고, 유인무가 날더러 두 사람을 데리고 인천에 감옥 형편을 알아오라 하기로 가본즉, 김창수는 벌써 사흘 전에 다른 죄수 네 명을 데리고 달아난 뒤란 말이야. 일이 이렇게 된 것일세. 그러니 유인무가 자네 백씨나 김창수의 소식을 알고 싶어할 것이 아닌가. 그래 정말 김창수한테서 무슨 편지라도 온 것이 없나?"

"편지도 없습니다. 편지를 보내고 회답을 기다릴 만하면 본인이 오지요."

"그도 그러이."

"이 생원께서는 인제 서울로 가시렵니까?"

"오늘은 친구나 몇 찾고 내일 가겠네. 떠날 때에 또 옴세."

이러한 문답이 있고 이춘백은 가버렸다. 나는 유인무를 믿고 그를 찾기로 결심하였다. 내게 이처럼 성의를 가진 사람을 모른 체할 수는 없었다. 설사 그가 성의를 가장한 염탐꾼일는지 모른다 하여도 군자는 가기이방(可欺以方)이라, 의리로 알고 속은 것이 내 허물은 아니다. 이만큼 하는 데도 안 믿는다면 그것은 나의 불의라고 생각했다. 그래서 나는 진경에게 이튿날 이춘백이 오거든 나를 그에게 소개하기를 청하였다.

이튿날 아침에 나는 진경에게 내가 김창수라는 것을 자백하고, 유인무를 만나기 위하여 이춘백을 따라서 떠날 것을 말하였다. 진경은 깜짝 놀랐다. 그리고,

"형님이 과시 그러시면 제가 만류를 어찌 합니까."

하고 인천옥에 사령반수로서 처음으로 김주경에게 내 말을 알린 최덕만은 작년에 죽었다는 말을 하고, 학동들에게는 선생님이 오늘 본댁에를 가시니 다들 집으로 돌아가라 하여 돌려보내었다.

이윽고 이춘백이 왔다. 진경은 그에게 나를 소개하였다. 나도 서울을 가니 동행하자고 하였더니 이춘백은 보통 길동무로 알고 좋다고 하였다. 진경은 춘백의 소매를 끌고 뒷방에 들어가서 내 이야기를 하는 모양이었다.

마침내 나는 이춘백과 함께 진경의 집을 떠났다. 남문통에는 30명 학동들과 그 학부형들이 길이 메이도록 모여서 나를 전송하였다. 내가 도무지 아무 훈료도 아니 받고 심혈을 기울여서 가르친 것이 그들의 마음에 감동을 준 모양이어서 나는 기뻤다. 우리는 당일로 공덕리 박 진사 태병의 집에 도착하였다. 이춘백이 먼저 안사랑으로 들어가서 얼마 있더니 키는 중키가 못되고 얼굴은 볕에 그을려 거무스름하고 망건에 검은 갓을 쓰고 검소한 옷을 입은 생원 한 분이 나와서 나를 방으로 맞아들였다.

"내가 유인무요. 오시기에 신고(辛苦)하셨소. 남아하처불상봉(男兒何處不相逢)이라더니 마침내 창수 형을 만나고 말았소."

하고 유인무는 희색이 만면하여 춘백을 보며,

"무슨 일이고 한두 번 실패한다손 낙심할 것이 아니란 말일세. 끝끝내 구하면 반드시 얻는 날이 있단 말야. 전일에도 안 그러던가."

하는 말에서 나는 그네가 나를 찾던 심경을 엿볼 수가 있었다.

나는 유인무에게,

"강화 김주경 댁에서 선생이 나 같은 사람을 위하여 허다한 근로를 하신 것을 알았고, 오늘 존안을 뵈옵거니와, 세상에서 침소봉대로 전하는 말을 들으시고 이제 실물로 보시니 낙심되실 줄 아오. 부끄럽소이다."

하였다.

"내가 내 과거를 검사하였더니, 용두사미란 말요."

유인무는,

"뱀의 꼬리를 붙들고 올라가면 용의 머리를 보겠지요."

하고 웃었다.

주인 박태병은 유인무와 동서라고 하였다. 나는 박 진사 집에서 저녁을 먹고 문 안 유인무의 숙소로 가서 거기서 묵으며 음식점에 가서 놀기도 하고 구경도 하고 돌아다녔다. 며칠이 지나서 유인무는 편지 한 장과 노자를 주어 나를 충청도 연산 광이다리 도림리 이천경의 집으로 지시하였다. 이천경은 흔연히 나를 맞아서 한 달이나 잘 먹이고 잘 이야기하다가, 또 편지 한 장과 노자를 주어서 나를 전라도 무주읍에서 삼포를 하는 이시발에게 보냈다. 이시발의 집에서 하루를 묵고, 또 이시발의 편지를 받아가지고 지례군 천곡 성태영을 찾아갔다. 성태영의 조부가 원주 목사를 지냈으므로 성원주 댁이라고 불렀다. 대문으로 들어서니 수청방, 상노방에 하인이 수십 명이요, 사랑에 앉은 사람들은 다 귀족의 풍이 있었다. 주인 성태영이 내가 전하는 이시발의 편지를 보더니 나를 크게 환영하여 상좌에 앉히니 하인들의 대우가 더욱 융숭하였다. 성태영의 자는 능하요, 호는 일주였다. 성태영은 나를 이끌고 혹은 산에 올라 나물을 캐며, 혹은 물에 나아가 고기를 보는 취미 있는 소일을 하고, 혹은 등하에 고금사를 문답하여 어언 일삭이 되었는데, 하루는 유인무가 성태영의 집에 왔다. 반가이 만나서 성태영 집에서 하룻밤을 같이 자고, 이튿날 아침에 같은 무주 읍내에 있는 유인무의 집으로 같이 가서 그로부터는 거기서 숙식을 하였다. 유인무는 내가 김창수라는 본명으로 행세하기가 불편하리라 하여 이름은 거북 구(龜)자 외자로 하고, 자를 연상, 호를 연하라고 지어주었다. 그리고 나를 부를 때에는 연하라는 호를 썼다.

유인무는 큰딸은 시집을 가고 집에는 아들 형제가 있는데, 맏이의 이름은 한경이었고, 무주 군수 이탁도 그와 연척인 듯하였다.

유인무는 그동안 나를 이리저리로 돌린 연유를 설명하였다. 이천경이나 이시발이나 성태영이나 유인무와는 다 동지여서, 새로운 인물을 얻으면 내가 당한 모양으로 이 집에서 한 달, 저 집에서 얼마, 이 모양으로 동지들의 집으로 돌려서 그 인물을 관찰하고, 그 결과를 종합하여 그 인물이 벼슬하기에 합당하면 벼슬을 시키고, 장사나 농사에 합당하면 그것을 시키도록 약속이 되어 있던 것이었다. 나는 이러한 시험의 결과로 아직 학식이 천박하니 공부를 더 시키도록 하고, 또 상놈인 내 문벌을 높이기 위하여 내 부모에게 연산 이천경의 가대를 주어 거기 사시게 하고 인근 몇 양반과 결탁하여 우리 집을 양반 축에 넣자는 것이었다.

유인무는 이런 설명을 하고,

"아직 우리나라에서는 문벌이 양반이 아니고는 일을 할 수가 없어."

하고 한탄하였다.

나는 유인무의 깊은 뜻에 감사하면서 고향으로 가서 2월까지 부모님을 모시고 연산 이천경의 가대로 이사하기로 작정하였다. 유인무는 내게 편지 한 장을 주어서 강화 버드러지 주 진사 윤호에게로 보내었다. 나는 김주경 집 소식을 염문하였으나 그는 여전히 소식이 없다고 하였다. 주 진사는 내게 백동전으로 4천 냥을 내어 주고 노자를 삼으라고 하였다. 대체 유인무의 동지는 얼마나 되는지 알 수가 없었고, 그들은 편지 한 장으로 만사에 서로 어김이 없었다. 주 진사 집은 바닷가여서 동짓달인데도 아직 감나무에 감이 주렁주렁 달려 있었고, 생선이 흔하여서 수일간 잘 대접을 받았다. 나는 백동전 4000냥을 전대에 넣어서 칭칭 몸에 둘러 감고 서울을 향하여 강화를 떠났다.

서울에 와서 유인무의 집에 묵다가 어느 날 밤에 아버지께서 황천이라고 쓰라시는 꿈을 꾸고 유인무에게 그 이야기를 하였다. 지난 봄에 아버지께서 병환으로 계시다가 조금 나으신 것을 뵙고 떠나서 서울에 와서 탕약 보제를 지어 우편으로 보내드리고 이내 마음을 놓지 못하고 있던 차에, 이러한 흉몽을 꾸니 하루도 지체할 수가 없어서 그 이튿날로 해주 길을 떠났다. 나흘 만에 해주읍 비동 고 선생을 뵈오니 지나간 4, 5년간에 그다지 노쇠하셨는지, 돋보기가 아니고는 글을 못 보시는 모양이었다. 나와 약혼하였던 선생의 장손녀는 청계동 김사집이란 어떤 농가 며느리로 시집을 보내었다 하고, 나더러 아재라고 부르던 작은 손녀가 벌써 10여 세가 된 것이, 나를 알아보고 여전히 아재라고 부르는 것이 감개무량하였다. 내가 왜를 죽인 일을 고 선생께서 유의암(유인석)에게 말씀하여 유의암이 그의 저서인 〈소의신편〉의 속편에 나를 의기남아라고 써넣었다는 말씀도 하셨다. 의암이 의병에 실패하고 평산으로 왔을 때, 고 선생은 내가 서간도에 다녀왔을 때에 보고하던 것을 말씀하여 의암이 그리로 가서 근거를 정하고 양병하기로 하였다는 말씀도 하셨다. 의암이 거기서 공자상을 모시고 무사를 모아서 훈련하니 나도 그리로 감이 어떠나 하셨으나, 존중화양이적(尊中華攘夷狄)이란 고 선생 일류의 사상은 벌써 나를 움직일 힘이 없었다. 나는 내 신사상을 힘써 말하였으나, 고 선생의 귀에는 그것이 들어가지 아니하는 모양이어서,

"자네도 개화꾼이 되었네그려."

하실 뿐이었다. 나는 서양 문명의 힘이 위대하다는 것을 말하고, 이것은 도저히 상투와 공자 왈 맹자 왈만으로는 저항할 수 없으니 우리나라에서도 그 문명을 수입하여 신교육을 실시하고 모든 제도를 서양식으로 개혁함이 아니고는 국맥을 보존할 수 없는 연유를 설명하였으나, 차라리 나라가 망할지언정 이적의 도는 좇을 수 없다 하여 내 말을 물리치시니 어찌할 도리가 없었다. 선생은 이미 나와는 딴 시대 사람이었다. 그러나 고 선생 댁에서는 성냥 하나라도 외국 물건이라고는 쓰지 않는 것이 매우 고상하게 보였다. 고 선생을 모시고 하룻밤을 쉬고 이튿날 떠난 것이 선생과 나의 영결이 되고 말았다. 전하는 바에 의하면 고 선생은 그 후 충청도 제천의 어느 일가 집에서 객사하셨다고 한다. 슬프고 슬프다. 이 말을 기록하는 오늘까지 30여 년에 나의 용심과 처사에 하나라도 옳은 것이 있다고 하면 그것은 온전히 청계동에서 받은, 선생의 심혈을 쏟아서 구전심수하신 교훈의 힘이다. 다시 이 세상에서 그 자애가 깊으신 존안을 뵈올 수 없으니, 아아, 슬프고 아프다.

나는 고 선생을 하직하고 떠나서 당일로 텃골 본집에 다다르니 황혼이었다. 안마당에 들어서니 어머니께서 부엌으로 나오시며,

"아이, 네가 오는구나. 아버지 병세가 위중하시다. 아까 아버지가 이 애가 왔으면 들어오지 않고 왜 뜰에 서서 있느냐 하시기로 헛소리로만 여겼더니 네가 정말 오는구나.'

하셨다.

내가 급히 들어가 뵈오니 아버지께서 반가워하시기는 하나 병세는 과연 위중하였다. 나는 정성껏 시탕을 하였으나 약효를 보지 못하고 열 나흘만에 아버지는 내 무릎을 베고 돌아가셨다. 내 손을 꼭 쥐셨던 아버지의 손에 힘이 스르르 풀리시더니 곧 운명하셨다. 돌아가시기 전날까지도 나는 나의 평생의 지기인 유인무, 성태영 등의 호의대로 부모님을 연산으로 모시고 가서 만년에나 강씨, 이 씨에게 상놈 대우를 받던 뼈에 사무치는 한을 면하시게 할까 하고 속으로 기대하였더니, 이제 아주 다시 못 돌아오실 길을 떠나시니 천고의 유한이다.

집이 원래 궁벽한 산촌인 데다가 근본 빈한한 우리 가세로는 명의나 영약을 쓸 처지도 못 되어서, 나는 예전 할머니께서 돌아가실 때에 아버지가 단지하시던 것을 생각하고 나도 단지나 하여 일각이라도 아버지의 생명을 붙

들어보리라 하였으나, 내가 단지를 하는 것을 보시면 어머니가 마음 아파하실 것이 두려워서 단지 대신에 내 넓적다리의 살을 한 점 베어서 피는 받아 아버지의 입에 흘려 넣고, 살은 불에 구워서 약이라고 하여 아버지가 잡수시게 하였다. 그래도 시원한 효험이 없는 것은 피와 살의 분량이 적은 것인 듯하기로, 나는 다시 칼을 들어서 먼저 것보다 더 크게 살을 뜨리라 하고 어썩 뜨기는 떴으나, 떼어내자니 몹시 아파서 베어만 놓고 떼지는 못하였다. 단지나 할고는 효자나 할 것이지, 나 같은 불효로는 못 할 것이라고 자탄하였다. 독신 상제로 조객을 대하자니 상청을 비울 수는 없고, 다리는 아프고, 설한풍은 살을 에이고 하여서 나는 다리 살을 벤 것을 후회하는 생각까지 났다.

유인무와 성태영에게 부고를 하였더니 유인무는 서울에 없었다 하여 성태영이 혼자 나귀를 달려 500리 먼 길에 조상을 왔다.

나는 집상 중에 아무 데도 출입을 아니 하고 준영 계부의 농사를 도와드렸더니 계부는 매우 나를 기특하게 여기시는 모양이어서, 당신이 돈 200냥을 내어서 이웃 동네 어떤 상놈의 딸과 혼인을 하라고 내게 명령하셨다. 아버지도 없는 조카를 당신의 힘으로 장가들이는 것은 당연한 의무요, 또 큰 영광으로 아시는 준영 계부는 내가 돈을 쓰고 하는 혼인이면 정승의 딸이라도 나는 아니 한다고 거절하는 것을 보시고 대로하여 낫을 들고 내게 달려드시는 것을, 어머니께서 가로막아서 나를 피하게 하여주셨다.

임인년 정월에 장연 먼 촌 일가 댁에 세배를 갔더니, 내게 할머니 되는 어른이 그 친정 당질녀로 17세 되는 처녀가 있으니 장가 들 마음이 없는 가고 물었다. 나는 세 가지 조건에만 맞으면 혼인한다고 말하였다. 그 세 가지라는 것은, 돈 말이 없을 것과 신부될 사람이 학식이 있을 것과 당자와 서로 대면하여서 말을 해볼 것 등이었다.

어떤 날 할머니는 나를 끌고 그 처자의 집으로 갔다. 그 처자의 어머니는 딸 4형제를 둔 과댁으로서, 위로 3형제는 다 시집을 가고, 지금 나와 말이 되는 이는 여옥이라는 끝의 딸이었다. 여옥은 국문을 깨치고 바느질을 잘 가르쳤다고 하였다. 집은 오막살이여서 더할 수 없이 작은 집이었다.

나를 방에 들여앉혀 놓고 세 사람이 부엌에서 한참이나 쑥덕거리더니, 다른 것은 다 하여도 당자 대면만은 어렵다고 하였다.

"나와 대면하기를 꺼리는 여자라면 내 아내가 될 자격이 없소."
하고 내가 강경하게 나간 결과로 처녀를 불러들였다.
나는 처자를 향하여 인사말을 붙였으나 그는 잠잠하였다.
나는 다시,
"당신이 나와 혼인한 마음이 있소?"
하고 물었으나 역시 대답이 없었다.
나는 또,
"내가 지금 상중이니 1년 후에 탈상을 하고야 성례를 할 터인데, 그 동안은 나를 선생님이라고 부르고 내게 글을 배우겠소?"
하고 물었다. 그래도 처녀의 대답 소리가 내 귀에는 아니 들렸는데, 할머니와 처녀의 어머니는 여옥이가 다 그런다고 대답하였다고 하였다. 이리하여서 그와 나와는 약혼이 되었다.
집에 돌아와서 내가 이러이러한 처자와 약혼하였다는 말을 하여도 준영 계부는 믿지 아니하고 어머니더러 가서 보고 오시라고 하시더니, 어머니께서 알아보고 오신 뒤에야 준영 계부가,
"세상에 어수룩한 사람도 다 있다."
고 빈정거리셨다.
나는 여자 독본이라 할 만한 것을 한 권 만들어서 틈만 나면 내 아내 될 사람을 가르쳤다.
어느덧 1년도 지나서 계묘년 2월에 아버지의 담제도 끝나고 어머니께서는 어서 나를 성례시켜야 한다고 분주하실 때에 여옥의 병이 위급하다는 기별이 왔다. 내가 놀라서 달려갔을 때에는 아직도 여옥은 나를 반겨할 정신이 있었으나, 워낙 중한 장감(長感: 감기가 오래되어서 생기는 병으로, 폐렴으로 발전하기 쉬움)인데다가 의약도 쓰지 못하여 내가 간 지 사흘 만에 그만 죽고 말았다. 나는 손수 그를 염습하여 남산에 안장하고, 장모는 김동 김윤오 집에 인도하여 예수를 믿고 여생을 보내도록 하였다. 내 나이 30에 이 일을 당한 것이었다.
이 해 2월에 장연읍 사직동으로 반이하였다. 오 진사 인형이 나로 하여금 집 걱정이 없이 공공사업에 종사케 하기 위하여 내게 준 가대로서, 20여 마지기 전답에 산과 과수까지 낀 것이었다. 해주에서 종형 태수 부처를 옮겨다

가 집일을 보게 하고, 나는 오 진사 집 사랑에 학교를 설립하고 오 진사의 딸 신애, 아들 기원, 오봉형의 아들 둘, 오면형의 아들과 딸, 오순형의 딸 형제와 그 밖에 남녀 몇 아이를 모아서 생도로 삼았다.

방 중간을 병풍으로 막아 남녀의 자리를 구별하였다. 순형은 인형의 셋째 아우로서, 사람이 근실하고 예수를 잘 믿어 교육에 열심하여서 나와 함께 학생을 가르치고 예수교를 전도하여 1년 이내에 교회도 흥왕하고 학교도 차차 확장되었다. 당시에 주색장으로 출입하던 백남훈으로 하여금 예수를 믿어 봉양학교의 교원이 되게 하고, 나는 공립학교의 교원이 되었다. 당시 황해도에서 학교라는 이름을 가진 것은 공립으로 해주와 장연에 각각 하나씩 있었을 뿐인데, 해주에 있는 것은 이름만 학교여서 여전히 사서삼경을 가르치고 있었고, 정말 칠판을 걸고 산술, 지리, 역사 등 신학문을 가르친 것은 장연 학교뿐이었다.

여름에 평양 예수교의 주최인 사범 강습소에 갔을 적에 최광옥을 만났다. 그는 숭실중학교의 학생이면서 교육가로, 애국자로 이름이 높았고 나와도 뜻이 맞았다. 최광옥은 내가 아직 혼자라는 말을 듣고 안신호라는 신여성과 결혼하기를 권하였다. 그는 도산 안창호의 영매로 나이는 스무 살, 극히 활발하고 당시 신여성 중에 명성이라고 최광옥은 말하였다.

나는 안도산의 장인 이석관의 집에서 안신호와 처음 만났다. 주인 이씨와 최광옥과 함께였다. 회견이 끝나고 사관에 돌아왔더니 최광옥이 뒤따라와서 안신호의 승낙을 얻었다는 말을 전하였다. 그래서 나는 안신호와 혼인이 되는 것으로 믿고 있었는데, 이튿날 이석관과 최광옥이 달려와서 혼약이 깨졌다고 내게 알렸다. 그 까닭이라는 것은 이러하였다. 안도산이 미국으로 가는 길에 상해 어느 중학교에 재학 중이던 양주삼에게 신호와의 혼인 말을 하고, 양주삼이 졸업하기를 기다려서 결정하라는 말을 신호에게도 편지로 한 일이 있었는데, 어제 나와 약혼이 된 뒤에 양주삼에게서 이제는 학교를 졸업하였으니 허혼하라는 편지가 왔다. 이 편지를 받고 밤새도록 고통한 신호는 두 손의 떡이라 어느 것을 취하고 어느 것을 버리기도 어려워 양주삼과 김구를 둘 다 거절하고 한 동네에 자라난 김성택(뒤에 목사가 되었다)과 혼인하기로 작정하였다는 것이다. 그렇다면 무가내하거니와 퍽 마음에 섭섭하였다. 그러자 얼마 아니하여 신호가 몸소 나를 찾아와서 미안한 말을 하고 나를 오라

비라 부르겠다고 말하여 나는 그의 쾌쾌한 결단성을 도리어 흠모하였다.

한 번은 군수 윤구영이 나를 불러 해주에 가서 농상공부에서 보내는 뽕나무 묘목을 찾아오는 일을 맡겼다. 수리 정창극이 나를 군수에게 추천한 것이었다. 나는 200냥 노자를 타 가지고 걸어서 해주로 갔다. 말이나 교군을 타라는 것이었지만 아니 탔다.

해주에는 농상공부 주사가 특파되어 와서 묘목을 각 군에 배부하고 있었다. 정부에서 전국에 양잠을 장려하느라고 일본으로부터 뽕나무 묘목을 실어 들여온 것이다.

묘목은 다 마른 것이었다. 나는 마른 묘목을 무엇 하냐고 아니 받는다고 하였더니 농상공부 주사는 대로하여 상부의 명령을 거역하느냐고 나를 꾸짖었다. 나도 마주 대로하여 나라에서 보내시는 묘목을 마르게 한 책임이 누구에게 있는지 알아야 한다 하고 관찰부에 이 사유를 보고한다고 하였더니, 주사는 겁이 나는 모양이어서 날더러 생생한 것으로 마음대로 골라 가라고 간청하였다. 나는 이리하여 산 묘목 수천 본을 골라서 말에 싣고 돌아왔다. 노자는 모두 70냥을 쓰고 130냥을 정창극에게 돌렸다. 나는 집세기(짚신) 한 켤레에 얼마, 냉면 한 그릇에 얼마, 이 모양으로 돈 쓴 데를 자세히 적어서 남은 돈과 함께 주었다. 정창극은 그것을 보고 어안이 벙벙하여,

"사람들이 다 선생 같으면 나라 일이 걱정이 없겠소. 다른 사람이 갔다면 적어도 200냥은 더 청구했을 것이오."

하였다.

정창극은 실로 진실한 아전이었다. 당시 상하를 막론하고 관리라는 관리는 모두 나라와 백성의 것을 도적하는 탐관으로 되었건마는, 정창극만은 한 푼도 받을 것 이외의 것을 받음이 없었다. 이러하기 때문에 군수도 감히 탐학을 못하였다.

얼마 후에 농상공부로부터 나를 종상위원으로 임명한다는 사령서가 왔다. 이것은 큰 벼슬이어서 관속들이며 천민들은 내가 지나가는 앞에서는 담뱃대를 감추고 허리를 굽히기까지 하였다.

그러나 나는 이태 동안이나 살던 사직동 집을 떠나지 아니하면 안 되게 되었다. 그것은 오 진사와 내 종형이 죽은 때문이었다. 오 진사는 고기잡이배를 부리다가 이태 만에 가산을 패하고 세상을 떠나니, 나는 사직동 가대를

그의 유족에게 돌리지 아니할 수 없었다. 또 종형은 본래는 낫 놓고 기역자도 몰랐었으나, 나를 따라 장연에 와서 예수를 믿은 뒤로는 국문에 능통하여 종교서적을 보고, 강당에서 설교까지 하게 되었었는데, 불행히 예배 보는 중에 뇌출혈로 세상을 떠났다. 이리하여서 나는 종형수에게 개가하기를 허하여 그 친정으로 돌려보내고, 나는 어머니를 모시고 읍내로 떠났다. 내가 사직동에 있는 동안에 유인무와 주윤호가 다녀갔다. 그들은 예전 북간도 관리사 서상무와 합력하여 북간도에 한 근거지를 건설할 차로 국내에서 동지를 구하러 온 것이었다. 어머니는 나를 사랑하는 자들이라 하여 밤을 삶고 닭을 잡아서 정성으로 그들을 대접하셨다. 우리는 밤과 닭고기를 먹으면서 연일 밤이 늦도록 국사를 이야기하였다.

여러 번 혼약이 되고도 깨어지던 나는 마침내 신천 사평동 최준례와 말썽 많은 혼인을 하였다. 준례는 본래 서울 태생으로, 그 어머니 김씨 부인이 젊은 과부로서 길러낸 두 딸 중의 막내딸이었다. 김씨 부인은 그 때 구리개에 임시로 내었던 제중원(지금의 세브란스)에 고용되어서 두 딸을 길러 맏딸은 의사 신창희에게 시집보내고, 신창희가 신천에서 개업하매 여덟 살 된 준례를 데리고 신천에 와서 사위의 집에 우접하여 있었다. 나는 양성칙 영수의 중매로 준례와 약혼하였는데, 이 때문에 교회에 큰 문제가 일어났다. 그것은 다름이 아니라, 준례의 어머니가 준례를 강성모라는 사람에게 허혼을 하였는데, 준례는 어머니의 말을 아니 듣고 내게 허혼한 것이었다. 당시 18세인 준례는 혼인의 자유를 주장하는 것이었다. 미국 선교사 한위렴, 군예빈 두 분까지 나서서 준례더러 강성모에게 시집가라고 권하였으나 준례는 당연히 거절하였다. 내게 대하여도 이 혼인을 말라고 권하는 사람이 있었으나, 나는 본인의 자유를 무시하는 부모의 허혼을 반대한다 하여 기어이 준례와 혼인하기로 작정하고, 신창희로 하여금 준례를 사직동 내 집으로 데려오게 하여 굳게 약혼을 한 뒤에 서울 정신여학교로 공부를 보내어버렸다. 나와 준례는 교회에 반항한다는 죄로 책벌을 받았으나, 얼마 후에 군예빈 목사가 우리의 혼례서를 만들어주고 두 사람의 책벌을 풀었으니, 이리하여 나는 비로소 혼인한 사람이 되었다.

제4장. 민족에 내놓은 몸

을사신조약이 체결되어서 대한의 독립권이 깨어지고 일본의 보호국이 되었다. 이에 사방에서 지사와 산림 학자들이 일어나서 경기, 충청, 경상, 강원 제도(諸道)에 의병의 혈전이 시작되었다. 허위, 이강년, 최익현, 민긍호, 유인석, 이진룡, 우동선 등은 다 의병 대장으로 각각 일방의 웅이었다. 그들은 오직 하늘을 찌르는 의분이 있을 뿐이요, 군사의 지식이 없기 때문에 도처에서 패전하였다.

이때에 나는 진남포 엡윗 청년회(Epworth League)의 총무로서 대표의 임무를 띠고 경성 대회에 출석케 되었다. 대회는 상동 교회에서 열렸는데 표면은 교회 사업을 의논한다 하나 속살은 순전한 애국운동의 회의였다. 의병을 일으킨 이들이 구사상의 애국운동이라면, 우리 예수교인은 신사상의 애국운동이라 할 것이다.

그때에 상동에 모인 인물은 전덕기, 정순만, 이준, 이동녕, 최재학, 계명륙, 김인즙, 옥관빈, 이승길, 차병수, 신상민, 김태연, 표영각, 조성환, 서상팔, 이항직, 이희간, 기산도, 김병헌(현재는 왕삼덕), 유두환, 김기홍 그리고 나 김구였다.

우리가 회의한 결과로 작정한 것은 도끼를 메고 상소하는 것이었다. 1회, 2회로 4, 5명씩 연명으로 상소하여 죽든지 잡혀 갇히든지 몇 번이고 반복하자는 것이었다.

제 1회 상소하는 글은 이준이 짓고 최재학이 소주가 되고 그 밖의 네 사람이 더 서명하여 신민 대표로 5명이 연명하였다. 상소를 하러 가기 전에 정순만의 인도로 우리 일동은 상동 교회에 모여서 한 걸음도 뒤로 물러가지 말고 죽기까지 일심하자고 맹약하는 기도를 올리고 일제히 대한문 앞으로 몰려갔다. 문 밖에 이르러 상소에 서명한 다섯 사람은 형식적으로 회의를 열고 상소를 한다는 결의를 하였으나, 기실 상소는 별감의 손을 통하여 벌써 대황제께 입람이 된 때였다.

홀연 왜 순사대가 달려와서 해산을 명하였다. 우리는 내정간섭이라 하여 일변 반항하며 일변 일본이 우리의 국권을 강탈하여 우리 2천만 신민으로 노예를 삼는 조약을 억지로 맺으니 우리는 죽기로 싸우자고 격렬한 연설을 하였다. 마침내 왜 순사대는 상소에 이름을 둔 다섯 지사를 경무청으로 잡아가고 말았다.

우리는 다섯 지사가 잡혀가는 것을 보고 종로로 몰려와서 가두연설을 시작하였다. 거기도 왜 순사가 와서 발검으로 군중을 해산하려 하므로 연설하던 청년 하나가 단신으로 달려들어 왜 순사 하나를 발길로 차서 거꾸러뜨렸더니 왜 순사들은 총을 쏘았다. 우리는 어물전도가(魚物廛都家)가 불탄 자리에 쌓인 와륵(瓦礫:깨진 기와 조각과 자갈)을 던져서 왜 순사대와 접전을 하였다. 왜 순사대는 중과부적하여 중국인 점포에 들어가 숨어서 총을 쏘고 있었다. 우리는 그 점포를 향하여 빗발같이 와륵을 던졌다. 이 때에 보병 한 중대가 달려와서 군중을 해산하고 한인을 잡히는 대로 포박하여 수십 명이나 잡아갔다.

이날 민영환이 자살하였다 하므로 나는 몇 동지와 함께 민 댁에 가서 조상하고 돌아서 큰길에 나서니, 웬 40세나 되어 보이는 사람 하나가 맨상투 바람으로 피묻은 흰 명주저고리를 입고 여러 사람에게 옹위되어서 인력거에 앉아 큰 소리를 내어 울며 끌려가고 있었다. 누구냐고 물어본즉 참찬 이상설이 자살하려다가 미수한 것이라고 하였다.

당초 상동회의에서는 몇 번이고 상소를 반복하려 하였으나 으레 사형에 처할 줄 알았던 최재학 이하는 흐지부지 효유방송이나 할 모양이어서 큰 문제도 되지 않는 것 같았고, 또 정세를 돌아보니 상소 같은 것으로 무슨 효과가 생길 것 같지도 아니하여서 우리 동지들은 방침을 고쳐서 각각 전국에 흩어져 교육 사업에 힘을 쓰기로 하였다. 지식이 몉이하고 애국심이 박약한 이 국민으로 하여금 나라가 곧 제 집이라는 것을 깨닫게 하기 전에는 아무 것으로도 나라를 건질 수 없다는 것을 깨달은 것이었다. 그래서 나도 황해도로 내려와서 문화 초리면 종산 서명의숙의 교원이 되었다가, 이듬해 김용제 등 지기의 초청으로 안악으로 이사하여 그곳 양산학교의 직원이 되었다. 종산에서 안악으로 떠나온 것이 기유년 정월 18일이라 갓 난 첫딸이 찬바람을 쐐서 안악에 오는 길로 죽었다.

안악에는 김용제, 김용진 등 종형제와 그들의 자질 김홍량과 최명식 같은 지사들이 있어서 신교육에 열심하였다. 이때에는 안악뿐이 아니라 각처에 학교가 많이 일어났으나 신지식을 가진 교원이 부족한 때라 당시 교육가로 이름이 높은 최광옥을 평양으로 연빙하여 안악 양산학교에 하기 사범강습회를 여니, 사숙 훈장들까지 강습생으로 오고 백발이 성성한 노인도 있었다. 멀리 경기도, 충청도에서까지 와서 강습생이 400여 명에 달하였다. 강사로는 김홍량, 이시복, 김낙영, 최재원 등이요, 여자 강사로는 김낙희, 방신영 등이 있었고, 강구봉, 박혜명 같은 중도 강습생 중에 끼어 있었다.

박혜명은 전에 말한 일이 있는 마곡사 시대의 사형으로, 연전 서울서 서로 작별한 뒤에는 소식을 몰랐다가 이번 강습회에서 서로 만나니 반갑기 그지없었다. 그는 당시 구월산 패엽사의 주지였다. 나는 그를 양산학교의 사무실로 인도하여 내 형이라고 소개하고 내 친구들이 그를 내 친형으로 대우하기를 청하였다.

혜명에게 들은즉 내 은사 보경당, 하은당은 석유 한 초롱을 사다가 그 호부를 시험하느라고 불붙은 막대기를 석유통에 넣었다가 그것이 폭발하여 포봉당까지 세 분이 일시에 죽었고, 그 남긴 재산을 맡기기 위하여 금강산에 내가 있는 곳을 두루 찾았으나 종적을 몰라서 할 수 없이 유산 전부를 사중(寺中)에 붙였다고 하였다.

나는 여기서 김효영 선생의 일을 아니 적을 수가 없다. 선생은 김용진의 부친이요, 김홍량의 조부다. 젊어서 글을 읽더니 집이 가난함을 한탄하여 황해도 소산(所産)인 면포를 사서 몸소 등에 지고 평안도 강계, 초산 등 산읍으로 행상을 하여서 밑천을 잡아가지고 근검으로 치부한 이라는데, 내가 가서 교사가 되었을 때에는 벌써 연세가 70이 넘고 허리가 기역자로 굽었으나, 기골이 장대하고 용모가 탈속하여 보매 위엄이 있었다. 선생은 일찍부터 신교육이 필요함을 깨닫고 그 장손 홍량을 일본에 유학케 하였다. 한 번은 양산학교가 경영난에 빠졌을 때에 무명씨로 벼 백 석을 기부하였는데, 나중에야 그가 자여질에게도 알리지 아니하고 한 것인 줄을 알게 되었다. 나로 말하면 선생의 자질의 연배건마는 며칠에 한 번씩 정해 놓고 내 집 문전에 와서,

"선생님 평안하시오?"

하고 문안을 하였다. 이것은 자손의 스승을 존경하는 성의를 보임인 동시에 사마골 오백금 격이라고 나는 탄복하였다.

나는 교육에 종사한 이래로 성묘도 못하고 있다가 여러 해 만에 해주 본향에 가보니 많은 변화가 생겼다. 첫째로 감개무량한 것은 나를 안아주고 귀애해 주던 노인들이 많이 세상을 떠나고, 전에는 어린애이던 것들이 이제는 커다란 어른들이 된 것이었다. 그러나 기 막히는 것은 그 어른 된 사람들이 아무 지각이 나지 아니하여 나라가 무엇인지 모르는 것이었다.

예전 양반이라는 사람들도 찾아보았으나 다들 정신을 차리지 못하고 혼몽한 중에 있어서 자녀들을 학교에 보내라고 권하면 머리를 깎이니 못한다 하고 있었다. 내게 대하여서는 전과 같이 아주 하대는 못하고 말하기 어려운 듯이 어물어물하였다. 상놈은 여전히 상놈이요, 양반은 새로운 상놈이 될 뿐, 한 번 민족을 위하여 몸을 바쳐서 새로운 양반이 되리라는 기개를 볼 수 없으니 한심한 일이었다.

고향에 와서 이렇게 실망되는 일이 많은 중에 나를 기쁘게 한 것은 준영 계부께서 나를 사랑하심이었다. 항상 나를 집안 망칠 난봉으로 아시다가 내가 장연에서 오 진사의 신임과 존경을 받는 것을 목도하시고부터는 비로소 나를 믿으셨다.

나는 본향 사람들을 모아 놓고 내가 지고 온 환등을 보이면서,

"양반도 깨어라, 상놈도 깨어라. 삼천리강토와 이천만 동포에게 충성을 다하여라."

하고 목이 터지도록 외쳤다.

안악에서는 하기 사범강습소를 마친 후에 양산학교를 크게 확장하여 중학부와 소학부를 두고, 김홍량이 교장이 되었다.

나는 최광옥 등 교육가들과 함께 해서 교육총회를 조직하고 내가 그 학무총감이 되었다. 황해도 내에 학교를 많이 설립하고 그것을 잘 경영하도록 설도하는 것이 내 직무였다. 나는 이 사명을 띠고 도내 각 군을 순회하는 길을 떠났다.

배천 군수 전봉훈의 초청을 받았다. 읍에 못 미쳐 오리정에 군내 각 면의 주민들이 나와서 등대하다가 내가 당도한즉 군수가 선창으로,

"김구 선생 만세!"

를 부르니 일동이 화하여 부른다. 나는 경황실색하여 손으로 군수의 입을 막으며 그것이 망발인 것을 말하였다. 만세라는 것은 오직 황제에 대하여서만 부르는 것이요, 황태자도 천세라고밖에 못 부르는 것이 옛 법이기 때문이다. 그런 것을 일개 서민인 내게 만세를 부르니 내가 경황하지 아니할 수 없었다. 그러나 군수는 웃으며 내 손을 잡고 개화시대에는 친구 송영에도 만세를 부르는 법이니 안심하라고 하였다. 나는 군수의 사저에 머물렀다.

전봉훈은 본시 재령 아전으로, 해주에서 총순으로 오래 있을 때에 교육에 힘을 많이 썼다. 해주 정내학교를 세운 것도 그요, 각 전방에 명령하여 사환하는 아이들을 야학에 보내게 하고, 만일 안 보내면 주인을 벌하는 일을 한 것도 그여서, 해주 부내의 교육의 발달은 전 총순의 힘으로 됨이 컸다. 그의 외아들은 조사하고 장손 무길이 5, 6세였다.

전 군수는 대단히 경골한(硬骨漢)이어서 다른 고을에서는 일본 수비대에게 동헌을 내어 맡기되 그는 강경히 거절하여서 여전히 동헌은 군수가 차지하고 있었다. 이 때문에 왜의 미움을 받았으나, 그는 벼슬자리를 탐내어 뜻을 굽힐 사람이 아니었다.

전봉훈은 최광옥을 연빙하여 사범강습소를 설립하고 강연회를 각지에 열어 민중에게 애국심을 고취하였다. 최광옥은 배천 읍내에서 강연을 하는 중에 강단에서 피를 토하고 죽었다. 황평 양서 인사들이 그의 공적을 사모하고 뜻과 재주를 아껴서 사리원에 큰 기념비를 세우기로 하고 평양 안태국에게 비석 만드는 일을 맡기기까지 하였으나, 합병조약이 되었기 때문에 중지하고 말았다. 최광옥의 유골은 배천읍 남산에 묻혀 있다.

나는 배천을 떠나 재령 양원학교에서 유림을 소집하여 교육의 필요와 계획을 말하고, 장연 군수의 청으로 읍내와 각 면을 순회하고, 송화 군수 성낙영의 간청으로 수 년 만에 송화읍을 찾았다. 이곳은 해서의 의병을 토벌하던 요해지(要害地: 지세가 군사적으로 매우 중요한 장소)이므로 읍내에는 왜의 수비대, 헌병대, 경찰서, 우편국 등의 기관이 있어서 관사는 전부 그런 것에 점령이 되고 정작 군수는 사가를 빌려서 사무를 보고 있었다. 나는 분한 마음에 머리카락이 가닥가닥 일어날 지경이었다.

환등회를 여니 남녀 청중이 무려 수천 명이니, 군수 성낙영, 세무서장 구자록을 위시하여 각 관청의 관리며, 왜의 장교와 경관들도 많이 출석하였다. 나는 대황제 폐하의 어진영을 뫼셔오라 하여 강단 정면에 봉안하고 일동 기립 국궁(鞠躬: 몸을 굽혀 존경의 뜻을 나타냄)을 명하고 왜의 장교들까지 다 그리하게 하였다. 이렇게 하니 벌써 무언중에 장내에는 엄중한 기운이 돌았다.

나는 '한인이 배일하는 이유가 무엇인고'하는 연제로 일장의 연설을 하였다. 과거 일청(청일전쟁), 일아(러일전쟁) 두 전쟁 때에는 우리는 일본에 대하여 신뢰하는 감정이 극히 두터웠다. 그 후에는 일본이 강제로 우리나라 주권을 상하는 조약을 맺으므로 우리의 악감이 격발되었다. 또 일병이 촌락으로 횡행하며 남의 집에 막 들어가고, 닭이나 달걀을 막 빼앗아서 약탈의 행동을 하므로 우리는 배일을 하게 된 것이니, 이것은 일본의 잘못이요, 한인의 책임이 아니라고 탁자를 두드리며 외쳤다. 자리를 돌아보니 성낙영, 구자록은 낯빛이 흙빛이요, 일반 청중의 얼굴에는 격앙의 빛이 완연하고 왜인의 눈에는 노기가 등등하였다. 홀연 경찰이 환등회의 해산을 명하고 나는 경찰서로 불려가서 한인 감독 순사 숙직실에 구류되었다. 각 학교 학생들의 위문대가 뒤를 이어 밤이 새도록 나를 찾아왔다.

이튿날 아침에 하얼빈 전보라 하여 이등박문(이토 히로부미)이 '은치안'이라는 한인의 손에 죽었다는 신문 기사를 보았다.

'은치안'이 누구일까 하고 궁금해 하였더니 이튿날 신문으로 그것이 안응칠 중근인 줄을 알고 십 수 년 전 내가 청계동에서 보던 총 잘 쏘던 소년을 회상하였다.

나는 내가 구금된 것이 안중근 관계인 것을 알고 오래 놓이지 못할 것을 각오하였다. 한 달이나 지난 후에 나를 불러내어서 몇 마디를 묻고는 해주지방법원으로 압송되었다. 수교장을 지날 때에 감승무의 집에서 낮참을 하는데, 시내 학교의 교직원들이 교육공로자인 나를 위하여 한 턱의 위로연을 베풀게 하여달라고 호송하는 왜 순사에게 청하였더니, 내가 해주에 갔다가 돌아오는 길에 하는 것이 좋지 아니하냐면서 허락하지 아니하였다.

나는 곧 해주 감옥에 수감되었다. 이튿날 검사정에 불려 안중근과 나와의 관계에 대한 질문을 받았으나, 나는 그 부친과 세의가 있을 뿐이요, 안중근과는 직접 관계가 없다는 것을 말하였다. 검사는 지나간 수년간의 내 행적을 적은 책을 내어놓고 이것저것 심문하였으나 결국 불기소로 방면이 되었다.

나는 행구를 가지고 감옥에서 나와서 박창진의 책사로 갔다가 유훈영을 만나 그 아버지 유장단의 환갑연에 참여하고, 송화에서는 나를 호송해올 때에 왜 순사와 같이 왔던 한인 순사들이 내 일의 하회를 알고 가려고 아직도 해주에서 묵고 있단 말을 듣고 그들 전부를 술집에 청하여서 한 턱을 먹이고 지난 일을 말하여서 돌려보냈다. 한인 순사는 기회만 있으면 왜 순사의 눈을 피하여 내게 동정하였던 것이다.

안악 동지들은 내 일을 염려하여 한정교를 위해 해주로 보내어왔으므로 나는 이승준, 김영택, 양낙주 등 몇 친구를 방문하고는 곧 안악으로 돌아왔다.

안악에 와서 나는 양산학교 소학부의 유년반을 담임하면서 재령군 북률면 무상동 보강학교의 교장을 겸무하였다. 이 학교는 나무리벌의 한 끝에 있어 가난한 사람들이 힘을 내어 세운 것이었다. 전임 교원으로는 전승근이 있고, 장덕준은 반 교사, 반 학생으로 그 아우 덕수를 데리고 학교 안에서 숙식하고 있었다.

내가 보강학교 교장이 된 뒤에 우스운 삽화가 있었다. 그것은 학교에 세 번이나 도깨비불이 났다는 것이다. 학교를 지을 때 옆에 있는 고목을 찍어서 불을 때었으므로 도깨비가 불을 놓는 것이니, 이것을 막으려면 부군당에 치성을 드려야 한다고 다들 말하였다. 나는 직원을 명하여 밤에 숨어서 지키라 하였다. 이틀 만에 불을 놓는 도깨비를 등시 포착하고 보니 동네 서당의 훈장이었다. 그는 학교가 서기 때문에 서당이 없어서 제가 직업을 잃은 것이 분하여서 이렇게 학교에 불을 놓는 것이라고 자백하였다. 나는 그를 경찰서에 보내지 아니하고 동네를 떠나라고 명하였다.

이 지방에는 큰 부자는 없으나 나무리가 크고 살진 벌이 있어서 다들 가난하지는 아니하였다. 또 주민들이 다 명민하여서 시대의 변천을 잘 깨달아 운수, 진초, 보강, 기독 등 학교들을 세워 자녀들을 교육하는 한편으로는 농무회를 조직하여 농업의 발달을 도모하는 등 공익사업에 착안함이 실로 보임직하였다. 의사 나석주도 이곳 사람이다. 아직 20내외의 청년으로서 소년, 소녀 8, 9명을 배에 싣고 왜의 철망을 벗어나 중국 방면에 가서 마음대로 교육할 양으로 떠나다가 장연 오리포에서 왜경에 붙들려서 여러 달 옥고를 받고 나와서, 겉으로는 장사도 하고 농사도 한다 하면서 속으로는 청년 간에 독립 사상을 고취하고, 직접 간접으로 교육에 힘을 써서 나무리벌 청년의 신망을 받는 중심 인물이 되어 있었다. 나도 나무리벌에 내왕하면서 그와 만났다.

하루는 안악에서 노백린을 만났다. 그는 그때에 육군 정령의 군직을 버리고 그의 향리인 풍천에서 교육에 종사하고 있었는데 서울로 가는 길에 안악을 지나는 것이었다. 나는 부강학교로 갈 겸 그와 작반하여 나무리 진초동 김정홍의 집에서 하룻밤을 잤다. 김은 그 동네의 교육가였다.

저녁에 진초학교 직원들도 와서 주연을 벌이고 있노라니 동네가 갑자기 요란하여졌다. 주인 김정홍이 놀라며 걱정스러운 얼굴로 설명하는 말이 이러하였다. 진초학교에 오인성이라는 여교원이 있는데, 무슨 이유인지는 모르나 그의 남편 이재명이 와서 단총으로 오인성을 위협하여 인성은 학교 일을 못 보고 어느 집에 피신하여 있는데, 이재명은 매국적을 모조리 죽인다고 부르짖으면서 미쳐 날뛰어 방포를 하므로 동네가 이렇게 소란한 것이라고 했다.

나는 노백린과 상의하고 이재명이라는 사람을 불러왔다. 그는 22, 3세의 청년으로서 미우(眉宇)에 가득하게 분기를 띠고 들어섰다. 인사를 청한즉 그는 자기는 어려서 하와이에 건너가서 거기서 공부를 하던 중에 우리나라가 왜에게 빼앗긴다는 말을 듣고 두어 달 전에 환국하였다는 말과, 제 목적은 이완용 이하의 매국적을 죽임에 있다 하여 단도와 권총을 내어 보이고, 또 자기는 평양에서 오인성이라는 여자와 결혼하였는데, 그가 남편의 충의의 뜻을 몰라본다는 말을 기탄없이 하였다.

그러나 우리는 이 사람이 장차 서울 북달은재에서 이완용을 단도로 찌를 의사 이재명이 될 사람이라고는 생각지 못하고 한 허열에 뜬 청년으로만 보았다.

노백린도 나와 같이 생각한 모양이어서 그의 손을 잡고, 큰 일을 하려는 사람이 큰 일을 할 무기를 가지고 아내를 위협하고 동네를 소란케 하는 것은 아직 수양이 부족한 것이라고 간곡히 말하고, 그 단총을 자기에게 맡겨두고 마음을 더 수양하고 동지도 더 얻어 가지고 일을 단행하라고 권하였더니 이재명은 총과 칼을 노백린에게 주기는 주면서도 선선하게 주는 빛은 없었다.

노백린이 사리원 역에서 차를 타고 막 떠나려 할 때에 문득 이재명이 그곳에 나타나서 노에게 그 맡긴 물건을 도로 달라고 하였으나, 노는

"서울 와서 찾으시오"

하고 떠나버렸다.

그 후 일삭이 못하여 이 의사는 동지 몇 사람과 서울에 들어가 군밤 장수로 변장하고 천주교당에 다녀오는 이완용을 찌른 것이었다. 완용이 탔던 인력거꾼은 즉사하고 완용의 목숨은 살아나서 나라를 파는 마지막 도장을 찍을 날을 주었으니, 이것은 노백린이나 내가 공연한 간섭으로 그의 단총을 빼앗은 때문이었다.

나라의 명맥이 경각에 달렸으되 국민 중에는 망국이 무엇인지 모르는 이가 많았다. 이에 일변 깨달은 지사들이 한데 뭉치고, 또 일변 못 깨달은 동포를 계발하여서 다 기울어진 국운을 만회하려는 큰 비밀 운동이 일어났으니 그것이 신민회(新民會)였다.

안창호는 미국으로부터 돌아와서 평양에 대성학교를 세우고 청년 교육을 표면의 사업으로 하면서, 이면으로는 양기탁, 안태국, 이승훈, 전덕기, 이동녕, 주진수, 이갑, 이종호, 최광옥, 김홍량 등과 기타 몇 사람을 중심으로 하고 4백여 명 정수분자로 신민회를 조직하여 훈련 지도하다가 안창호는 용산 헌병대에 잡혀 갇혔다.

합병이 된 뒤에는 소위 주의 인물을 일망타진할 것을 미리 알았음인지, 안창호는 장연군 송천(松川)에서 비밀히 위해위(威海衛)로 가고, 이종호, 이갑, 유동열 등 동지도 뒤를 이어서 압록강을 건넜다.

서울에서 양기탁의 이름으로 비밀회의를 할 터이니 출석하라는 통지가 왔기에 나도 출석하였다. 그 때 양기탁의 집에 모인 사람은 주인 양기탁과 이동녕, 안태국, 주진수, 이승훈, 김도희와 그리고 나 김구였다. 이 회의의 결과는 이러하였다.

왜가 서울에 총독부를 두었으니 우리도 서울에 도독부를 두고 각 도에 총감이라는 대표를 두어서 국맥을 이어서 나라를 다스리게 하고, 만주에 이민 계획을 세우고, 또 무관 학교를 창설하여 광복 전쟁에 쓸 장교를 양성하기로 하고, 각 도 대표를 선정하니 황해도에 김구, 평안남도에 안태국, 평안북도에 이승훈, 강원도에 주진수, 경기도에 양기탁이었다. 이 대표들은 급히 맡은 지방으로 돌아가서 황해, 평남, 평북은 각 15만 원, 강원은 10만 원, 경기는 20만 원을 15일 이내로 판비하기로 결정하였다.

나는 경술년 11월 아침 차로 서울을 떠났다. 양기탁의 친아우 인탁이 재령 재판소 서기로 부임하는 길로 그 부인과 같이 동차하였으나 기탁은 내게 인탁에게도 통정은 말라고 일렀다. 부자와 형제간에도 필요 없이는 비밀을 누설하지 아니하는 것이었다.

사리원에서 인탁과 작별하고 안악으로 돌아와 김홍량에게 이번 비밀회의에서 결정된 것을 말하였더니 김홍량은 그대로 실행하기 위하여 자기의 가산을 팔기로 내어 놓았다. 그리고 신천 유문형 등 이곳 고을 동지들께도 비밀히 이 뜻을 통하였다. 장연 이명서는 우선 그 어머니와 아우 명선을 서간도로 보내어 추후하여 들어오는 동지들을 위하여 준비하기로 하여 일행이 안악에 도착하였기로 내가 인도하여 출발시켰다. 이렇게 우리 일은 착착 진행 중에 있었다.

어느 날 밤중에 안명근이가 양산학교 사무실로 나를 찾아왔다. 그는 내가 서울 가 있는 동안에도 누차 찾아왔었던 것이다. 그가 나를 찾은 목적은, 독립운동의 자금으로 돈을 내마 하고 자기에게 허락하고도 안 내는 부자들을 경계하기 위하여 우선 안악 부자들을 육혈포로 위협하여 본을 보일 터이니 날더러 지도해 달라는 것이었다.

이것은 지금 우리가 진행하고 있는 사업과는 상관이 없고 안명근이 독자로 하는 일이었으므로 나는 그에게 돈을 가지고 할 일이 무엇인가를 물었다. 그의 계획에 의하면 동지를 많이 모아서 황해도 내의 전신과 전화를 끊어 각지에 있는 왜적이 서로 연락하는 길을 막아 놓고 지방 지방이 일어나서 제 지방에 있는 왜적을 죽이라는 영을 내리면 반드시 성사가 될 것이니, 설사 타 지방에서 왜병이 대부대로 온다 하더라도 닷새는 걸릴 것인즉, 그 동안만은 우리의 자유로운 세상이고 실컷 원수를 갚을 수 있다는 것이었다.

나는 명근의 손을 잡고 이 계획은 버리라고 만류하였다. 여순에서 그 종형 중근이 당한 일을 생각하면 다른 사람과 달리 격분도 할 일이지마는 국가의 독립은 그런 일시적 설원(雪冤)으로 되는 것이 아닌즉 널리 동지를 모으고 동포를 가르쳐서 실력을 기른 뒤에 크게 싸울 준비를 하여야 한다는 뜻을 말하고, 서간도에 이민을 할 것과 의기 있는 청년을 많이 그리로 인도하여 인재를 양성함이 급무라는 뜻을 설명하였다. 내 말을 듣고 그도 그렇다고 수긍은 하나 자기의 생각과 같지 아니한 것이 불만한 모양으로 서로 작별하였다.

그런 일이 있은 후 며칠이 아니하여서 안명근이 사리원에서 잡혀 서울로 압송되었다는 것이 신문으로 전해졌다.

해가 바뀌어 신해년 정월 초닷샛날 새벽, 내가 아직 기침도 하기 전에 왜 헌병 하나가 내 숙소인 양산학교 사무실에 와서 헌병 소장이 잠깐 만나자 한다 하고 나를 헌병 분견소로 데리고 간다. 가 보니 벌써 김홍량, 도인권, 이상진, 양성진, 박도병, 한필호, 장명선 등 양산 학교 직원들이 하나씩 하나씩 나 모양으로 불려왔다. 경무총감부의 명령이라 하고 곧 우리를 구류하였다가 2,3일 후에 재령으로 이수하였다.

재령에서 또 우리를 끌어내어 사리원으로 가더니 거기서 서울 가는 차를 태웠다. 같은 차로 잡혀가는 사람들 중에는 송화 반정 신석충 진사도 있었으나, 그는 재령강 철교를 건널 적에 차창으로 몸을 던져서 자살하고 말았다.

신 진사는 해서의 유명한 학자요, 또 자선가였고, 그 아우 석제도 진사였다. 한 번 내가 석제 진사를 찾아갔을 때에 그 아들 낙영과 손자 상호가 동구까지 마중 나오기로 내가 모자를 벗어서 인사하였더니 그들은 황망히 갓을 벗어서 답례한 일이 있었다.

또 차중에서 이승훈을 만났다. 그는 잡혀가는 것은 아니었으나 우리가 포박되어 가는 것을 보고 차창 밖으로 고개를 돌리고 눈물을 흘리는 것이 보였다. 차가 용산역에 닿았을 때에 (그 때에는 경의선도 용산을 지나서 서울로 들어왔었다) 형사 하나가 뛰어 올라와서 이승훈을 보고,

"당신 이승훈 씨 아니오?"

하고 물었다. 그렇다 한즉 그 형사놈이,

"경무총감부에서 영감을 부르니 좀 가십시다."

하고 차에서 내리자마자 우리와 같이 결박을 지어서 끌고 간다. 후에 알고 보니 황해도를 중심으로 다수의 애국자가 잡힌 것이었다. 이것은 왜가 한국을 강제로 빼앗은 뒤에 그것을 아주 제 것을 만들어볼 양으로 우리나라의 애국자인 지식 계급과 부호를 모조리 없애 버리려는 계획의 제 일회였다.

그러기 위하여는 감옥과 이왕 있는 유치장만으로는 부족하여서, 창고 같은 건물을 벌의 집 모양으로 간을 막아서 임시 유치장을 많이 준비하여 놓고 우리들을 잡아 올린 것이었다.

이번 통에 잡혀온 사람은 황해도에서는 안명근을 비롯하여, 신천에서 이

원식, 박만준, 신백서, 이학구, 유원봉, 유문형, 이승조, 박제윤, 배경진, 최중호, 재령에서 정달하, 민영룡, 신효범, 안악에서 김홍량, 김용제, 양성진, 김구, 박도병, 박형병, 고봉수, 한정교, 최익형, 고정화, 도인권, 이태주, 장응선, 원행섭, 김용진 등이요, 장련에서 장의택, 장원용, 최상륜, 은율에서 김용원, 송화에서 오덕겸, 장홍범, 권태선, 이종록, 감익룡, 장연에서 김재형, 해주에서 이승준, 이재림, 김영택, 봉산에서 이승길, 이효건, 그리고 배천에서 김병옥, 연안에서 편강렬 등이었고, 평안남도에서는 안태국, 옥관빈, 평안북도에서는 이승훈, 유동열, 김용규의 형제가 붙들리고, 경성에서는 양기탁, 김도희, 강원도에서 주진수, 함경도에서 이동휘가 잡혀와서 다들 유치되어 있었다. 나는 이동휘와는 전면이 없었으나 유치장에서 명패를 보고 그가 잡혀온 줄을 알았다.

나는 생각하였다. 평거에 나라를 위하여 십분 정성과 힘을 쓰지 못한 죄로 이 벌을 받는 것이라고. 이제 와서 내게 남은 일은 고 후조 선생의 훈계대로 육신과 삼학사를 본받아 죽어도 굴치 않는 것뿐이라고 결심하였다.

심문실에 끌려 나가는 날이 왔다. 심문하는 왜놈이 나의 주소, 성명 등을 묻고 나서,

"네가 어찌하여 여기 왔는지 아느냐?"

하기로 나는,

"잡혀오니 끌려왔을 뿐이요, 이유는 모른다."

고 하였더니 다시는 묻지도 아니하고 내 수족을 결박하여 천장에 매달았다. 처음에는 고통을 깨달았으나 차차 정신을 잃었다가 다시 정신이 들어보니 나는 고요한 겨울 달빛을 받고 심문실 한 구석에 누워 있는데, 얼굴과 몸에 냉수를 끼얹는 감각뿐이요, 그 동안에 무슨 일이 있었는지 기억이 없었다.

내가 정신을 차리는 것을 보고 왜놈은 비로소 나와 안명근과의 관계를 묻기로, 나는 안명근과는 서로 아는 사이나 같이 일한 것은 없다고 하였더니, 그놈은 와락 성을 내어서 다시 나를 묶어 천장에 달고 세 놈이 둘러서서 막대기와 단장으로 수없이 내 몸을 후려갈겨서 나는 또 정신을 잃었다. 세 놈이 나를 끌어다가 유치장에 누일 때에는 벌써 환하게 밝은 때였다. 어제 해 질 때에 시작한 내 심문이 오늘 해 뜰 때까지 계속된 것이었다.

처음에 내 성명을 묻던 놈이 밤이 새도록 쉬지 않는 것을 보고, 나는 그

놈들이 어떻게 제 나라의 일에 충성된 것을 알았다. 저놈은 이미 먹은 나라를 삭히려기에 밤을 새거늘 나는 제 나라를 찾으려는 일로 몇 번이나 밤을 새웠던고 하고 스스로 돌아보니 부끄러움을 금할 수가 없고, 몸이 바늘방석에 누운 것과 같아서 스스로 애국자인 줄 알고 있던 나도 기실 망국민의 근성을 가진 것이 아닌가 하니 눈물이 눈에 넘쳤다.

이렇게 악형을 받는 것은 나뿐이 아니었다. 옆방에 있는 김홍량, 한필호, 안태국, 안명근 등도 심문을 받으러 끌려 나갈 때에는 기운 있게 제 발로 걸어 나가나 왜놈의 혹독한 단련을 받고 유치장으로 돌아올 때에는 언제나 반죽음이 되어 있었다. 그것을 볼 때마다 나는 치미는 분함을 누를 길이 없었다.

한 번은 안명근이 소리소리 지르면서,

"이놈들아, 죽일 때에 죽이더라도 애국 의사의 대접을 이렇게 한단 말이냐?"

하고 호령하는 사이사이에,

"나는 내 말만 하였고 김구, 김홍량 등은 관계가 없다고 하였소."

하는 말을 끼워서 우리의 귀에 넣었다.

우리들은 감방에서 서로 통화하는 방법을 발명하여서 우리의 사건을 보안법 위반과 모살급 강도의 둘로 나누어서 아무쪼록 동지의 희생을 적게 하기로 의논하였다. 양기탁의 방에서 안태국의 방과 내가 있는 방으로, 내게서 이재림이 있는 방으로, 좌우 줄 20여 방, 40여 방이 비밀리에 말을 전하는 것이었다.

왜놈들은 우리의 심문이 진행됨에 따라 이것을 통방이라고 칭하였다. 사건의 범위가 점점 축소됨을 보고 의심이 났던 모양이어서, 우리 중에서 한순직을 살살 꾀어 우리가 밀어하는 내용을 밀고하게 하였다. 어느 날 양기탁이 밥 받는 구멍에 손바닥을 대고, 우리의 비밀한 통화를 한순직이 밀고하니 금후로는 통방을 폐하자는 뜻을 손가락 필담으로 전하였다. 과연 센 바람을 겪고서야 단단한 풀을 알 것이었다. 안명근이 한순직을 내게 소개할 때에 그는 용감한 청년이라고 칭하더니 이 꼴이었다. 어찌 한순직뿐이랴, 최명식도 악형을 못 이겨서 없는 소리를 자백하였으나 나중에 후회하여 긍허(兢虛)라고 호를 지어서 평생에 자책하였다. 그때의 형편으로 보면 내 혀끝이 한 번 움직이는데 몇 사람의 생명이 달렸으므로 나는 단단히 결심을 하였다.

하루는 또 불려나가서 내 평생의 지기가 누구냐 하기로 나는 서슴지 않고,

"오인형이 내 평생의 지기다."

하고 대답하였더니 종시 다른 사람의 이름을 부는 일이 없던 내 입에서 평생의 지기의 이름을 말하는 것을 극히 반가워하는 낯빛으로 그 사람은 어디서 무엇을 하는가 하고 정신을 바짝 차리고 내 대답을 기다리고 있었다. 나는 천연하게,

"오인형은 장연에 살더니 연전에 죽었다"

하였더니 그놈들이 대로하여 또 내가 정신을 잃도록 악형을 하였다.

한 번은 학생 중에는 누가 가장 너를 사모하더냐 하는 질문에 나는, 창졸간에 내 집에 와서 공부하고 있던 최중호의 이름을 말하고서는 나는 내 혀를 물어 끊고 싶었다. 젊은 것이 또 잡혀 와서 경을 치겠다고 아픈 가슴으로 창밖을 바라보니, 언제 잡혀왔는지 반쯤 죽은 최중호가 왜놈에게 끌려 지나가는 것이 보였다.

진고개 끝 남산 기슭에 있는 소위 경무총감부에서는 밤이나 낮이나 도수장에서 소나 돼지를 때려잡는 소리가 끊임없이 들렸다. 이것은 우리 애국자들이 왜놈에게 악형을 당하는 소리였다.

하루는 한필호 의사가 심문을 당하고 오는 길에 겨우 머리를 들어 밥구멍으로 나를 들여다보면서,

"모두 부인했더니 지독한 악형을 받아서 나는 죽습니다."

하고 작별하는 모양을 보이기로, 나는

"그렇게 낙심 말고 물이나 좀 자시오."

하고 위로하였더니, 한 의사는

"인제는 물도 먹을 필요가 없습니다."

하고는 다시 소식을 몰랐는데, 공판 때에야 비로소 한필호 선생이 순국한 것과 신석충 진사가 사리원으로 끌려오는 도중에 재령강에서 몸을 던져 자살한 것을 알았다.

하루는 나는 최고심문실이라는 데로 끌려갔다. 뉘라서 뜻하였으랴, 17년 전 내가 인천 경무청에서 심문을 당할 때에 방청석에 앉았다가 내가 호령하는 바람에 '칙쇼 칙쇼'하고 뒷방으로 피신하던 도변(渡邊:와타나베) 순사 놈이 나를 심문하려고 앉았을 줄이야. 그놈은 전과 같이 검은 수염을 길러 늘

이고 낯바닥에는 약간 노쇠한 빛이 보였으나 이제는 경무총감부의 기밀과장으로 경시의 제복을 입고 위의가 엄숙하였다.

도변이 놈은 나를 보고 첫말이, 제 가슴에는 엑스광선이 있어서 내 평생의 역사와 가슴 속에 품은 비밀을 소상히 다 알고 있으니 일호도 숨김이 없이 다 자백을 하면 괜찮거니와, 만일에 은휘하는 곳이 있으면 이 자리에서 나를 때려죽인다는 것이다.

그러나 도변이 놈의 엑스광선은 내가 17년 전 인천감옥의 김창수인 줄은 모르는 모양이었다. 연전 해주 검사국에서 검사가 보던 〈김구〉라는 책에도 내가 치하포에서 토전양량을 죽인 것이나 인천감옥에서 사형정지를 받고 탈옥 도주한 것은 적혀 있지 아니하였던 것과 같이, 이번 사건에 내게 관한 기록에도 그것은 없었던 모양이다. 그러고 보면 내 일을 일러바치는 한인 형사와 정탐들도 그 일만은 빼고 내 보고를 하는 모양이니, 그들이 비록 왜의 수족이 되어서 창귀(倀鬼:남이 못된 짓을 하도록 이끄는 사람) 노릇을 한다고 하더라도 역시 마음의 한구석에는 한인혼(魂)이 남아있는 것이라고 나는 생각하였다.

도변이 놈이 나의 경력을 묻는 데 대하여서 나는 어려서는 농사를 하다가 근년에 종교와 교육사업을 하고 있거니와 모든 것을 내놓고 숨어서 하는 것이 없으며, 현재에는 안악 양산학교의 교장으로 있노라고 대답하였더니 도변은 와락 성을 내며, 내가 종교와 교육에 종사한다는 것은 껍데기요, 속으로는 여러 가지 큰 음모를 하고 있는 것을 제가 소상히 다 알고 있노라 하면서, 내가 안명근과 공모하여 총독을 암살할 음모를 하고, 서간도에 무관학교를 설치하여 독립운동을 준비하려고 부자의 돈을 강탈한 사실을 은휘한들 되겠느냐고 나를 엄포하였다. 이에 대하여 나는 안명근과는 전연 관계가 없고 서간도에 이민이란 것은 사실이나, 이것은 빈한한 농민에게 생활의 근거를 주자는 것뿐이라고 답변한 뒤에, 나는 화두를 돌려서 지방 경찰의 도량이 좁고 의심만 많아서 걸핏하면 배일로 사람을 모니 이러고는 백성이 아무 일도 할 수 없어서 모든 사업에 방해가 많으니, 이후로는 지방의 경찰에 주의하여 우리 같은 사람들이 교육이나 잘 하고 있도록 하여달라, 학교 개학기도 벌써 넘었으니 속히 가서 학교일을 보게 하여달라 하였다. 도변이 놈은 악형은 아니 하고 나를 유치장으로 돌려보냈다.

이제 보니 도변이 놈은 내가 김창수인 것을 전연 모르는 것이 확실하고, 그렇다 하면 내 과거를 소상히 아는 형사들이 그 말을 아니 한 것도 분명하였다. 나는 기뻤다.

나라는 망하였으나 민족은 망하지 아니하였다. 왜 경찰에 형사질을 하는 한인의 마음에도 애국심은 남아 있으니 우리 민족은 결코 망하지 아니하리라고 믿고 기뻐하는 동시에, 형사들까지도 내게 이런 동정을 주었으니 나로서는 최후의 일각까지 동지를 위하여 싸우고 원수의 요구에 응치 아니하리라 하였다. 그리고 김홍량은 나보다 활동할 능력도 많고 인물의 품격도 높으니 나를 희생하여서라도 그를 살리리라 하고 심문 시에도 내게 불리하면서도 그에게 유리하게 답변하였고, 또

"구몰니중홍비해외(龜沒泥中鴻飛海外:거북은 진흙 속에 있으며 기러기는 바다 위를 난다)"

라고 중얼거렸다.

전부 일곱 번 심문 중에 도변의 것을 제하고 여섯 번은 번번이 악형을 당하여서 정신을 잃었다. 그러나 악형을 받고 유치장으로 끌려 돌아올 때마다 나는,

"나의 목숨은 너희가 빼앗아도 나의 정신은 너희가 빼앗지 못하리라"

하고 소리를 높여 외쳐서 동지들의 마음이 풀어지지 않도록 하였다. 내가 그렇게 떠들면 왜놈들은,

"나쁜 말이 해소도 다다쿠"

라고 위협하였으나, 동지들의 마음은 내 말에 격려되었으리라고 믿는다.

내게 대한 제 8회 심문은 과장과 각 주임경시 7, 8명 열석 하에 열렸다. 이놈들이 나를 향하여 하는 말이,

"네 동류가 거개 자백을 하였는데 네놈 한 놈이 자백을 아니 하니 참 어리석고 완고한 놈이다. 네가 아무리 입을 다물고 아니하기로서니 다른 놈들의 실토에서 나온 네놈의 죄가 숨겨지겠느냐. 너, 생각해보아라. 새로 토지를 매수한 지주가 밭에 거치적거리는 돌멩이를 추려내지 아니하고 그냥 둘 것이냐. 그러니 똑바로 말을 하면 괜찮거니와, 일향 고집하면 이 자리에서 네놈을 때려죽일 터이니 그리 알아라."

한다. 이 말에 나는,

"오냐, 잘 알았다. 내가 너희가 새로 산밭의 돌이라면 그것은 맞다. 너희가 나를 돌로 알고 파내려는 수고보다 패어내우는 내 고통이 더 심하니, 그렇다면 너희들의 손을 빌릴 것 없이 내 스스로 목숨을 끊어버릴 터이니 보아라."

하고 머리로 옆에 있는 기둥을 받고 정신을 잃고 엎어졌다.

여러 놈들이 인공호흡을 한다, 냉수를 면상에 뿜는다 하여 내가 다시 정신이 들었을 때에 여러 놈 중에서 한 놈이 능청스럽게,

"김구는 조선인 중에 존경을 받는 인물이니 이같이 대우하는 것이 마땅치 아니하니 본직에게 맡기시기를 바라오."

하고 청을 하니 여러 놈들이 즉시 승낙했다.

승낙을 받은 그놈이 나를 제 방으로 데리고 가더니 담배도 주고 말도 좋은 말을 쓰고 대우가 융숭했다. 그놈의 말이 자기는 황해도에 출장하여 내게 관한 조사를 하여가지고 왔는데, 그 결과로 보면 나는 교육에 열심하여 월급을 받거나 못 받거나 여일하게 교무에 열심하고, 일반 인민의 여론을 들더라도 나는 정직한 사람인데 경무총감부에서도 내 신분을 잘 모르고 악형을 많이 한 모양이니 대단히 유감된다 하고, 또 말하기를, 심문하는 데는 이렇게 할 사람과 저렇게 할 사람이 따로 있는데 나 같은 인물에 대하여서 그렇게 한 것은 크게 실례라고 아주 뻔뻔스럽게 듣기 좋은 소리를 했다.

왜놈들이 우리 애국자들의 자백을 짜내기 위하여 하는 수단은 대개 세 가지로 구별할 수 있으니, 첫째는 악형이요, 둘째는 배고프게 하는 것이요, 그리고 셋째는 우대하는 것이다. 악형에는 회초리와 막대기로 전신을 두들긴 뒤에 다 죽게 된 사람을 등상 위에 올려 세우고 붉은 오랏줄로 뒷짐결박을 지워서 천장에 있는 쇠갈고리에 달아 올리고는 발등상을 빼어버리면 사람이 대롱대롱 공중에 달리는 것이다. 이 모양으로 얼마 동안을 지나면 사람은 고통을 못 이기어 정신을 잃어버린다. 그런 뒤에 사람을 끌러 내려놓고 얼굴과 몸에 냉수를 끼얹으면 다시 소생하여 정신이 든다. 나는 난장을 맞을 때에 내복 위로 맞으면 덜 아프다 하여 내복을 벗어버리고 맞았다.

그 다음의 악형은 화로에 쇠꼬챙이를 달구어놓고 그것으로 벌거벗은 사람의 몸을 막 지지는 것이다.

그 다음의 악형은 세 손가락 사이에 손가락만한 모난 막대기를 끼우고

그 막대기 두 끝을 노끈으로 꼭 졸라매는 것이다.

그 다음은 사람을 거꾸로 달고 코에 물을 붓는 것이다.

그러나 이러한 악형을 당하면 나도 악을 내어서 참을 수도 있지마는 이보다 더 견디기 어려운 것은 굶기는 벌이다. 밥을 부쩍 줄여서 겨우 죽지 아니할 만큼 먹이는 것인데, 이리하여 배가 고플 대로 고픈 때에 차입 밥을 받아서 먹는 고깃국과 김치 냄새를 맡을 때에는 미칠 듯이 먹고 싶다. 아내가 나이 젊으니 몸을 팔아서라도 맛있는 음식을 들여 주었으면 좋겠다는 생각까지도 난다. 박영효의 부친이 옥중에서 섬거적을 뜯어먹다가 죽었다는 말이며, 옛날 소무가 전을 씹어 먹으며 한나라 절개를 지켰다는 글을 생각할 때에 나는 사람의 마음은 배고파서 잃고, 짐승의 성품만이 남은 것이 아닌가 하고 자책하였다.

차입 밥! 얼마나 반가운 것인가. 그러나 왜놈들이 원하는 자백을 아니 하면 차입은 허하지 아니한다. 참말이나 거짓말이나 저희들의 비위에 맞는 소리로 답변을 해야만 차입을 허하는 것이다. 나는 종내 차입을 못 받았다. 조석 때면 내 아내가 내게 들리라고 큰 소리로,

"김구 밥 가져왔어요."

하고 소리치는 것이 들리나, 그때마다 왜놈이,

"깅가메 나쁜 말이 햇소데. 사시이래(차입) 일이 오브소다."

하고 물리치는 소리가 들렸다. '깅가메'라는 것은 왜놈들이 부르는 내 별명이다.

그러나 배고픈 것보다도 견디기 어려운 것이 있으니 그것은 우대였다.

내가 아내를 팔아서라도 맛있는 것을 실컷 먹고 싶다고 생각할 때에 경무총감 명석(明石元二郞: 아카시 모토지로)의 방으로 나를 불러들여 극진히 우대하였다. 더할 수 없는 하지하천의 대우에 진절머리가 났던 나에게 이 우대가 기쁘지 않음이 아니었다.

명석이 놈이 내게 한 말의 요령은 이러하였다. 내가 신부민으로 일본에 대한 충성만 표시하면 즉각으로 자기가 총독에게 보고하여 옥고를 면하게 할 터요, 또 일본이 조선을 통치함에 있어서 순전히 일본인만을 쓰는 것이 아니라 덕망이 높은 조선 인사를 얻어서 정치를 하게 하려 하니, 그대와 같은 충후한 장자로서 대세의 추이를 모를 바 아닌즉 순응함이 어떠냐. 그런즉

안명근 사건에 대한 것은 사실대로 자백을 하라는 것이었다.

나는 명석에게 대하여,

"당신이 나의 충후함을 인정하거든 내가 자초로부터 공술한 것도 믿으시오."

하였다. 그놈은 가장 점잖은 체모를 가지나 기색은 좋지 못하였다.

이런 일이 있은 뒤에 오늘 내가 불려 나와서 처음에 당장 때려죽인다고 하다가 이놈의 방으로 끌려 들어온 것이었다.

이놈은 국우(國友尙謙: 구니토모 쇼겐)라는 경시다. 그는 제가 대만에 있을 때에 어떤 대만인 피의자 하나를 담임하여 심문하였는데, 그 사람이 나와 같이 고집하다가 검사국에 가서야 일체를 자백하였노라 하는 편지를 국우에게 보내었다 하며, 나도 검사국에 넘어가거든 잘 자백을 할 터이니 그러면 검사의 동정을 얻으리라 하고 전화로 국수장국에 고기를 많이 넣어서 가져오라고 명하여 그것을 내 앞에 놓고 먹기를 청한다. 나는 나를 무죄로 한다면 이 음식을 먹으려니와 나를 유죄로 한다면 나는 입에 대지 않는다고 하여 숟가락을 들지 아니하였다.

그런즉 그놈이,

"김구 씨는 한문병자(漢文病者)야. 김구는 내게 동정을 아니 하지마는 나는 자연히 김구 씨께 동정이 간단 말요. 그래서 변변치 못하나마 드리는 대접이니 식기 전에 어서 자시오."

한다. 그래도 나는 일향 사양하였더니 국우는 웃으면서 한자로, '군의치독부(君疑置毒否:그대는 음식에 독을 넣었다고 의심하는가)'하는 다섯 자를 써 보이며, 이제는 심문도 종결되었고 오늘부터는 사식 차입도 허한다고 하였다. 나는 독을 넣었다고 의심하는 것은 아니라 하고 그 장국을 받아먹고 내 방으로 돌아왔다. 그날 저녁부터 사식이 들어왔다.

나와 같은 방에 이종록이라 하는 청년이 있는데 그를 따라온 친척이 없어서 사식을 들여 줄 이가 없었다. 내가 밥을 한 방에서만 먹으면 그에게 나눠 줄 수도 있겠지마는 사식은 딴 방에 불러내어서 먹이기 때문에 그리할 수가 없어서 나는 밥과 반찬을 한 입 잔뜩 물고 방에 들어와서 제비가 새끼 먹이듯이 입에서 입으로 옮겨 먹였다. 그러나 그것도 한 때 뿐이요, 이튿날 나는 종로 구치감으로 넘어갔다. 방은 독방이라 심심하나 모든 것이 총감부보다는 편하고 거기서 주는 감식이라는 밥도 총감부의 것보다는 훨씬 많았다.

내 사건은 사실대로만 처단한다 하면 보안법 위반으로, 극형이라 하여도 징역 1년밖에 안 될 것이지마는 나를 억지로 안명근의 강도 사건에 끌어다 붙이려 하였다. 내가 억지로라 하는 것에는 분명한 이유가 있다. 내가 서울 양기탁의 집에서 서간도에 이민을 하고 무관학교를 세울 목적으로 이동녕을 파견할 회의를 한 날짜가 바로 안악에서 안명근, 김홍량 등이 부호를 협박할 논의를 하였다 하는 그 날짜이므로, 나는 도저히 안악에서 한 회의에 참예할 수 없는 것이 분명하였다. 그러하건마는 안악 양산학교 교직원의 아들 이원형이라 하는 14세 되는 어린아이를 협박하여 내가 그 자리에 참예하는 것을 보았노라고 거짓 증언을 시켜서 나를 안명근의 강도 사건에 옭아 넣었다. 애매하기로 말하면 김홍량이나 도인권이나 김용제나 다 애매하지마는 그래도 이들은 그날 안악에는 있었으니 회의에 참예했다고 억지로 우겨댈 수도 있겠으나, 500리 밖에서 다른 회의에 참예하였다고 저희 기록에 써놓은 내가, 같은 날에 안악의 회의에도 참예했다는 것은 요술이라고 아니할 수 없었다.

나는 내게 대한 유일한 증인인 이원형 소년이 내가 심문받는 옆방에서 심문받는 소리를 분명히 들었다.

"너는 안명근과 김구가 그 자리에 있는 것을 보았지?"

하는 심문에 대하여 이 소년은,

"나는 안명근이라는 사람은 얼굴도 모르고, 김구는 그 자리에 없었소."

하고 사실대로 대답하였다. 옆에서 어떤 조선 순사가,

"이 미련한 놈아, 안명근도 김구도 그 자리에 있었다고만 하면 너의 아버지를 따라 집에 가게 해 줄 터이니 시키는 대로 대답을 해."

하는 말에 원형은,

"그러면 그렇게 할 터이니 때리지 마셔요."

하였다. 검사정에서도 이원형을 증인으로 불러들였으나, 이 소년이

"네"

하는 대답이 있자마자 다른 말이 더 나오는 것을 꺼리는 듯 곧 문 밖으로 몰아내었다. 나는 500리를 새에 둔 두 회의에 참예하는 김구를 만드느라고 매우 수고롭겠다고 검사에게 말하였더니 검사는 그 말에 대답도 아니 하고,

"종결!"

하고 심문이 끝난 것을 선언하였다.

내가 경무총감부에 갇혀 있을 그 때 의병장 강기동도 잡혀와 있었다. 그는 애초에 의병으로 다니다가 귀순하여서 헌병 보조원이 되었다. 한 번은 사형을 당할 의병 10여명이 갇힌 감방을 수직(守直:맡아서 지킴)하게 되었을 때에 그는 감방 문을 열어 의병들을 다 내어놓고 무기고를 깨뜨리고 무기를 꺼내어 일제히 무장을 하고 그도 같이 달아나서 경기, 충청, 강원도 등지로 왜병과 싸우고 돌아다니다가 안기동이라고 변명하고 원산에 들어가 무슨 계획을 하다가 붙들려온 것이었다. 그는 육군 법원에서 사형선고를 받고 총살되었다. 김좌진도 애국운동으로 강도로 몰려 징역을 받고 나와 같은 감방에서 고생을 하였다.

하루는 안악 군수 이모라는 자가 감옥으로 나를 찾아와서 양산학교 집과 기구를 공립보통학교에 내어놓는다는 도장을 찍으라고 하므로, 나는 집은 나랏집이니까 내어놓지마는 기구는 사삿것이니 사립학교인 양산학교에 기부한다고 하였으나, 그것도 공립으로 가져가고 말았다. 양산학교는 우리들 불온 분자들의 학교라 하여 강제로 폐지해버린 것이었다. 내가 그렇게 사랑하는 아이들은 목자를 잃은 양과 같이 다 흩어져버렸을 것이다. 특별히 손두환과 우기범 두 학생이 생각났다. 재주로나 뜻으로나 특출하였고, 어리면서도 망국의 한을 느낄 줄 아는 이들이었다.

어떻게 하여서라도 이 자리를 모면하여 해외에서 활동하고 싶던 김홍량도 자기가 안명근의 부탁으로 신천 이원식에게 권고하였다는 것을 자백하였으니 도저히 빠지기 어려울 것이다. 심혈을 다 바치던 교육사업도 수포로 돌아가고 믿고 사랑하던 동지도 살아 나갈 길이 망연하니 분하기 그지없었다. 어머니는 안악에 있던 가장집물을 다 팔아가지고 내 옥바라지를 하시려고 서울로 올라오셨다. 내 처와 딸 화경이는 평산 처형네 집에 들렀다가 공판날이 되어서 온다는 어머니의 말씀이셨다.

어머니가 손수 담으신 밥그릇을 열어 밥을 떠먹으며 생각하니 이 밥에 어머니 눈물이 점점이 떨어졌을 것이었다. 18년 전 해주에서의 옥바라지와 인천 옥바라지를 하실 때에는 내외분이 고생을 나누기나 하셨건마는 이제는 어머니 혼자셨다. 어머님께 도움이 되기는커녕 위로를 드릴 능력이 있는 자가 그 누군가.

이럭저럭 공판날이 되었다. 죄수를 태우는 마차를 타고 경성 지방재판소

문전에 다다르니 어머니가 화경을 업으시고 아내를 데리고 거기 서 계셨다.

우리는 2호 법정이라는 데로 끌려 들어갔다. 법정 피고석 걸상에 앉은 차례는 수석에 안명근, 다음에 김홍량, 셋째로는 나, 그리고는 이승길, 배경진, 한순직, 도인권, 양성진, 최익형, 김용제, 최명식, 장윤근, 고봉수, 한정교, 박형병 등 모두 열다섯 명이 늘어앉고, 방청석을 돌아보니 피고인의 친척, 친지와 남녀 학생들이 와 있었다. 변호사, 신문기자석에도 다 사람이 있었다. 한필호 선생이 경무총감부에서 매 맞아 별세하고, 신석충 진사는 사리원으로 호송되는 도중에 재령강 철교에서 투신자살을 하였단 말을 여기서 들었다.

소위 판결이라는 것은 안명근이 종신 징역이요, 김홍량, 김구, 이승길, 배경진, 한순직, 원행섭, 박만준 등 일곱 명은 징역 15년(원행섭, 박만준은 궐석이었다), 도인권, 양성진이 10년, 최익형, 김용제, 장윤근, 고봉수, 한정교, 박형병은 각각 7년 또는 5년이니 이것은 강도사건 관계요, 보안법 사건으로는 양기탁을 주범으로 하여 안태국, 김구, 김홍량, 주진수, 옥관빈, 김도희, 김용규, 고정화, 정달하, 감익룡과 이름은 잊었으나 김용규의 족질 한 사람이 있었는데, 판결되기는 양기탁, 안태국, 김구, 김홍량, 주진수, 옥관빈은 징역 2년이요, 나머지는 1년으로부터 6개월이었다. 그리고 재판을 통하지 아니하고 소위 행정처분으로 이동휘, 이승훈, 박도병, 최종호, 정문원, 김영옥 등 19인은 무의도, 제주도, 고금도, 울릉도로 1년간 거주 제한이라는 귀양살이를 하게 되었다. 그러고 보니 김홍량이나 나는 강도로 15년, 보안법으로 2년, 모두 17년 징역살이를 하게 된 것이었다.

판결이 확정되어 우리는 종로 구치감을 떠나서 서대문 감옥으로 넘어갔다. 지금까지 미결수였으나 이제부터는 변통 없는 전중이었다. 동지들의 얼굴을 날마다 서로 대하게 되고 이따금 말로 통정도 할 수 있는 것이 큰 위로였다.

7년, 5년 징역까지는 세상에 나갈 희망이 있었지마는 10년, 15년으로는 살아서 나갈 희망은 없었다. 그러므로 나는 몸은 왜의 포로가 되어 징역을 지면서도 정신으로는 왜놈을 짐승과 같이 여기고 쾌활한 마음으로 낙천 생활을 하리라고 작정하였다. 다른 동지들도 다 나와 뜻이 같았다.

옥중에 있는 동지들은 대개 아들이 있었으나 나는 딸이 하나가 있을 뿐이요, 아들이 없었다. 김용제 군은 아들이 4형제나 되므로 그 셋째 아들 문량으로 하여금 내 뒤를 잇게 한다고 허락하였다. 나도 동지의 호의를 고맙게 받았다.

또 한 가지 나로 하여금 비관을 품지 않게 하는 일이 있으니, 그것은 일본이 내가 잡혀오기 전에 생각하던 것과 같이 크고 무서운 나라가 아니라는 것을 본 것이었다. 밑으로는 형사, 순사로부터 꼭지로는 경무총감까지 만나 보는 동안에 모두 좀것들이요, 대국민다운 인물은 하나도 없었다. 가슴에 엑스광선을 대어서 내 속과 내력을 다 들여다본다면서도 내가 17년 전의 김창수인 줄도 몰라보고 깝죽대는 도변이야말로 일본을 대표한 자인 것 같다.

나는 이렇게 단정하였기 때문에 우리나라의 장래에 대하여서 비관하지 아니하게 되었다.

허위, 이강년 등 큰 애국지사의 부하로 의병을 다니다가 들어왔다는 사람들이 인물로나 식견으로나 보잘것없음을 볼 때에는 낙심도 되지마는 이재명, 안중근 같은 의사의 동지로 잡혀 들어온 사람들의 애국심이 불같고 정신이 씩씩한 것을 보면, 교육만 하면 우리 민족은 좋은 국민이 될 것을 아니 믿을 수 없었다. 저 무지한 의병들도 일본에 복종하는 백성이 되지 아니하고 10년, 15년의 벌을 받는 사람이 된 것만 해도 고맙고 존경할 일이라고 생각하였다. 나도 고 후조 선생 같은 어른의 가르침이 없었던들 어찌 대의를 아는 사람이 되었으랴.

옥에 있는 동안에 나는 내 심리가 차차 변하는 것을 느꼈다. 그것은 지난 10여년 간에 예수의 가르침을 따라서 무엇이나 저를 책망할지언정 남을 원망하지 아니하고 남의 허물은 어디까지나 용서하는 그러한 부드러운 태도가 변하여서 일본에 대한 것이면 무엇이나 미워하고 반항하고 파괴하려는 결심이 생긴 것이었다.

나는 아침저녁으로 다른 죄수들과 같이 왜 간수에게 절을 하는 것이 무척 괴롭고 부끄러웠다. 다른 죄수들은 대의를 몰라서 그러하거니와 너는 고 선생의 제자가 아니냐 하고 양심을 때리는 것이 있었다.

나는 내 손으로 밭 갈고 길쌈함이 없이 오늘까지 먹고 입고 살아왔다. 그 먹은 밥과 입은 옷이 뉘에게서 나왔느냐, 우리 대한 나라의 것이 아니냐. 나라가 나를 오늘날까지 먹이고 입힌 것이 왜놈에게 순종하여 붉은 요에 콩

밥이나 얻어먹으라고 한 것이 아니었다.

'식인지식의인의 소지평생막유위(食人之食衣人衣 所志平生莫有違: 사람의 밥을 먹고 사람의 옷을 입었으니, 품은 뜻은 평생토록 어김이 없어야 한다)'

내가 대한 나라의 밥을 먹고 옷을 입고 살아왔으니, 이 수치를 참고 살아나서 앞으로 17년 후에 이 은혜를 갚을 공을 세울 수가 있느냐.

내가 이 모양으로 고민할 때에 안명근 군이 굶어 죽기를 결심하였노라고 내게 말하기로 나는 서슴지 않고,

"할 수 있거든 단행하시오."

하였다. 그날부터 안명근은 배가 아프다고 칭하고 제게 들어오는 밥은 다른 죄수에게 나눠주고 4, 5일을 연해 굶어서 기운이 탈진하였다. 감옥에서는 의사를 시켜 진찰케 하였으나 아무 병이 없으므로 안명근을 결박하고 강제로 입을 벌리고 계란 등속을 흘려 넣어서 죽으려는 목숨을 억지로 붙들었다. 죽을 자유조차 없는 이 자리였다.

"나는 또 밥을 먹소."

하고 안명근은 내게 기별하였다.

우리가 서대문 감옥으로 넘어온 후에 얼마 아니하여서 또 중대사건이 생겼으니, 그것은 소위 사내(寺內: 데라우치) 총독 암살사건이라는 맹랑한 사건으로, 전국에서 무려 700여명의 애국자가 검거되어 경무총감부에서 우리가 당한 악형을 다 겪은 뒤에는 105인이 공판으로 회부된 사건이다. 105인 사건이라고도 하고 신민회 사건이라고도 한다. 2년 형의 진행 중에 있던 양기탁, 안태국, 옥관빈과 제주도로 정배 갔던 이승훈도 붙들려 올라왔다. 왜놈들은 새로 산밭에 뭉우리돌을 다 골라 버리고야 말려는 것이었다. 그러나 그것으로 대한이 제 것이 될까?

내가 복역한지 칠팔 삭 만에 어머니께서 서대문 감옥으로 나를 면회하려 오셨다. 딸깍하고 주먹 하나 드나들 만한 구멍이 열리기로 내다본즉 어머니가 서 계시고, 그 곁에는 왜 간수 한 놈이 지키고 있다. 어머니는 태연한 안색으로,

"나는 네가 경기 감사나 한 것보다는 더 기쁘게 생각한다. 면회는 한 사람밖에 못 한다고 하여서 네 처와 화경이는 저 밖에 와 있다. 우리 세 식구는 잘 있으니 염려 말아라. 옥중에서 네 몸이나 잘 보중하여라. 밥이 부족하

거든 하루 두 번씩 사식 들여 주라?"

하시고 언성 하나도 떨리심이 없었다. 저렇게 씩씩하신 어머니께서 자식을 왜놈에게 빼앗기시고 면회를 하겠다고 왜놈에게 고개를 숙이고 청원을 하셨을 것을 생각하니 황송하고도 분하였다.

우리 어머니는 참말 갸륵하셨다! 17년 징역을 받은 아들을 대할 때에 어쩌면 저렇게 태연하실 수가 있었으랴. 그러나 면회를 마치고 돌아가실 때에는 눈물이 앞을 가려서 발부리가 아니 보이셨을 것이다.

어머니께서 하루 두 번 들여 주시는 사식을 한 번은 내가 먹고 한 번은 다른 죄수에게 번갈아 나눠주었다. 그들은 받아먹을 때에는 평생에 그 은혜를 아니 잊을 듯이 굽신거리지마는 다음번에 저를 아니 주고 다른 사람을 줄 때에는,

"그게 네 의붓아비냐, 효자정문 내릴라."

이러한 소리를 하면서 내게 욕설을 퍼부었다. 그러면 그 때에 내게 얻어먹는 편이 듣고 나서 나를 역성하므로 마침내 툭탁거리고 싸움이 벌어져서 둘이 다 간수에게 흠씬 얻어맞는 일도 있었다. 나는 선을 한다는 것이 도리어 악이 되는 것이었다.

나도 서대문 감옥에 들어갔을 때에는 먼저 들어온 패들이 나를 멸시하였으나 소위 국사 강도범이라는 것이 알려지면서부터는 대접이 변하였다. 더구나 이재명 의사의 동지들이 모두 학식이 있고 일어에 능통하여서 죄수와 간수 사이에 무슨 일이 있을 때에는 통역을 하기 때문에 죄수들 간에 세력이 있었는데, 그들이 나를 우대하는 것을 보고 다른 죄수들도 나를 어려워하게 되었다.

나는 처음에는 한 백여 일 동안 수갑을 채인 대로 있었다. 더구나 첫날 수갑을 채우는 놈이 너무 단단하게 졸라서 살이 패이고 손목이 퉁퉁 부었으므로 이튿날 문제가 되어서,

"왜 아프다고 말하지 아니하였느냐?"

고 하기로 나는,

"무엇이나 시키는 대로 복종하라고 하지 아니하였느냐?"

하였다. 그랬더니,

"이 다음에는 불편한 일이 있거든 말하라."

고 하였다.

손목은 아프고 방은 좁아서 매우 괴로웠으나 나는 꾹 참았다. 사람의 일이란 알 수 없는 것이어서, 이러한 생활에도 차차 익으면 심상하게 되었다. 수갑도 끄르게 되어서 몸이 좀 편하게 되니 불현듯 최명식 군이 보고 싶었다. 수갑 끄른 자리에 허물은 지금도 완연히 남아 있다.

최 군은 옴이 올라서 옴방에 있다 하니 나도 옴이 생기면 최 군과 같이 있게 되리라 하여 인공적으로 옴을 만들었다. 의사의 순회가 있기 30분 전쯤하여 철사 끝으로 손가락 사이를 꼭꼭 찔러 놓으면 그 자리가 볼록볼록 부르트고 말간 진물이 나와서 천연 옴으로 보였다. 이것은 내가 감옥살이에서 배운 부끄러운 재주였다.

이 속임수가 성공하여 나는 옴쟁이 방으로 옮겨져서 최명식과 반가이 만날 수 있었다. 반가운 김에 밤이 늦도록 이야기를 하다가 좌등(佐藤: 사토)이라 하는 간수 놈에게 들켜서 누가 먼저 말을 하였느냐 하기로 내가 먼저 하였노라 하였더니 나를 창살 밑으로 나오라 하여 세워놓고 곤봉으로 난타하였다. 나는 아무 소리도 내지 아니하고 맞았으나, 그때에 맞은 것으로 내 왼편 귀 위의 연골이 상하여 봉충이가 되어서 지금도 남아 있다. 그러나 다행히 최 군은 용서한다 하고 다시 왜말로,

"하나시 헷소도 다다쿠도(이야기하면 때려줄 테야.)"

하고 좌등은 물러갔다.

감옥에서 죄수에게 이렇게 가혹한 대우를 하기 때문에 죄수들은 더욱 반항심과 자포자기심이 생겼다. 그래서 사기나 횡령으로 들어온 자는 절도나 강도질을 하였다. 그리고 만기로 출옥하였던 자들도 다시 들어오는 자를 가끔 보았다. 민족적 반감이 충만한 우리를 왜놈의 그 좁은 소갈머리로는 도저히 감화할 수 없겠지마는 내 민족끼리의 나라에서 감옥을 다스린다 하면 단지 남의 나라를 모방만 하지 말고 우리의 독특한 제도를 만들 필요가 있다. 즉 감옥의 간수부터 대학 교수의 자격이 있는 자를 쓰고 죄인을 죄인으로 보는 것보다는 국민의 불행한 일원으로 보아서 선으로 지도하기에만 힘을 쓸 것이요, 일반 사회에서도 입감자(入監者)를 멸시하는 감정을 버리고 대학생의 자격으로 대우한다면 반드시 좋은 효과가 있으리라고 믿는다.

왜의 감옥제도로는 사람을 작은 죄인으로부터 큰 죄인을 만들뿐더러, 사

람의 자존심과 도덕심마저도 마비시켰다. 예하면 죄수들은 어디서 무엇을 도둑질하던 이야기, 누구를 어떻게 죽이던 이야기를 부끄러워함도 없이 도리어 자랑삼아서 하고 있었다. 그도 친한 친구에게면 몰라도 초면인 사람에게도 꺼림이 없고, 또 세상에 드러난 죄도 아니고 저 혼자만 아는 죄를 뻔뻔스럽게 말하는 것을 보아도 그들이 감옥에 들어와서 부끄러워하는 감정을 잃어버린 표다. 사람이 부끄러움을 잃을진대 무슨 짓은 못하랴. 짐승과 다름이 없을 것이니, 감옥이란 이런 곳이어서는 안 되겠다고 생각하였다.

나는 최명식과 함께 소제부(掃除夫:청소부)의 일을 하게 되었다. 이것은 죄수들이 부러워하는 '벼슬'이다. 우리는 공장에서 죄수들에게 일감을 돌려주고 뜰이나 쓸고 나면 할 일이 없어서 남들이 일하는 구경을 하거나 돌아다녔다. 이 기회를 이용하여 최 군과 나는 죄수 중에서 뛰어난 인물을 고르기로 하였다. 내가 돌아보다가 눈에 띄는 죄수의 번호를 기억하고 명식 군도 기억하여 나중에 맞추어 보아서 둘의 본 바가 일치하는 자가 있으면 그의 내력과 인물을 조사하는 것이었다.

이 방법으로 우리는 한 사람을 골랐다. 그는 다른 죄수와 같이 차리고 같은 일을 하지마는 그 눈에 정기가 있고, 동작에도 남다른 데가 있었다. 나이는 40 내외였다. 인사를 청한즉 그는 충청북도 괴산 사람이요, 5년 징역을 받아 이태를 치르고 앞으로 3년을 남긴 강도범으로, 통칭 김 진사라는 사람이었다. 나는 누구며 무슨 죄로 왔느냐고 묻기로, 나는 황해도 안악 사람이요, 강도로 15년을 받았다고 하였더니 김 진사는,

"거, 짐이 좀 무겁소 그려."

하였다. 그리고 이어서 그가 나에게

"초범이시오?"

하기로 그렇다고 대답할 때에 왜 간수가 와서 더 말을 못하고 헤어졌다.

내가 그 사람과 이야기하는 것을 본 어떤 죄수가 나에게 그 사람을 아느냐 하기로 초면이라 하였더니, 그 죄수의 말이,

"남도 도적 치고 그 사람 모르는 도적은 없습니다. 그가 유명한 삼남 불한당 괴수 김 진사요. 그 패거리가 많이 잡혀 들어왔는데, 더러는 병나 죽고 사형도 당하고 놓여 나간 자도 많지요."

하였다.

그랬더니 그날 저녁에 우리들이 벌거벗고 공장에서 감방으로 들어올 때에 그 역시 우리 뒤를 따라서,

"오늘부터 이 방에서 괴로움을 끼치게 됩니다."

하고 내가 있는 감방으로 들어왔다. 나는 퍽이나 반가워서,

"이 방으로 전방이 되셨소?"

하고 물은즉 그는,

"네. 아, 노형이 계신 방이구려."

하고 그도 기쁜 빛을 보인다. 옷을 입고 점검도 끝난 뒤에 나는 죄수 두 사람에게 부탁하여 철창에 귀를 대어 간수가 오는 소리를 지켜 달라 하고 김 진사와 이야기를 시작하였다.

내가 먼저 입을 열어, 아까 공장에서는 서로 할 말을 다 못하여서 유감일러니 이제 한 방에 있게 되니 다행이라는 말을 하였더니, 그도 동감이라고 말하고는 계속하여서 그는 마치 목사가 신입 교인에게 세례문답을 하듯이 내게 여러 가지를 물었다. 그 첫 질문은,

"노형은 강도 15년이라 하셨지요?"

하는 것이었다.

"네, 그렇소이다."

"그러면 어느 계통이시오, 추설이요, 목단설이시오. 북대요? 또 행락은 얼마 동안이나 하셨소?"

나는 이게 다 무슨 소린지 한마디도 알아들을 수가 없었다. '추설', '목단설'은 무엇이요, '북대'는 무엇이며, '행락'은 대체 무엇일까? 내가 어리둥절하고 있는 것을 보더니 김 진사는 빙긋 웃으며,

"노형은 북대인가 싶으오."

하고 경멸하는 빛을 보였다.

내 옆에서 우리들의 이야기를 듣고 있던 죄수 하나가 김 진사를 대하여 나를 가리키며, 나는 국사범 강도라, 그런 말을 하여도 못 알아들을 것이라고 변명하여 주었다. 그는 찰강도라 계통 있는 도적이었다. 그의 설명을 듣고야 김 진사는 고개를 끄덕이며,

"내 어째 이상하다 했소. 아까 공장에서 노형이 강도 15년이라기에 위아래로 훑어보아도 강도 냄새가 안 나기에 아마 북대인가 보다 하였소이다."

한다.

나는 연전에 양산학교 사무실에서 교원들과 함께 하던 이야기를 생각하지 아니할 수 없었다. 세상에 활빈당이니 불한당이니 하는 큰 도적 떼가 있어서 능히 장거리와 큰 고을을 쳐서 관원을 죽이고 전재(錢財)를 빼앗되, 단결이 굳고 용기가 있으며 동에 번쩍 서에 번쩍 동작이 민활하여 나라 군사의 힘으로도 그들을 잡지 못한단 말을 들었는데, 우리가 독립운동을 하자면 견고한 조직과 기민한 훈련이 필요한즉 이 도적 떼의 결사와 훈련의 방법을 연구할 필요가 있다 하여 두루 탐문해보았으나 마침내 아무 단서도 얻지 못하고 만 일이었다.

사흘을 굶으면 도적질할 마음이 난다고 하지마는 마음만으로 도적이 될 수는 없을 것이니, 거기도 용기와 공부가 필요할 것이다. 담을 넘고 구멍을 뚫는 좀도둑은 몰라도 수십 명, 수백 명 떼를 지어 다니는 도적이라면 거기는 조직도 있고 훈련도 있고 의리도 있으려니와 무엇보다도 두목 되는 지도자가 있을 것인즉 수십 명, 수백 명 도적 떼의 지도자가 될 만한 인물이면 능히 한 나라를 다스려갈 만한 지혜와 용기와 위엄이 있어야 할 것이다.

그래서 나는 김 진사에게 도적 떼의 조직에 관한 것을 물었다. 그런즉 진사는 의외에도 은휘함 없이 내 요구에 응하였다.

"우리나라의 기상이 다 해이한 이 때까지도 그대로 남은 곳은 벌과 도적의 법뿐이외다."

라는 허두로 시작된 김 진사의 말에 의하면, 고려 이전은 상고할 길이 없으나, 이조시대의 도적 떼의 기원은 이성계의 이신벌군(以臣伐君:신하가 임금을 침)의 불의에 분개한 지사들이 도당을 모아 일변 이성계를 따라서 부귀영화를 누리는 소위 양반들의 생명과 재물을 빼앗고, 일변 그들이 세우려는 질서를 파괴하여서 불의에 대한 보복을 하려는 데서 나왔으니, 그 정신에 있어서는 두문동 72현과 같았다. 그러므로 그들은 도적이라 하나 약한 백성의 것은 건드리지 아니하고 나라 재물이나 관원이나 양반의 것을 약탈하여서 가난하고 불쌍한 자를 구제함으로 쾌사(快事:통쾌한 일)를 삼았다. 이 모양으로 나라를 상대로 하기 때문에 자연히 법이 엄하고 단결이 굳어서 적은 무리의 힘으로 능히 5백년간 나라의 힘과 겨루어 온 것이었다.

이 도적의 떼는 근본이 하나요, 또 노사장이라는 한 지도자의 밑에 있으나, 그 중에서 강원도에 근거를 둔 일파를 '목단설'이라고 부르고, 삼남에 있는 것을 '추설'이라고 부르게 되었다. 그러나 이 두 설에 속한 자는 서로 만나면 곧 동지로 서로 믿고 친밀하게 되었다. 이 두 설에 들지 아니하고 임시임시로 도당을 모아서 도적질하는 자를 '북대'라고 하는데, 이 북대는 목단설과 추설의 공동의 적으로 알아서 닥치는 대로 죽여 버리게 되었다.

노사장 밑에는 유사가 있고, 각 지방의 두목도 유사라고 하여 국가의 행정조직과 방사(倣似:매우 비슷함)하게 전국의 도적을 통괄하였다. 일 년에 한 차례 '대장'을 부르니 이것은 한 설만의 대회였다. 대회라고 전원이 출석하기는 불가능하므로 각 도와 각 군에서 몇 명씩 대표자를 파견하기로 되었는데, 그 대표자는 각기 유사가 지명하게 되며, 한 번 지명을 받으면 절대 복종이었다.

이 '장' 부르는 처소는 흔히 큰 절이나 장거리였다. 대소공사를 혹은 의논하고 혹은 지시하여 장이 끝난 뒤에는 으레 어느 고을이나 장거리를 쳐서 시위를 하는 것이었다.

그들이 대회에 참예하려 갈 때에는 혹은 양반으로, 혹은 등짐장수로, 혹은 장돌뱅이, 혹은 중, 혹은 상제로, 별별 가장을 하여서 관민의 눈을 피하였다. 어디를 습격하러 갈 때에도 마찬가지였다. 당시에 세상을 놀라게 한 하동장 습격은 장례를 가장하여 무기를 관에 넣어 상여에 싣고 혹은 상제, 혹은 복인, 혹은 상두꾼, 혹은 화장객이 되어서 장날 백주에 당당히 하동 읍내로 들어간 것이었다.

김 진사는 이러한 설명을 구변 좋게 한 후에 내게,

"노형, 황해도라셨지? 그러면 연전에 청단장을 치고 곡산 원을 죽인 사건을 아시겠구려?"

하기로 아노라고 대답하였더니, 김 진사는 지난 일을 회상하고 유쾌한 듯이 빙그레 웃으며,

"그 때에 도당을 지휘한 것이 바로 나요. 나는 양반의 행차로 차리고 사인교를 타고 구종별배로 앞뒤 벽제까지 시키면서 호기당당하게 청단장에를 들어갔던 것이오. 장에 볼 일을 다 보고 질풍신뢰와 같이 곡산읍으로 들이몰아서 곡산 군수를 잡아 죽였으니, 이것은 그놈이 학정을 하여서 인민으로 어육을 삼는다 하기로 제천행도(하늘을 대신하여 정의를 실현함)를 한 것이었소."

하고 말을 마쳤다.

그러면 이번 징역이 그 사건 때문이오?"

하고 내가 묻는 말에 그는,

"아니오. 만일 그 사건이라면 5년만으로 되겠소? 기위 면키 어려울 듯하기로 대단치 아니한 사건 하나를 실토하여서 5년 징역을 졌소이다."

나는 그들이 새 동지를 구할 때에 어떻게 신중하게 오래 두고 그 인물을 관찰하는 것이며, 이만하면 동지가 되겠다고 판단한 뒤에도 어떻게 그의 심지를 시험하는 것이며, 이 모양으로 동지를 고르기 때문에 한 번 동지가 된 다음에는 서로 다투거나 배반하는 일이 거의 없다는 것이며, 장물을 나눌 때에 어떻게 공평하다는 것이며, 또 동지의 의리를 배반하는 자가 만일에 있으면 어떻게 형벌이 엄중하다는 것도 김 진사에게 들었다.

인물을 고를 때에는 먼저 눈 정기를 본다는 것이며, 죄 중에 가장 큰 죄는 동지의 처첩을 범하는 것과 장물을 감추는 것이요, 상 중에 가장 큰 상은 불행히 관에 잡혀가더라도 동지를 불지 아니하는 것이니, 이러한 사람을 위하여서는 그 가족이 편안히 살도록 하여 준다는 말도 들었다.

김 진사의 말을 듣고 나는 나라의 독립을 찾는다는 우리 무리의 단결이 저 도적만도 못한 것을 무한히 부끄럽게 생각하였다.

여기서 나는 동지 도인권을 생각하지 아니할 수 없었다. 그는 본시 용강 사람으로, 노백린, 김희선, 이갑 등이 장령으로 있을 때에 군인이 되어서 정교의 자리에까지 올랐다가 군대가 해산되매 향리에 돌아와 있는 것을 양산학교 체육 선생으로 연빙하여 와서 우리의 동지가 되어 이번 사건에도 10년 징역을 받고 나와 같이 고생을 하게 된 사람이다. 이때에 옥중에는 죄수를 모아서 불상 앞에 예불을 시키는 예가 있었는데, 도인권은 자기는 예수교인이니 우상 앞에 고개를 숙일 수 없다 하여 아무리 위협하여도 고개를 빳빳이 하고 있었다. 이것에 문제가 되어서 마침내 예불은 강제로 시키지 아니하기로 작정이 되었다.

또 옥에서 상표를 주는 것을 그는 거절하였다. 자기는 죄를 지은 일도 없고 따라서 회개한 일도 없으니 개전(改悛)을 이유로 하는 상표를 타지 않는다는 것이었다.

또 그 후에 가출옥을 시킬 적에도 도인권은, 본래 내가 무죄한 것을 지금 와서 깨달았으니 판결을 취소하고 나가라 하면 나가겠지마는 가출옥이라는 '가'자가 불쾌하니 아니 받는다고 버티어서, 옥에서도 할 수 없이 형기를 채우고 도로 내보냈다. 도인권의 이러한 행동은 강도로서는 능히 못할 일이라, '만산고목일지청(萬山枯木一枝靑)'의 기개가 있었다.

'외외낙락적나라 득보건수반아(嵬嵬落樂赤裸裸 獨步乾坤誰伴我:홀로 높고 정갈하여 구애됨이 없으니 천하를 홀러 걸으매 누가 나를 짝하랴)'

라고 한 불가의 구절을 나는 도 군을 위하여 한 번 읊었다.

하루는 나가서 일을 하고 있는데 갑자기 일을 중지하고 명치(明治:메이지 일왕)가 죽었다는 것과 그 때문에 대사(大赦)를 내린다는 말을 하였다. 이 때문에 최고 2년인 보안법 위반에 걸린 동지들은 즉일로 나가고, 나는 8년을 감하여 7년이 되고, 김홍량 등 15년은 7년을 감하여 8년이 되고, 10년이라도 다 그 비례로 감형이 되었다. 그런 뒤 수삭이 지나서 또 명치의 처가 죽었다 하여 다시 잔기의 삼분지 일을 감하니, 내 형은 5년 남짓한 경형이 되고 말았다.

이때 종신이던 것이 20년으로 감하여진 안명근은 형을 가하여 죽임을 받을지언정 감형은 아니 받는다고 항거하였으나 죄수에 대하여서는 일체를 강제로 집행하는 것인즉, 감형을 아니 받을 자유도 죄수에게는 있지 아니하다 하여 필경 20년이 되고 말았다. 그러고는 안명근은 새로 지은 마포 감옥으로 이감이 되어서 다시는 그의 면목을 대할 기회도 없게 되었다. 안명근은 전후 17년 동안 감옥에 있다가 연전에 방면되어 신천 청계동에서 그 부인과 같이 여생을 보내고 있더니 아령에 있는 그 부친과 친아우를 그려서 그리로 가던 길에 만주 화룡현에서 만고의 한을 품고 못 돌아올 길을 떠나고 말았다.

이렇게 연거푸 감형을 당하고 보니 이미 겪어버린 3년 남짓을 빼면 나머지 형기가 2년밖에 아니 된다. 이때부터는 확실히 세상에 나가서 활동할 희망이 생겼다. 나는 세상에 나가면 무슨 일을 할까, 지사들이 옥에 다녀가서는 왜놈에게 순종하여 구질구질하게 살아가는 사람이 많은 것을 보니 나도 걱정이 되었다. 나는 왜놈이 지어준 뭉우리돌대로 가리라 하고 굳게 결심하고, 그 표로 내 이름 김구(金龜)를 고쳐 김구(金九)라 하고, 당호 연하를 버리고 백범(百凡)이라고 하여 옥중 동지들에게 알렸다. 이름자를 고친 것은 왜놈의 국적에서 이탈하는 뜻이요, '백범(百凡)'이라 함은 우리나라에서 가장 천하다는 백정과 무식한 범부까지 전부가 적어도 나만한 애국심을 가진 사람이 되게 하자 하는 내 원을 표하는 것이니, 우리 동포의 애국심과 지식의 정도를 그만큼이라도 높이지 아니하고는 완전한 독립국을 이룰 수 없다고 생각한 것이었다. 나는 감옥에서 뜰을 쓸고 유리창을 닦을 때마다 하나님께 빌었다. 우리나라가 독립하여 정부가 생기거든 그 집의 뜰을 쓸고 유리창을 닦는 일을 하여보고 죽게 하소서 하고.

나는 앞으로 2년을 다 못 남기고 인천 감옥으로 이감이 되었다. 나는 그 원인을 안다. 내가 서대문 감옥 제 2과장 왜놈하고 싸운 일이 있는데, 그 보복으로 그놈이 나를 힘 드는 인천 축항 공사로 돌린 것이었다.

여러 동지가 서로 만나고 위로하며 쾌활하게 3년이나 살던 서대문 감옥과 작별하고 40명 붉은 옷 입은 전중이 떼에 편입이 되어서 쇠사슬로 허리를 얽혀서 인천으로 끌려갔다. 무술년 3월 초열흘날 밤중에 옥을 깨뜨리고 도망한 내가 17년 만에 쇠사슬로 묶인 몸으로 다시 이 옥문으로 들어올 줄을 누가 알았으랴.

문을 들어서서 둘러보니 새로이 감방이 증축되었으나 내가 글을 읽던 그 감방이 그대로 있고, 산보하던 뜰도 변함이 없었다. 내가 호랑이같이 소리를 질러 도변이 놈을 꾸짖던 경무청은 매음녀 검사소가 되고, 감리사가 좌기하던 내원당은 감옥의 집물을 두는 곳간이 되고, 옛날 주사, 순검이 들끓던 곳은 왜놈의 천지를 이루었다. 마치 죽었던 사람이 몇십 년만에 살아나서 제 고향에 돌아와서 보는 것 같았다. 감옥 뒷담 너무 용동 마루터기에서 옥에 갇힌 불효한 이 자식을 보겠다고 우두커니 서서 내려다보시던 선친의 얼굴이 보이는 듯 했다. 그러나 오늘의 김구가 그날의 김창수라고 하는 자는 없으리라고 생각하였다.

감방에 들어가니 서대문에서 먼저 전감된 낯익은 사람도 있어서 반가웠다.

어떤 자가 내 곁으로 쑥 다가앉아서 내 얼굴을 들여다보면서,

"그 분 낯이 매우 익은데, 당신 김창수 아니오?"

한다.

참말 청천벽력이다. 나는 깜짝 놀랐다. 자세히 본즉 17년 전에 나와 한 감방에 있던 절도 10년의 문종칠이었다. 늙었을망정 젊을 때의 면목이 그대로 있다. 오직 그때와 다른 것은 이마에 움쑥 들어간 구멍이 있는 것이었다.

내가 의아한 듯이 짐짓 머뭇거리는 것을 보고 제 낯바닥을 내 앞으로 쑥 내밀어 나를 쳐다보면서,

"창수 김 서방, 나를 모를 리가 있소. 지금 내 면상에 이 구멍이 없다고 보면 아실 것 아니오. 나는 당신이 달아난 후에 죽도록 매를 맞은 문종칠이오. 그만하면 알겠구려."

하는 데는 나는 모른다고 버틸 수가 없어서 반갑게 인사를 하였다. 그 자가 밉기도 하고 무섭기도 하였다.

문가는 나에게,

"당시에 인천 항구를 진동하던 충신이 무슨 죄를 짓고 또 들어오셨소?"

하고 묻는다. 나는 귀찮게 생각하여서,

"15년 강도요."

하고 간단히 대답하였다.

문가는 입을 삐죽거리며,

"충신과 강도는 상거가 심원한데요. 그때의 창수는 우리 같은 도적놈들과 동거케 한다고 경무관한테까지 들이대지 않았소? 강도 15년은 맛이 꽤 무던하겠구려."

하고 빈정거린다.

나는 속에 불끈 치미는 것이 있었으나 문의 말을 탓하기는 고사하고 빌붙는 어조로,

"충신 노릇도 사람이 하고 강도도 사람이 하는 것 아니오? 한때에는 그렇게 놀고 한때에는 이렇게 노는 게지요. 문 서방은 어찌하여 또 이렇게 고생을 하시오?"

하고 농쳐버렸다.

"나요? 나는 이번까지 감옥 출입이 일곱 번째니 일생을 감옥에서 보내는 셈이요."

"역한(징역 기한)은 얼마요?"

"강도 7년에 5년이 되어서 한 반 년 지내면 또 한 번 세상에 다녀오겠소."

"또 한 번 다녀오다니, 여보시오, 끔찍한 말도 하시오. 또 여기를 들어와서야 되겠소?"

"자본 없는 장사가 도적질이지요. 더욱이 도적질에 맛을 붙이면 별 수가

없습니다. 당신도 여기서는 별 꿈을 다 꾸리다마는 사회에 나가만 보시오. 도적질하다가 징역한 놈이라고 누가 받자를 하오? 자연 농공상에 접촉을 못 하지요. 개 눈에는 똥만 보인다고 도적질하던 놈은 배운 길이 그것이라 또 도적질을 하지 않소?"

문가는 이렇게 술회를 한다.

"그렇게 여러 번째라면 어떻게 감형이 되었소?"

하고 내가 물었더니 문은,

"번번이 초범이지요. 지난 일을 다 말했다가는 영영 바깥바람을 못 쏘여 보게요?"

하고 흥 하고 턱을 춘다.

나는 서대문에 있을 적에 어떤 강도가 중형을 지고 징역을 하는 중에 그의 공범으로서 집히지 않고 있다가 횡령죄의 경형으로 들어온 것을 보고 밀고하여 중형을 지우고 저는 감형을 받아서 다른 죄수들에게 미움을 받는 사람을 보았다. 이것을 생각하니 문가를 덧들여 놓았다가는 큰일이었다. 이 자가 내가 17년 전의 김창수라는 것을 밀고하거나 떠벌리는 날이면 모처럼 1년 남짓하면 세상에 나가리라던 희망은 허사가 되고 만다. 그래서 나는 문가에게 친절 또 친절하게 대접하였다. 사식도 틈을 타서 문가를 주워 먹게 하고, 감식이라도 문가가 곁에 있기만 하면 나는 굶으면서도 그를 먹였다. 이러하다가 문가가 만기가 되어 출옥할 때에 나의 시원함이란 내가 출옥하는 것 못지아니하였다.

나는 아침이면 다른 죄수 하나와 쇠사슬로 허리를 마주 매어 짝을 지어 축항 공사장으로 나갔다. 흙지게를 등에 지고 십여 길이나 되는 사닥다리를 오르내리는 것이다. 서대문 감옥에서 하던 생활은 여기 비기면 실로 호강이었다. 나는 여러 번 무거운 짐을 진 채로 높은 사닥다리에서 떨어져 죽을 생각도 하였으나 그것도 할 수가 없는 것이, 나와 마주 맨 사람은 대개 인천에서 구두켤레나 담뱃갑을 훔치고 두서너 달 징역을 사는 판이라 그런 사람을 죽이는 것은 도리가 아니었다. 그래서 나는 조금도 편하려 하는 잔꾀를 버리고 '열즉열살도리 한즉한살도리(熱則熱殺闍梨 寒則寒殺闍梨: 더울 때는 더위로 도리를 죽이고 추울 때는 추위로 도리를 죽여라)'의 선가의 병법으로 일하기에 아주 몸을 던져버리고 말았다. 그리하였더니 몸이 아프기는 마찬가지라도 마음은 편안하였다.

이렇게 한 지 두어 달에 소위 상표라는 것을 주었다. 나는 도인권과 같이 이를 거절할 용기는 없고 도리어 다행으로 생각하였다.

날마다 축항공사장에 가는 길에 나는 17년 전 부모님께 친절하던 박영문의 물상객주집 앞을 지났다. 옥문을 나서서 오른편 첫째 집이었다. 그는 후덕한 사람이요, 내게는 깊은 동정을 준 이였다. 아버지와는 동갑이라 해서 매우 친밀히 지냈다고 했다. 우리들이 옥문으로 들고 날 때에 박 노인은 자기 집 문전에 서서 물끄러미 쳐다보고 있었다. 이렇게 목전에 보면서도 가서 내가 아무개요 하고 절할 수 없는 것이 괴로웠다.

박씨 집 맞은편이 물상객주 안호연의 집이었다. 안씨 역시 부모님께 극진하게 하던 이였다. 그도 전대로 살고 있었다. 나는 옥문을 출입할 때마다 마음으로만 늘 두 분께 절하였다.

7월 어느 심히 더운 날 돌연히 수인 전부를 교회당으로 부르기로, 나도 가서 앉았다. 이윽고 분감장인 왜놈이 좌중을 향하여,

"55호!"

하고 불렀다. 나는 대답하였다. 곧 일어나 나오라 하기로 단 위로 올라갔다. 가출옥으로 내보낸다는 뜻을 선언했다. 좌중 수인들을 향하여 점두례를 하고 곧 간수의 인도로 사무실로 가니, 옷 한 벌을 내어주었다. 이로써 붉은 전중이가 변하여 흰 옷 입은 사람이 되었다. 옥에 맡아두었던 내 돈이며 물건이며 내 품삯이며 조수히 내어주었다.

옥문을 나서서 첫 번째 생각은 박영문, 안호연 두 분을 찾는 일이었으나, 지금 내가 김창수라는 것을 세상에 알리는 것이 이롭지 못할 것을 생각하고 안 떨어지는 발길을 억지로 떼어서 그 집 앞을 지나 옥중에서 사귄 어떤 중국 사람의 집을 찾아가서 그날 밤을 묵었다.

이튿날 아침에 전화국으로 가서 안악 우편국으로 전화를 걸고 내 아내를 불러달라고 하였더니 전화를 맡아보는 사람이 마침 내게 배운 사람이라 내 이름을 듣고는 반기며 곧 집으로 기별한다고 약속하였다.

나는 당일로 서울로 올라가 경의선 기차를 타고 신막에서 하룻밤을 자고 이튿날 사리원에 내려 배념이 나루를 건너 나무리벌을 지나니, 전에 없던 신작로에 수십 명 사람이 쏟아져 나오고, 그 선두에 선 것은 어머니이셨다. 어

머니는 내 걸음걸이를 보시며 마주 오셔서 나를 붙들고 낙루(落淚:눈물을 흘림)하시면서,

"너는 살아왔지마는 너를 그렇게도 보고 싶어 하던 화경이 네 딸은 서너 달 전에 죽었구나. 네게 말할 것 없다고 네 친구들이 그러기에 기별도 아니하였다. 그나 그뿐인가. 일곱 살밖에 안 된 그 어린 것이 죽을 때에 저 죽거든 옥중에 계신 아버지에게 기별 말라고, 아버지가 들으시면 오죽이나 마음이 상하시겠느냐고 그랬단다."

하는 말씀을 하셨다. 나는 그 후에 곧 화경의 무덤을 찾아보아 주었다. 화경의 무덤은 안악읍 동쪽 산기슭 공동묘지에 있었다.

어머니 뒤로 김용제 등 여러 사람이 반갑게, 또 감개 깊게 나를 맞아주었다.

나는 안신학교로 갔다. 내 아내가 안신학교에 교원으로 있으면서 교실 한 칸을 얻어가지고 살고 있었기 때문이었다. 아내는 다른 부인들 틈에 섞여서 잠깐 내 얼굴을 바라보고는 보이지 아니하였다. 그는 내 친구들과 함께 내가 저녁을 먹게 하려고 음식을 차리러 간 것이었다. 퍽 수척한 것이 눈에 띄었다.

며칠 후에 읍내 이인배의 집에서 나를 위하여 위로연을 배설(排設)하고 기생을 불러 가무를 시켰다. 잔치 도중에 나는 어머니께 불려가서,

"내가 여러 해 동안 고생을 한 것이 오늘 네가 기생을 데리고 술 먹는 것을 보려고 한 것이냐?"

하시는 걱정을 들었다. 나를 연회석에서 불러낸 것은 아내가 어머님께 고발한 때문이었다.

어머니와 내 아내는 전에는 충돌도 없지 아니하였으나, 내가 옥에 간 후로 서울로, 시골로 고생하고 다니시는 동안에 고부가 일심동체가 되어서 한 번도 뜻이 아니 맞은 일이 없었다고 아내가 말하였다. 아내는 서울서 책 매는 공장에도 다녔고, 어떤 서양 부인 선교사가 학비를 줄 테니 공부를 하라는 것도 어머니와 화경이가 고생이 될까보아서 아니했노라고, 내외간에 말다툼이 있을 때면 번번이 그 말을 내세웠다. 우리 내외간에 다툼이 생기면 어머니는 반드시 아내의 편이 되셔서 나를 책망하셨다. 경험에 의하면 고부간에 무슨 귓속말이 있으면 반드시 내게 불리하였다. 내가 아내의 말을 반대하

거나 조금이라도 아내에게 불쾌한 빛을 보이면 으레 어머니의 호령이 내렸다.

"네가 옥에 있는 동안 그렇게 정절을 지키고 고생한 아내를 박대해서는 아니 된다. 네 동지들의 아내들 중에 별별 일이 다 있었지마는 네 처만은 참 절행이 갸륵하다. 그래서는 못 쓴다."

하시는 것이었다. 그래서 나는 집안일에 하나도 내 마음대로 해본 일이 없었고 내외 싸움에 한 번도 이겨 본 일이 없었다. 내가 옥에서 나와서 또 한 가지 기뻤던 것은 준영 삼촌이 내 가족에 대하여 극진히 하신 것이었다. 어머니께서 아내와 화경이를 데리고 내 옥바라지하러 서울로 가시는 길에 해주 본향을 들르셨을 적에 준영 삼촌은 어머니께, 젊은 며느리를 데리고 어떻게 사고무친(四顧無親)한 타향에 가느냐고, 당신이 집을 하나 마련하여 형수님과 조카며느리 고생을 아니 시킬 테니 서울 갈 생각은 말고 본향에 계시라고 굳이 만류하시는 것을, 어머니는 며느리는 옥과 같은 사람이라 어디를 가도 걱정이 없다 하여 뿌리치고 서울로 가셨다는 것이다.

또 어머니와 아내가 서울서 내려와서 종산 우종서 목사에게 의탁하여 있을 때에는 준영 삼촌이 소바리(소 등에 짐을 실음)에 양식을 실어다 주셨다고 한다.

어머니는 이렇게 준영 삼촌의 일을 고맙게 말씀하시고 나서,

"네 삼촌님이 네게 대한 정분이 전과 달라 매우 애절하시다. 네가 나온 줄만 알면 보러 오실 것이다. 편지나 하여라."

하셨다.

어머니는 또 내 장모도 전 같지 않아서 나를 소중하게 아니, 거기도 출옥하였다는 기별을 하라고 하셨다. 내가 서대문 감옥에 있을 때에 장모가 여러 번 면회를 와 주셨다.

나는 곧이라도 준영 숙부를 찾아가 뵈옵고 싶었으나 아직 가출옥 중이라 어디를 가려면 일일이 헌병대의 허가를 얻어야 하는데, 왜놈에게 고개 숙이고 청하기가 싫어서 만기가 오기만을 기다리고 있었다. 오는 정초에 세배 겸 준영 숙부를 찾을 작정이었다.

그 후 내 거주 제한이 해제되어서 김용진 군의 부탁으로 수일 타작 간검(看儉)을 다녀왔더니 준영 숙부가 다녀가셨다. 점잖은 조카를 보러 오는 길이라 하여 남의 말을 빌려 타고 오셨는데 이틀이 지나도 내가 아니 돌아오

기 때문에 섭섭하게 돌아가셨다는 어머니의 말씀이었다.

정초가 되었다. 나는 찾을 어른들을 찾고 어머니를 찾아 세배 오는 손님들 접대도 끝이 나서 초닷샛날은 해주로 가서 준영 숙부님을 뵈옵고 오래간만에 성묘도 하리라고 벼르고 있던 차에 바로 초나흗날 저녁때에 재종제 태운이가 준영 숙부께서 별세하셨다는 기별을 가지고 왔다. 참으로 경악하였다. 다시는 준영 숙부의 얼굴을 뵈옵지 못하게 되었다. 아버지 4형제 중에 아들이라고는 나 하나 뿐, 준영 숙부는 딸 하나가 있을 뿐이었다. 오직 하나인 조카를 못 보고 떠나시는 숙부의 심정이 어떠하셨을까. 백영 숙부는 관수, 태수 두 아들이 있었으나 다 조졸하여 없고, 딸 둘도 시집간 지 얼마 아니하여 죽어서 자손이 없고, 필영, 준영 두 숙부는 각각 딸 하나씩이 있을 뿐이었다.

날이 새는 대로 나는 태운과 함께 해주로 달려가서 준영 숙부의 장례를 주장(主掌)하여 텃골 고개 동녘 기슭에 산소를 모셨다. 그러고는 돌아가신 준영 숙부의 가사 처리를 대강 하고 선친 묘소에 손수 심은 잣나무를 점검하고 거기를 떠난 뒤로는 이내 다시 본향을 찾지 못하였다. 당숙모와 재종조가 생존하신다 하나 뵈올 길이 망연하다.

나는 아내가 보고 있는 안신학교 일을 좀 거들어 주었으나 소위 전과자인 나로서, 그뿐 아니라 시국이 변하여서 나 같은 사람이 전과 같이 당당하게 교육 사업에 종사할 수도, 더구나 신민회와 같은 정치 운동을 다시 계속할 수도 없었다. 지금까지 애국자이던 사람들은 해외로 망명하거나 문을 닫고 숨을 길밖에 없는 세상이 되어버렸다. 왜놈은 우리 민족의 청소년을 우리 지도자가 돌아보지 못하도록 백방으로 막아놓고 노려보고 있었다.

나는 그렇다고 가만히 있을 수도 없어서 농촌 사업이나 해보려고 마음을 먹고 김홍량 일문의 농장 중에 소작인의 풍기가 괴악한 동산평 농장의 농감이 되기를 자청하였다. 동산평이라는 데는 수백 년 궁장으로, 감관들이 협잡을 하고 농민을 타락시켜서 집집이 도박이요, 사람이 모두 속임질과 음해로 일을 삼아서 할 수 없이 가난하고 괴악하게 된 부락이었다. 게다가 이곳은 수토(水土)가 좋지 못하여 토질(土疾:풍토병) 구덩이로 소문이 났다.

김씨네는 내가 이런 데로 가는 것을 원치 아니하여 경치도 수토도 좋은 다른 농장으로 가라고 권하였다. 그들은 내가 한문 야학으로 벗을 삼아 은거

하는 생활을 하려는 것으로 아는 모양이었다. 그러나 나는 고집하여 동산평으로 갔다.

나는 도박하는 자, 학령 아동이 있고도 학교에 안 보내는 자의 소작을 불허하고, 그 대신 아이를 학교에 보내는 자에게 상등답 이 두락을 주는 법을 내었다. 이리하여 학부형이 아니고는 땅을 얻지 못하게 되었다.

그리고 오랫동안 이 농장 마름으로 있으면서 소작인을 착취하고 도박을 시키던 노형극 형제의 과분한 소작지를 회수하여서 근면하고도 땅이 부족한 사람에게 분배하였다. 이 때문에 나는 노형극에게 팔을 물리고 집에 불을 놓는다는 위협을 받았으나 조금도 굴치 아니하고, 마침내 이들 형제에게 항복을 받아서 다시는 성군작당(成群作黨:무리를 모으고 패거리를 만드는 것)하여 남을 음해하는 일을 아니하기로 맹세를 시켰다.

이곳은 본래 학교가 없던 데라 나는 곧 학교를 세우고 교원을 연빙하였다. 처음에는 20명 가량의 아동으로 시작하였으나 이 농장 작인의 자녀가 다 입학하게 되니 제법 학교가 커져서 교원 한 사람으로는 부족하여 나 자신도 시간을 내어서 도왔다. 장덕준은 재령에서, 지일청은 나와 같은 지방에서 나와 비슷한 농촌 계발 운동을 하고 있었다.

내 운동은 상당한 효과를 거두어서 동산평에는 도박이 없어지고 이듬해 추수 때에는 작인의 집에 볏섬이 들어가 쌓였다고 작인의 아내들이 기뻐하였다. 지금까지는 노름빚과 술값으로 타작 마당에서 1년 소출을 몽땅 빚쟁이에게 빼앗기고 농민은 키만 들고 집으로 돌아갔다는 것이었다.

나는 농촌 중에서도 가장 괴악한 동산평을 이 모양으로 그만하면 쓰겠다 할 정도의 농촌을 만들어보려 하였다. 그러나 기미년 3월에 일어난 만세 소리에 나는 이 사업에서 손을 떼고 고국을 떠나게 되었다. 떠날 날을 하루 앞두고 나는 작인들을 동원하여 만세 부르는 운동에는 아무 관심도 없는 듯이 가래질을 하고 있었다. 내 동정을 살피러 왔던 왜 헌병도 이것을 보고는 안심하고 돌아가는 모양이었다.

그 이튿날 나는 사리원으로 가서 경의선 열차를 타고 압록강을 건넜다. 신의주에서 재목상이라 하여 무사히 통과하고 안동현에서는 좁쌀 사러 왔다고 칭하였다.

안동현에서 이레를 묵고 영국 국적인 이륭양행 배를 타고 동지 15명이 무사히 상해 포동 마두에 도착하였다. 안동현을 떠날 때에는 아직도 얼음덩어리가 첩첩이 쌓인 것을 보았는데 황포 강가에는 벌써 녹음이 우거졌다. 공승서리(公昇西里) 15호에서 첫날밤을 잤다.

이때에 상해에 모인 인물 중에 내가 전부터 잘 아는 이는 이동녕, 이광수, 김홍서, 서병호 네 사람이었고 그 밖에 일본, 아령, 구미 등지에서 이번 일로 모인 인사와 본래부터 와 있는 이가 500여 명이나 된다고 하였다.

이튿날 나는 벌써부터 가족을 데리고 상해에 와 있는 김보연 집을 찾아서 거기서 숙식을 하게 되었다. 김군은 내가 장연에서 교육사업을 총감하는 일을 할 때에 나를 성심으로 사랑하던 청년이다. 김 군의 지도로 이동녕, 이광수, 김홍서, 서병호 등 옛 동지를 만났다.

임시정부의 조직에 관하여서는 후일 국사에 자세히 오를 것이니 약하거니와, 나는 위원의 한 사람으로 뽑혔었다. 얼마 후에 안창호 동지가 미주로부터 와서 내무총장으로서 국무총리를 대리하게 되고, 총장들이 아직 모이지 아니하였으므로 차장제를 채용하였다. 나는 안 내무총장에게 임시정부 문 파수를 보게 하여달라고 청원하였다. 도산은 처음에는 내 뜻을 의아하게 여기는 모양이었으나 내가 이 청원을 한 동기를 말하자 쾌락(快諾)하였다. 내가 본국에 있을 때에 순사 시험 과목을 어디서 보고 내 자격을 시험하기 위하여 혼자 답안을 보았으나 합격이 못 된 일이 있었다. 나는 실력이 없는 허명을 탐하기를 두려워할뿐더러, 감옥에서 소제를 할 때에 내가 하나님께 원하기를, 생전에 한 번 우리 정부의 청사의 뜰을 쓸고 유리창을 닦게 하여줍소서 하였단 말을 도산 동지에게 한 것이었다.

안 내무총장은 내 청원을 국무회의에 제출한 결과 돌연 내게 경무국장의 사령을 주었다. 다른 총장들은 아직 취임하기 전이라 윤현진, 이춘숙, 신익희 등 새파란 젊은 차장들이 총장의 직무를 대행할 때라 나이 많은 선배로 문 파수를 보게 하면 드나들기에 거북하니 경무국장으로 하자고 하였다는 것이다. 나는 순사 될 자격도 못 되는 사람이 경무국장이 당(當)하냐고 반대하였으나 도산은,

"만일 백범이 사퇴하면 젊은 사람들 밑에 있기를 싫어하는 것 같이 오해될 염려가 있으니 그대로 행공하라."

고 강권하기로 나는 부득이 취임하여 사무하였다.

대한민국 2년에 아내가 인을 데리고 상해로 오고, 4년에 어머니께서 또 오시니 오래간만에 재미있는 가정을 이루게 되었다. 그 해에 신이 태어났다.

나의 국모보수 사건이 24년 만에 이제야 왜의 귀에 들어갔다는 보도가 왔다. 내가 본국을 떠난 뒤에야 형사들도 안심하고 김구가 김창수라는 것을 왜 경찰에게 말한 것이었다. 아아, 눈물 나는 민족의식이여! 왜의 정탐 노릇은 하여도 속에는 애국심과 동포애를 감추고 있는 것이다. 이 정신이 족히 우리 민족으로 하여금 독립 민족의 행복을 누리게 할 것을 아니 믿고 어이 하랴.

민국 5년에 내가 내무총장이 되었다.

그 안에 아내는 신을 낳은 뒤에 낙상으로 인하여 폐렴이 되어서 몇 해를 고생하다가 상해 보륭 의원의 진찰로 서양인이 시설한 격리 병원인 홍구폐병원에 입원하기로 되어, 보륭 의원에서 한 작별이 아주 영결이 되어 민국 6년 1월 1일에 세상을 떠나매 법계(法界) 숭산로의 공동묘지에 매장하였다.

내 본의는 독립운동 기간 중에는 혼상을 막론하고 성대한 의식을 쓰는 것을 불가하게 알아서 아내의 장례를 극히 검소하게 할 생각이었으나, 여러 동지들이 내 아내가 나를 위하여 평생에 무쌍한 고생을 한 것이 곧 나라 일이라 하여 돈을 거두어 성대하게 장례를 지내고 묘비까지 세워주었다. 그 중에서도 유세관, 인욱 군은 병원 교섭과 묘지 주선에 성력을 다하여주었다.

아내가 입원할 무렵에는 인도 병이 중하였으나 아내 장례 후에는 완쾌하였고, 신은 겨우 걸음발을 탈 때요, 아직 젖을 떼지 아니하였으므로 먹기는 우유를 먹였으나 잘 때에는 어머니의 빈 젖을 물었다. 그러므로 신이가 말을 배우게 된 때에도 할머니라는 말을 알고 어머니라는 말은 몰랐다.

민국 8년에 어머니는 신을 데리고 환국하시고, 이듬해 9년에는 인도 보내라시는 어머니의 명으로 인도 내 곁을 떠나서 본국으로 갔다. 나는 외로운 몸으로 상해에 남아 있었다.

민국 8년 12월에 나는 국무령으로 선거되었다. 국무령은 임시정부의 최고 수령이다. 나는 임시의정원 의장 이동녕을 보고, 아무리 아직 완성되지 않은 국가라 하더라도 나같이 미미한 사람이 한 나라의 원수가 된다는 것은 국가의 위신에 관계된다 하여 고사하였으나 강권에 못 이기어 부득이 취임하였다.

나는 윤기섭, 오영선, 김갑, 김철, 이규홍으로 내각을 조직한 후에 헌법 개정안을 의정원에 제출하여 독재적인 국무령제를 고쳐서 평등인 위원제로 고치고, 지금은 나 자신도 국무위원의 하나로 일하고 있다.

내 육십 평생을 돌아보니 상리에 벗어나는 일이 한두 가지가 아니다. 대개 사람이 귀하면 궁함이 없겠고 궁하면 귀함이 없을 것이건마는, 나는 귀역궁 불귀역궁(貴亦窮 不貴亦窮:귀한 신분이 되어도 가난하게 지내고 귀한 신분이 아니어도 역시 가난하게 지냄)으로 평생을 궁하게 지내었다. 우리나라가 독립하는 날에는 삼천리강산이 다 내 것이 될는지 모르거니와 지금의 나는 넓고 넓은 지구상에 한 치 땅, 한 칸 집도 가진 것이 없다.

나는 과거에는 궁을 면하고 영화를 얻으려고 몽상도 하고 버둥거려보기도 하였다. 옛날 한유는 '송궁문(送窮文:가난을 보내는 글)'을 지었으나 나는 차라리 '우궁문(友窮文:가난을 벗하는 글)'을 짓고 싶다. 자식들에게 대하여 아비된 의무를 조금도 못하였으니 너희들이 나를 아비라 하여 자식된 의무를 하여 주기를 원치 아니한다. 너희들은 사회의 은택(恩澤)을 입어서 먹고 입고 배우는 터이니, 사회의 아들이 되어 사회를 아비로 여겨 효도로 섬기면 내 소망은 이에서 더 만족할 수는 없을 것이다.

이 붓을 놓기 전에 두어 가지 더 적을 것이 있다.

내가 동산평 농장에 있을 때 일이다. 기미년 2월 26일이 어머니 환갑이므로 약간 음식을 차려서 가까운 친구나 모아 간략하나마 어머니의 수연(壽筵:장수를 축하하는 잔치)을 삼으리라 하고 내외가 상의하여 진행하던 차에 어머니께서 눈치를 채시고, 지금 이 어려운 때에 환갑잔치가 당치 아니하니 후년에 더 넉넉하게 살게 된 때로 미루라 하시므로 중지하였더니 그 후 며칠이 못 되어 나는 본국을 떠났다. 어머니께서 상해에 오신 뒤에도 마음은 먹고 있었으나 독립운동을 하느라고 날마다 수십 수백의 동포가 혹은 목숨을, 혹은 집을 잃는 참보를 듣고 앉아서 설사 힘이 있기로서니 어떻게 어머니를 위하여 수연을 차릴 경황이 있으랴. 하물며 내 생일 같은 것은 입 밖에 낸 일도 없었다.

민국 8년이었다. 하루는 나석주가 조반 전에 고기와 반찬거리를 들고 우리 집에 와서 어머니를 보고 오늘이 내 생일이라, 옷을 전당 잡혀서 생일 차릴 것을 사왔노라 하여서, 처음으로 영광스럽게 내 생일을 차려 먹은 일이 있었다. 나석주는 나라를 위하여 동양척식주식회사에 폭탄을 던지고 제 손으로 저를 쏘아 충혼이 되었다. 나는 그가 차려 준 생일을 영구히 기념하기 위하여, 또 어머니의 화연(花宴:환갑잔치)을 못 드린 것이 황송하여 평생에 다시는 내 생일을 기념치 않기로 하고, 이 글에도 내 생일 날짜를 기입하지 아니한다.

인천 소식을 듣건대 박영문은 별세하고 안호연은 생존한다 하기로 신편에 회중시계 한 개를 사 보내고 내가 김창수란 말을 하여달라 하였으나 회보는 없었고, 성태영은 길림에 와 산다 하기로 통신하였으며, 유인무는 북간도에서 누구에게 죽임을 당하고, 그 아들 한경은 아직도 거기 살고 있다고 한다. 나와 서대문 감옥에서 이태나 한 방에 있으며 내게 글을 배우고 또 내게 끔찍히 하여주던 이종근은 아라사 여자를 얻어가지고 상해에 와서 종종 만났다. 이종근은 의병장 이운룡의 종제로, 헌병 보조원을 다니다가 이운룡이 죽이려 하매 회개하고 그를 따라 의병으로 다니다가 잡혀왔었다. 김형진의 유족의 소식은 아직도 모르고, 강화 김주경의 유족의 소식도 탐문하는 중이다.

지난 일의 연월일은 어머니께 편지로 여쭈어서 기입한 것이다.

내 일생에 제일 행복은 몸이 건강한 것이다. 감옥 생활 5년에 하루도 병으로 쉰 날은 없었고, 인천 감옥에서 학질로 반일을 쉰 일이 있을 뿐이다. 병원이라고는 혹을 떼느라고 제중원에 1개월, 상해에서는 서반아 감기로 20일 동안 입원하였을 뿐이다.

기미년에 고국을 떠난 지 우금(지금까지) 10여 년에 중요한 일, 진기한 일도 많으나 독립 완성 전에는 말할 수 없는 것이매 아니 적기로 한다.

이 글을 쓰기 시작한 지 1년 넘은 대한민국 11월 5월 3일에 임시정부 청사에서 붓을 놓는다.

구 - 하권 - 백범일지

(하권) 머리말

내 나이 이제 육십칠, 중경 화평로 오사야항 1호 대한민국 임시정부 청사에서 다시 이 붓을 드니, 오십삼세 때에 상해 법조계 마랑로 보경리 4호 임시정부 청사에서 〈백범일지〉 상권을 쓰던 때에서 14년의 세월이 지난 후이다.

나는 왜 〈백범일지〉를 썼던고?

내가 젊어서 붓대를 던지고 국가와 민족을 위하여 제 힘도 재주도 헤아리지 아니하고 성패도 영욕도 돌아봄이 없이 분투하기 30여 년, 그리고 명의만이라도 임시정부를 지킨 지 10여 년에 이루어 놓은 일은 하나도 없이 내 나이는 60을 바라보고 있었다.

이제 나는 침체된 국면을 타개하고 국민의 쓰러지려 하는 3.1 운동의 정신을 다시 떨치기 위하여 미주와 하와이에 있는 동포들에게 편지로 독립운동의 위기를 말하여 돈의 후원을 얻어 가지고 열혈남아를 물색하여 암살과 파괴의 테러 운동을 계획한 것이었다. 동경사건과 상해사건 등이 다행히 성공되는 날이면 냄새 나는 내 가죽 껍데기도 최후가 될 것을 예기하고 본국에 있는 두 아들이 장성하여 해외로 나오거든 그들에게 전하여 달라는 뜻으로 쓴 것이 이 〈백범일지〉다. 나는 이것을 등사하여 미주와 하와이에 있는 몇 분 동지에게 보내어 후일 내 아들에게 보여주기를 부탁하였다.

그러나 나는 죽을 땅을 얻지 못하고, 천한 목숨이 아직 남아서 〈백범일지〉 하권을 쓰게 되었다. 이때에는 내 두 아들도 장성하였으니 그날을 위하여서 이런 것을 쓸 필요는 없어졌다. 내가 지금 이것을 쓰는 목적은 해외에 있는 동지들이 내 50년 분투 사정을 보고 허다한 과오를 은감(殷鑑)으로 삼아서 다시 복철을 밟지 말기를 원하는 노파심에 있는 것이다.

지금 이 하권을 쓸 때의 정세는 상해에서 상권을 쓸 때의 것보다는 훨씬 호전되었다. 그때로 말하면 임시정부라고 외국 사람은 말할 것도 없고 우리 한인으로도 국무위원과 십수 인의 의정원 의원 외에는 와 보는 자도 없었다. 그야말로 이름만 남고 실상은 없는 임시정부였었다.

그런데 하편을 쓰는 오늘날로 말하면 중국 본토에 있는 한인의 각 당 각 파가 임시정부를 지지하고 옹호할뿐더러 미주와 하와이에 있는 만여 명 동포가 이 정부를 추대하여 독립운동 자금을 상납하고 있다. 또 외교로 보더라도 종래에는 중국, 소련, 미국의 정부 당국자가 비밀 찬조는 한 일이 있으나 공식으로는 거래가 없었던 것이, 지금에는 미국 대통령 루즈벨트 씨가,

"한국은 장래에 완전한 자주 독립국이 될 것이다."

라고 방송하였고, 중국에서도 입법원장 손과(孫科) 씨가 공공한 석상에서,

"일본의 제국주의를 박멸하는 중국의 양책(良策)은 한국 임시정부를 승인함에 있다."

고 부르짖었으며, 우리 자신도 워싱턴에 외교 위원부를 두어 이승만 박사를 위원장으로 임명하여 외교와 선전에 힘을 쓰고 있고, 또 군정으로 보더라도 한국광복군이 정식으로 조직되어 이청천(지청천의 다른 이름)으로 총사령을 삼아 서안(西安)에 사령부를 두고 군사의 모집과 훈련과 작전을 계획 중이며, 재정도 종래에는 독립운동의 침체, 인심의 퇴축, 적의 압박, 경제의 곤란 등으로 임시정부의 수입이 해가 갈수록 감하여 집세를 내기도 어려울 지경이던 것이 홍구, 상해 폭탄 사건 이래로 내외국인의 임시정부에 대한 인식이 변하여서 점차로 정부의 수입도 늘어, 민국 23년도에는 수입이 53만 원 이상에 달하였으니 실로 임시정부 설립 이래의 첫 기록이었다.

이 모양으로 임시정부의 상태는 상해에서 이 책 상권을 쓸 때보다 나아졌지마는 나 자신으로 말하면 일부일(一復日) 노병과 노쇠를 영접하기에 골몰하다. 상해 시대를 죽자고나 하던 시대라고 하면 중경시대는 죽어가는 시대라고 할 것이다. 만일 누가 어떤 모양으로 죽는 것이 네 소원이냐 한다면 나는 최대한 욕망은 독립이 다 된 날 본국에 들어가 영광의 입성식을 한 뒤에 죽는 것이지마는, 적어도 미주와 하와이에 있는 동포들을 만나보고 오는 길에 비행기 위에서 죽어서, 내 시체를 던져 그것이 산에 떨어지면 날짐승 길짐승의 밥이 되고, 물에 떨어지면 물고기의 뱃속에 영장하는 것이다.

세상은 고해라더니 살기도 어렵거니와 죽기도 또한 어렵다. 나는 서대문 감옥에서와 인천 축항 공사장에서 몇 번 자살할 생각을 가졌으나 되지 못하였

고, 안매산 명근 형도 모처럼 죽으려고 나흘이나 식음을 전폐한 것을 서대문 옥리들이 억지로 달걀을 입에 흘려 넣어 죽지 못하였으니, 죽는 것도 자유가 있는 자라야 할 일이여서 결코 용이한 일이 아니다.

나의 칠십 평생을 회고하면 살려고 하여 산 것이 아니요, 살아져서 산 것이고, 죽으려고 하여도 죽지 못한 이 몸이 필경은 죽어져서 죽게 되었다.

제1장. 3.1 운동의 상해

기미년 3월, 인동현에서 영국사람 솔지의 배를 타고 상해에 온 나는 김보연 군을 앞세우고 이동녕 선생을 찾았다. 서울 양기탁의 사랑에서 서간도 무관학교 일을 의논하고 헤어지고는 10여년 만에 서로 만나는 것이었다. 그때에 광복사업을 준비할 전권의 임무를 맡았던 선생의 좋던 신수는 10여년 고생에 약간 쇠하여 주름살이 보였다. 서로 악수하니 감개가 무량하였다.

내가 상해에 갔을 때에는 먼저 와 있던 인사들이 신한 청년당을 조직하여 김규식을 파리 평화회의에 대한 민족 대표로 파견한 지 벌써 두 달이나 후였다.

3.1 운동이 일어난 뒤에 각지로부터 모여든 인사들이 임시정부와 임시의정원을 조직하여 중외에 선포한 것이 4월 초순이었다. 이에 탄생된 대한민국 임시정부의 수반은 국무총리 이승만 박사, 그 밑에 내무, 외무, 재무, 법무, 교통 등 부서가 있어 광복운동의 여러 선배 수령을 그 총장에 추대하였다. 총장들이 원지에 있어서 취임치 못하므로 청년들을 차장으로 임명하여 총장을 대리케 하였다. 내가 내무총장 안창호 선생에게 정부 문 파수를 청원한 것이 이때였다.

나는 문 파수를 청원한 것이 경무국장으로 취임하게 되니 이후 5년간 심문관, 판사, 검사의 직무와 사형 집행까지 혼자 겸하여서 하게 되었다. 왜 그런고 하면 그때에 범죄자의 처벌이 설유방송이 아니면 사형이었기 때문이다. 예를 들면 김도순이라는 17세의 소년이 본국에 특파되었던 임시정부 특파원의 뒤를 따라 상해에 와서 왜의 영사관에 매수되어 그 특파원을 잡는 앞잡이가 되었고 돈 10원을 받은 죄로 미성년자임에도 불구하고 극형에 처한 것은 기성 국가에서 보지 못할 일이었다.

내가 맡은 경무국의 임무는 기성 국가에서 하는 보통 경찰행정이 아니요,

왜의 정탐의 활동을 방지하고, 독립운동자가 왜에 투항하는 것을 감시하여 왜의 마수가 어느 방면으로 들어오는가를 감시하는 데 있었다. 이 일을 하기 위하여 나는 정복과 사복의 경호원 20여 명을 썼다. 이로서 홍구의 왜 영사관과 대립하여 암투가 시작되었다.

당시 프랑스 조계 당국은 우리의 국정을 잘 알므로 일본 영사관에서 우리 동포의 체포를 요구해올 때에는 미리 우리에게 알려주어서 피하게 한 뒤에 일본 경관을 대동하고 빈 집을 수사할 뿐이었다.

왜구 전중의일(田中義一: 다나카 기이치)이 상해에 왔을 때에 황포 마두에서 오성륜이 그에게 폭탄을 던졌으나 폭발되지 아니하므로 권총을 쏜 것이 전중은 아니 맞고 미국인 여자 한 명이 맞아 죽은 사건이 났을 때에, 일본, 영국, 법국(法國: 프랑스) 세 나라가 합작하여 법조계(法租界: 프랑스 조계지)의 한인을 대거 수색한 일이 있었다. 우리 집에는 어머니가 본국으로부터 상해에 오신 때였다. 하루는 이른 새벽에 왜 경관 일곱 놈이 프랑스 경관 서대납을 앞세우고 내 침실로 들어왔다. 서대납은 나와 잘 아는 자라 나를 보더니 옷을 입고 따라오라 하며 왜 경관이 나를 결박하려는 것을 금지하였다. 프랑스 경무청에 가니 원세훈 등 다섯 사람이 벌써 잡혀와 있었다. 프랑스 당국은 왜 경관이 우리를 심문하는 것도 허하지 아니하고, 왜 영사관으로 넘기라는 것도 아니 듣고, 나로 하여금 다섯 사람을 담보케 한 후에 나를 아울러 모두 석방해버렸다. 우리 동포 관계의 일에는 내가 임시정부를 대표하여 언제나 배심관이 되어 프랑스 조계의 법정에 출석하였으므로 현행범이 아닌 이상 내가 담보하면 석방하는 것이었다. 왜 경찰이 나와 프랑스 당국과의 관계를 안 뒤로는 다시는 내 체포를 프랑스 당국에 요구하는 일이 없고, 나를 법조계 밖으로 유인해 내려는 수단을 쓰므로 나는 한 걸음도 조계 밖으로는 나가지 아니하였다.

내가 5년간 경무국장을 하는 동안에 생긴 기이한 일을 일일이 적을 수도 없고 또 이루 다 기억도 못하거니와, 그 중에 몇 가지만을 말하련다.

고등 정탐 선우갑을 잡았을 때에 그는 죽을 죄를 깨닫고 사형을 자원하기로, 장공속죄(將功贖罪: 죄를 지은 사람이 공을 세워 속죄함)를 할 서약을 받고 살려주었더니 나흘만에 도망하여 본국으로 들어갔다.

강인우는 왜 경부로 상해에 와서 총독부에서 받아가지고 온 사명을 말하고, 내게 거짓 보고 자료를 달라 하기로 그리하였더니 본국에 돌아가서 그 공으로 풍산 군수가 되었다.

구한국 내무대신 동농 김가진 선생이 3.1 선언 후에 왜에게 받았던 남작 작위를 버리고 대동당을 조직하여 활동하다가 아들 의한 군을 데리고 상해에 왔을 적 일이다. 왜는 남작이 독립운동에 참여하였다는 것이 수치라 하여 의한의 처의 종형 정필화를 보내어 동농 선생을 귀국케 할 운동을 하고 있음을 탐지하고 정가를 검거하여 심문한즉 낱낱이 자백하므로 처교하였다.

황학선은 해주 사람으로서, 3.1 운동 이전에 상해에 온 자인데, 가장 우리 운동에 열심(熱心)이 있는 듯하기로 타처에 오는 지사들을 그 집에서 유숙케 하였더니 그 자가 그것을 기화(奇貨: 어떤 목적을 이루는 데 이용할 수 있는 좋은 기회)로 하여 일변 왜 영사관과 통하여 거기서 돈을 얻어 쓰고, 일변 애국 청년에게 임시정부를 악선전하여 나창헌, 김의한 등 십수 명이 작당하여 임시정부를 습격하는 일이 있었으나, 이것은 곧 진압되고 범인은 모두 경무국의 손에 체포되었다가 그들이 황학선의 모략에 속은 것이 분명하므로 모두 설유하여 방송하고, 그때에 중상한 나창헌, 김기제는 입원시켜 치료를 받게 하였다. 이 사건을 조사한 결과 황학선이가 왜 영사관에서 자금과 지령을 받아 우리 정부 각 총장과 경무국장을 살해할 계획으로, 나창헌이 경성의전의 학생이던 것을 이용하여 삼층 양옥을 세 내어 병원 간판을 붙이고, 총장들과 나를 그리로 유인하여 살해할 계획이던 것이 판명되었다.

나는 이 문초의 기록을 나창헌에게 보였더니 그는 펄펄 뛰며 속은 것을 자백하고, 장인 황학선을 사형에 처할 것을 주장하였다. 그러나 그때는 벌써 황학선은 처교된 뒤였다. 나는 나, 김 등이 전연 악의가 없고 황의 모략에 속은 것이라고 판단하였다.

한 번은 박 모라는 청년이 경무국장 면회를 청하였다. 그는 나를 대하자 곧 낙루하며 단총 한 자루와 수첩 하나를 내 앞에 내어 놓으며, 자기는 수일 전에 본국으로부터 상해에 왔는데 왜 영사관에서 그의 체격이 건장함을 보고 김구를 죽이라 하고, 성공하면 돈도 많이 주려니와 설사 실패하여 그가 죽는 경우에는 그의 가족에게는 나라에서 좋은 토지를 주어 편안히 살도록 할 터이라 하고, 만일 이에 응치 아니하면 그를 '불령선인'으로 엄벌한다 하여 부득이 그러마 하고 무기를 품고 법조계에 들어와 길에서 나를 보기도 하였으나, 독립을 위하여 애쓰는 사람을, 자기도 대한 사람이면서 어찌 감히 상하랴 하는 마음이 생겨서 그 단총과 수첩을 내게 바치고 자기는 먼 지방으로 달아나서 장사나 하겠다는 것이었다. 나는 그 말을 믿고 감사하다는 말을 하고 놓아 보냈다.

나는 '의심하는 사람이거든 쓰지를 말고, 쓰는 사람이거든 의심을 말라'는 것을 신조로 삼아 살아왔거니와 그 때문에 실패한 일도 없지 아니하였으니 한태규 사건이 그 예다.

한태규는 평양 사람으로서, 매우 근실하여 내가 7, 8년을 부리는 동안에 내외국인의 신임을 얻었다. 내가 경무국장을 사면한 후에도 그는 여전히 경무국 일을 보고 있었다.

하루는 계원 노백린 형이 아침 일찍 내 집에 와서 노변에 한복 입은 젊은 여자의 시체가 있다 하기로 나가본즉 그것은 명주의 시체였다.

명주는 상해에 온 뒤로 정인과, 황석남이 빌어 가지고 있는 집에 식모로도 있었고, 젊은 사내들과 추행도 있다는 소문이 있던 여자다. 어느 날 밤에 한번 한태규가 이 여자를 동반하여 가는 것을 보고 한 군도 젊은 사람이니 그러나 보다 하고 지나친 것이 오래지 아니한 것이 기억되었다.

시체를 검사하니 피살이 분명하다. 머리에 피가 묻었으니 처음에는 때린 모양이요, 목에는 바로 매었던 자국이 있는데, 이 수법은 내가 서대문 감옥에서 활빈당 김 진사에게서 배운 것을 경호원들에게 가르쳐 준 그것이었다. 여기서 단서를 얻어가지고 조사한 결과 그 범인이 한태규인 것이 판명되어 프랑스 경찰에 말하여 그를 체포케 하여 내가 배심관으로 그의 문초를 듣건대, 그는 내가 경무국장을 사임한 후로부터 여러 가지 사정으로 왜에게 매수되어 그 밀정이 되어, 명주와 비밀히 통기하던 중, 명주가 한이 밀정인 것을 눈치를 알게 되매 한은 명주가 자기의 일을 내게 밀고할 것을 겁내어서 죽인 것이라는 것을 자백하였다. 명주는 행실은 부정할망정 애국심은 열렬한 여자였다. 그는 종신 징역의 형을 받았다. 후에 나와 동관이던 나우도 한태규가 돈을 흔히 쓰는 것으로 보아 오래 의심은 하였으나 확적한 증거도 없이 내게 그런 말을 고하면 내가 동지를 의심한다고 책망할 것을 두려워하여 말을 아니 하고 있었다고 하였다.

후에 한태규는 다른 죄수들을 선동하여 양력 1월 1일에 옥을 깨뜨리고 도망하기로 약속을 하여 놓고 제가 도리어 감옥 당국에 밀고하여 간수들이 담총하게 경비하게 한 후에 약속한 시간이 되매 여러 감방문이 일제히 열리며 칼, 몽둥이, 돌멩이, 재 같은 것을 가지고 죄수들이 뛰쳐나오는 것을, 한태규가 총을 쏘아 죄수 8명을 즉사케 하니, 다른 죄수들은 겁을 내어 움직이지 못하매 이 파옥 소동이 진정되었다. 그리고 이 사건을 재판하는 마당에 한태규는 제가 쏘아 죽인 여덟 명의 시체를 담은 관머리에 증인으로 출정하더란 말을 들었고, 또 그 후에 한의 편지를 받았는데, 그는 같은 죄수 8명을 죽인 것이 큰 공로라 하여 방면이 되었고, 전에 잘못한 것은 다 회개하니 다시 써달라고 하였다. 나중에 듣건대 이 편지에 대한 회답이 없는 것을 보고 겁이 나서 본국으로 도망하여 무슨 조그마한 장사를 하고 있었다고 하였다. 내가 이런 흉악한 놈을 절대로 신임한 것이 다시 세상에 머리를 들 수 없을 만큼 부끄러워 심히 고민하였다.

내가 경무국장이던 때에 있던 일은 여기에서 끝내고 상해에 임시정부가 생긴 이후에 일어난 우리 운동 전체의 파란곡절을 회상해보기로 하자.

기미년, 즉 대한민국 원년에는 국내나 국외를 막론하고 정신이 일치하여 민족 독립운동으로만 진전되었으나, 당시 세계 사조의 영향을 받아서 우리 중에도 점차로 봉건이니, 무산혁명이니 하는 말을 하는 자가 생겨서 단순하던 우리 운동 선에도 사상의 분열, 대립이 생기게 되었다. 임시정부 직원 중에서도 민족주의니, 공산주의니 하여 음으로 양으로 투쟁이 개시되었다. 심지어 국무총리 이동휘가 공산혁명을 부르짖고 이에 반하여 대통령 이승만은 데모크라시를 주장하여 국무회의 석상에서도 의견이 일치하지 못하고 대립과 충돌을 보는 기괴한 현상이 중생첩출하였다. 예하면 국무회의에서는 러시아에 보내는 대표로 여운형, 안공근, 한형권 세 사람을 임명하였건마는, 정작 여비가 손에 들어오매 이동휘는 제 심복인 한형권 한 사람만을 몰래 떠나보내고, 한이 시베리아를 떠났을 때쯤 하여서 이것을 발표하였다. 이동휘는 본래 강화 진위대 참령으로서, 군대 해산 후에 해삼위(海蔘威: 블라디보스토크)로 건너가 이름을 대자유라고 행세한 일도 있다.

하루는 이동휘가 내게 공원에 산보 가기를 청하기로 따라갔더니 조용한 말로 자기를 도와 달라 하기로, 나는 좀 불쾌하여서 내가 경무국장으로 국무총리를 호위하는 데에 내 직책에 무슨 불찰이 있느냐고 물었다. 이씨는 손을

흔들며,

"그런 것이 아니라, 대저 혁명이라는 것은 피를 흘리는 사업인데, 지금 우리가 하고 있는 독립운동은 민주주의 혁명에 불과하니 이대로 독립을 하더라도 다시 공산주의 혁명을 하여야 하겠은즉, 두 번 피를 흘림이 우리 민족의 대불행이 아닌가. 그러니 적은이(아우님이라는 뜻이니 이동휘가 수하 동지에게 즐겨 쓰는 말이다)도 나와 같이 공산 혁명을 하는 것이 어떤가."

하고 내 의향을 묻는 것이었다. 이에 대하여 나는 이씨에게,

"우리가 공산혁명을 하는 데는 제 3 국제공산당의 지휘와 명령을 안 받고도 할 수 있습니까?"

하고 반문하였다.

이씨는 고개를 흔들며,

"안 되지요."

한다. 나는 강경한 어조로,

"우리 독립운동은 우리 대한 민족 분자의 운동이요, 어느 제 3자의 지도나 명령에 지배되는 것은 남에게 의존하는 것이니 우리 임시정부 헌장에 위배되오. 총리가 이런 말씀을 하심은 대불가니 나는 선생의 지도를 받을 수가 없고, 또 선생께 자중하기를 권고하오."

하였더니 이동휘는 불만한 낯으로 돌아섰다.

이 총리가 몰래 보낸 한형권이 러시아 국경 안에 들어서서 우리 정부의 대표로 온 사명을 국경 관리에게 말하였더니 이것이 모스크바 정부에 보고되어, 그 명령으로 각 철도 정거장에는 재러 한인 동포들이 태극기를 두르고 크게 환영하였다. 모스크바에 도착하여서는 소련 최고 수령 레닌이 친히 한형권을 만났다. 레닌이 독립운동 자금은 얼마나 필요하냐 하고 묻는 말에 한은 입에서 나오는 대로 이백만 루블이라고 대답한즉 레닌이 웃으며,

"일본을 대항하는데 이백만 루블로 족하겠는가?"

하고 반문하므로 한은 너무 적게 부른 것을 후회하면서, 본국과 미국에 있는 동포들이 자금을 마련하니 당장은 그만큼이면 된다고 변명하였다. 레닌은,

"제 민족의 일은 제가 하는 것이 당연하다."

하고 곧 외교부에 명하여 이백만 루블을 한국 임시정부에 지불하게 하니 한형권은 그 중에서 제 1차로 40만 루블을 가지고 모스크바를 떠났다.

이동휘는 한형권이 돈을 가지고 떠났다는 기별을 받자 국무원에는 알리지 아니하고 또 몰래 비서장이요, 자기의 심복인 김립을 시베리아로 마중 보내어 그 돈을 임시정부에 내놓지 않고 직접 자기 손에 받으려 하였으나, 김립은 또 제 속이 따로 있어서 그 돈으로 우선 자기 가족을 위하여 북간도에 토지를 마련하고, 상해에 돌아와서도 비밀히 숨어서 광동 여자를 첩으로 들이고 호화롭게 향락 생활을 시작하였다. 임시정부에서는 이동휘에게 그 죄를 물으니 그는 국무총리를 사임하고 러시아로 도망하여버렸다.

한형권은 다시 모스크바로 가서 통일 운동의 자금이라 칭하고 20만 루블을 더 얻어 가지고 몰래 상해에 들어와 공산당 무리들에게 돈을 뿌려서 소위 국민대표회의라는 것을 소집하였다. 그러나 공산당도 하나가 못 되고 세 파로 갈렸으니, 하나는 이동휘를 수령으로 하는 상해파요, 다음은 안병찬, 여운형을 두목으로 하는 일쿠츠코파요, 그리고 셋째는 일본에 유학하는 학생으로 조직되어 일인 복본화부(福本和夫: 후쿠모토 가즈오. 일본의 마르크스주의 사상가)의 지도를 받는 김준연 등의 엠엘(ML)당파였다. 엠엘당은 상해에서는 미미하였으나 만주에서는 가장 맹렬히 활동하였다.

있을 것은 다 있어서 공산당 외에 무정부당까지 생겼으니 이을규, 이정규 두 형제와 유자명 등은 상해, 천진 등지에서 활동하던 아나키스트의 맹장들이었다.

한형권의 붉은 돈 20만 원으로 상해에 개최된 국민대회라는 것은 참말로 잡동사니회라는 것이 옳을 것이었다. 일본, 조선, 중국, 아령 각처에서 무슨 단체 대표, 무슨 단체 대표하는 형형색색의 명칭으로 200여 대표가 모여들었는데, 그 중에서 일쿠츠코파, 상해파 두 공산당이 민족주의자인 다른 대표들을 서로 경쟁적으로 끌고 쫓고 하여 일쿠츠코파는 창조론, 상해파는 개조론을 주장하였다. 창조론이란 것은 지금 있는 정부를 해소하고 새로 정부를 조직하자는 것이요, 개조론이라는 것은 현재의 정부를 그냥 두고 개조만 하자는 것이었다. 이 두파는 암만 싸워도 귀일이 못되어서 소위 국민대표회의는 필경 분열되고 말았고, 이에 창조파에서는 제 주장대로 '한국정부'라는 것을 '창조'하여 본래 정부의 외무총장인 김규식이 그 수반이 되어서 이 '한국정부'를 끌고 해삼위로 가서 러시아에 출품하였으나, 모스크바가 돌아보지도 아니하므로 계불입량(計不入量)하여 흐지부지 쓰러지고 말았다.

이 공산당 두 파의 싸움 통에 순진한 독립운동자들까지도 창조니 개조니 하는 공산당 양파의 언어모략에 현혹하여 시국이 요란하므로 당시 내무총장이던 나는 국민대표회의에 대하여 해산을 명하였다. 이것으로 붉은 돈이 일으킨 한 막의 희비극이 끝을 맺고 시국은 안정되었다.

이와 전후하여 임시정부 공금 횡령범 김립은 오면직, 노종균 두 청년에게 총살을 당하니 인심이 쾌하다 하였다.

임시정부에서는 한형권의 러시아에 대한 대표권을 파면하고 안공근을 대신 보내었으나 효과가 없어서 임시정부와 러시아와의 외교 관계는 이내 끊어지고 말았다.

상해에 남아있는 공산당원들은 국민대표회의가 실패한 뒤에도 좌우 통일이라는 미명으로 민족운동자들을 달래어 지금까지 하여오던 민족적 독립운동을 공산주의 운동으로 방향을 전환하자고 떠들었다. 재중국 청년동맹, 주중국 청년동맹이라는 두 파 공산당의 별동대도 상해에 있는 우리 청년들을 쟁탈하면서 같은 소리를 하였다. 민족주의자가 통일하여서 공산혁명 운동을 하자는 것이었다.

그런데 또 한 희극이 생겼다. '식민지에는 사회운동보다 민족 독립운동을 먼저 하여라'하는 레닌의 새로운 지령이었다. 이에 어제까지 민족 독립운동을 비난하고 조소하던 공산당원들은 경각간에 민족 독립운동자로 돌변하여 민족 독립이 그들의 당시라고 부르짖었다. 공산당이 이렇게 되면 민족주의자도 그들을 배척할 이유가 없어졌으므로 유일독립당 촉성회라는 것을 만들었다.

그러나 공산주의자들은 입으로 하는 말만 고쳤을 뿐이요, 속은 그대로 있어서 민족운동이란 미명 하에 민족주의자들을 끌어넣고는 그들의 소위 헤게모니로 이를 옭아매려는 것이었다. 그러나 이제는 민족주의자들도 그들의 모략이나 전술을 다 알아서 그들의 손에 쥐어지지 아니하므로 자기네가 설도하여 만들어 놓은 유일독립 촉성회를 자기네 음모로 깨뜨려버리고 말았다.

그러고 생긴 것이 한국독립당이니, 이것은 순전한 민족주의자의 단체여서 이동녕, 안창호, 조완구, 이유필, 차이석, 김봉준, 송병조 및 내가 수뇌가 되어 조직한 것이었다. 이로부터 민족운동자와 공산주의자가 딴 조직을 가지게 되었다. 이렇게 민족주의자가 단결하게 되매 공산주의자들은 상해에서 할 일을 잃고 남북 만주로 달아났다. 거기는 아직 동포들의 민족주의적 단결이 분산, 박약하고 또 공산주의의 정체에 대한 인식이 없었으므로, 그들은 상해에서보다 더 맹렬하게 날뛸 수가 있었다. 예하면 이상룡의 자손은 공산주의에 충실한 나머지 살부회(아비 죽이는 회)까지 조직하였다. 그러나 제 아비를 제 손으로 죽이지 않고 회원끼리 서로 아비를 바꾸어 죽이는 것이라 하니 아직도 사람의 마음이 조금은 남은 것이었다.

이 붉은 무리는 만주의 독립운동단체인 정의부, 신민부, 참의부, 남군정서, 북군정서 등에 스며들어가 능란한 모략으로 내부로부터 분해시키고 상극을 시켜 이 모든 기관을 붕괴하게 하고, 혹은 서로 싸워서 여지없이 파괴하여 버리고 동포끼리 많은 피를 흘리게 하니, 백광운, 김좌진, 김규식(나중에 박사라고 된 김규식은 아니다) 등 우리 운동에 없어서는 안 될 큰 일꾼들이 이 통에 아까운 희생이 되고 말았다.

국제 정세의 우리에 대한 냉담, 일본의 압박 등으로 민족의 독립 사상이 날로 감쇄하던 중에 공산주의자의 교란으로 민족전선은 분열에서 혼란으로, 혼란에서 궤멸으로 굴러떨어져 갈 뿐이었는데, 엎친 데 덮친 격으로 만주의 주인이라 할 장작림이 일본의 꾀에 넘어가서 그의 치하에 있는 독립운동자를 닥치는 대로 잡아 일본에 넘기고, 심지어는 중국 백성들이 한인의 머리를 베어 가지고 가서 왜 영사관에서 1개에 많으면 10원, 적으면 3, 4원의 상금을 받게 되고, 나중에는 우리 동포 중에도 독립군의 소재를 밀고하는 일까지 생겼으니, 여기는 독립운동자들이 통일이 없어 셋, 다섯으로 갈라져서 재물, 기타로 동포에게 귀찮음을 준 책임도 없지 아니하다. 이리하던 끝에 왜가 만주를 점령하여, 소위 만주국이란 것을 만드니 우리 운동의 최대 근거지라 할 만주에 있어서의 우리 운동은 거의 불가능하게 되어버렸다.

애초에 만주에 있던 독립운동 단체는 다 임시정부를 추대하였으나 차차로 군웅할거의 폐풍이 생겨, 정의부와 신민부가 우선 임시정부의 절제를 안 받게 되었다. 그러나 참의부만은 끝까지 임시정부에 대한 의리를 지키더니 이 셋이 합하여 새로 정의부가 된 뒤에는 아주 임시정부와는 관계를 끊고 자기들끼리도 사분오열하여 서로 제 살을 깎고 있다가 마침내 공산당으로 하여 제 목숨을 끊는 비극을 연출하고 막을 내리고 말았으니 진실로 슬픈 일이다.

상해의 정세도 소위 양패구상으로 둘이 싸워 둘이 다 망한 셈이 되었고 한국독립당 하나로 겨우 민족진영의 껍데기를 유지할 뿐이었다.

임시정부에는 사람도 돈도 들어오지 아니하여 대통령 이승만이 물러나고 박은식이 대신 대통령이 되었으나 대통령제를 국무령제로 고쳐 놓았을 뿐으로 나가고, 제 1대 국무령으로 뽑힌 이상룡은 서간도로부터 상해로 취임하러 왔으나, 각원을 고르다가 지원자가 없어 도로 서간도로 물러가고, 다음에 홍면희(나중에 홍진)가 선거되어 진강으로부터 상해에 와서 취임하였으나 역시 내각조직에 실패하였다. 이리하여 임시정부는 한참 동안 무정부 상태에 빠져서 의정원에서 큰 문제가 되었다.

하루는 의정원 의장 이동녕 선생이 나를 찾아와서 내가 국무령이 되기를 권하였으나 나는 두 가지 이유로 사양하였다. 첫째 이유는 나는 해주 서촌의 일개 김 존위(경기도 지방의 영좌에 상당한 것)의 아들이니 우리 정부가 아무리 아직 초창 시대의 추형(雛形: 축소판 형태)에 불과하다 하더라도 나같이 미천한 사람이 일국의 원수가 된다는 것은 국가와 민족의 위신에 큰 관계가 있다는 것이요, 둘째로 말하면 이상룡, 홍면희 두 사람도 사람을 못 얻어서 내각 조직에 실패하였거늘 나 같은 사람에게 더욱 응할 인물이 없을 것이란 것이었다. 그런즉 이 씨 말이 첫째는 이유가 안 되는 것이니 말할 것도 없고, 둘째로 말하면 나만 나서면 따라 나설 사람이 있다고 강권하므로 나는 승낙하였다. 이에 의정원의 정식 절차를 밟아서 내가 국무령으로 취임하였다.

나는 윤기섭, 오영선, 김갑, 김철, 이규홍 등으로 내각을 조직하고 현재의 제도로는 내각을 조직하기가 번번이 곤란할 것을 통절히 깨달았으므로, 한 사람에게 책임을 지우는 국무령제를 폐지하고 국무위원제로 개정하여 의정원의 동의를 얻었다. 그래서 나는 국무위원의 주석이 될 뿐이요, 모든 국무위원은 권리에나 책임에나 평등이었다. 그리고 주석은 위원들이 번차례로 할 수 있으므로 매우 편리하여 종래의 모든 분리를 일소할 수가 있었다.

이렇게 하여 정부는 자리가 잡혔으나 경제 곤란으로 정부의 이름을 유지할 길이 망연하였다. 정부의 집세가 30원, 심부름꾼 월급이 20원 미만이었으나, 이것도 낼 힘이 없어서 집주인에게 여러 번 송사를 겪었다.

다른 위원들은 거의 다 가권이 있었으나 나는 아이들 둘도 다 본국 어머니께로 돌려보낸 뒤라 홀몸이었다. 그래서 나는 임시정부 정청에서 자고 돈

벌이 직업을 가진 동포의 집으로 이집 저집 돌아다니면서 얻어먹었다. 동포의 직업이라 하면 전차 회사의 차표 검사원인 인스펙터가 제일 많은 직업이어서 70명 가량 되었다. 나는 이들의 집으로 다니며 아침과 저녁을 빌어먹는 것이니 거지 중에는 상거지였다. 다들 내 처지를 잘 알므로 누구나 내게 미운 밥은 아니 주었다고 믿는다. 특히 조봉길, 이춘태, 나우, 진희창, 김의한 같은 이들은 절친한 동지들이니 더 말할 것이 없고, 다른 동포들도 내게 진정으로 동정하였다.

엄항섭 군은 프랑스 공무국에서 받은 월급으로 석오(이동녕의 당호)나 나 같은 궁한 운동자를 먹여살렸다.

그의 전실 임씨는 내가 그 집에 갔다가 나올 때면 대문 밖에 따라나와서 은전 한두 푼을 내 손에 쥐어주며,

"아기 사탕이나 사주셔요."

하였다. 아기라 함은 내 둘째 아들 신을 가리킨 것이었다. 그는 초산에 딸 하나를 낳고 가엾이 세상을 떠나서 노가만 공동묘지에 묻혔다. 나는 그 무덤을 볼 때마다 만일 엄 군에게 그러할 힘이 아니 생기면 나라도 묘비 하나는 해 세우리라 하였으나 숨어서 상해를 떠나는 몸이라 그것을 못한 것이 유감이다. 오늘날도 노가만 공동묘지 임씨의 무덤이 눈에 암암하다. 그는 그 남편이 존경하는 늙은이라 하여 내게 그렇게 끔찍하게 해주었다.

나는 애초에 임시정부의 문 파수를 지원하였던 것이 경무국장으로, 노동국 총판으로, 내무총장으로, 국무령으로, 오를 대로 다 올라서 다시 국무위원이 되고 주석이 되었다. 이것은 문 파수의 자격이던 내가 진보한 것이 아니라, 사람이 없어진 때문이었다. 비기건대 이름났던 대가가 몰락하여 거지의 소굴이 된 것과 마찬가지였다. 일찍 이승만이 대통령으로 사무할 때에는 중국인은 물론이요, 눈 푸르고 코 높은 영, 미, 법 등 외국인도 정청에 찾아오는 일이 있었으나 지금은 서양 사람이라고는 프랑스 순포가 왜 경관을 대동하고 사람을 잡으러 오거나 밀린 집세 채근을 오는 것밖에는 없었다. 그리고 한창 적에는 1000여 명이나 되던 독립운동자가 이제는 수십 명도 못 되는 형편이었다.

왜 이렇게 독립운동자가 줄었는가. 첫째로는 임시정부의 군무차장 김희선, 독립신문 사장 이광수, 의정원 부의장 정인과 같은 무리는 왜에게 항복

하고 본국으로 들어가고, 둘째로는 국내 각 도, 군, 면에 조직하였던 연통제가 발각되어 많은 동지가 왜에게 잡혀갔고, 셋째로는 생활난으로 하여 각각 흩어져 밥벌이를 하게 된 때문이었다.

이러한 상태에 있어서 인시정부의 할 일이 무엇인가?

첫째로 돈이 있어야 할 터인데 돈이 어디서 나오나?

본국과 만주와는 이미 연락이 끊겼으니 미주와 하와이에 있는 동포에게 임시정부의 곤란한 사정을 말하여 그 지지를 구할 수밖에 없었다. 그래서 시작한 것이 내 편지 정책이었다. 나는 미주와 하와이 동포들의 열렬한 애국심을 믿었다. 그것은 서재필, 이승만, 안창호, 박용만 등의 훈도를 받은 까닭이었다.

나는 영문에는 문맹이므로 편지 겉봉도 쓸 줄 몰랐으므로 엄항섭, 안공근 등에게 의뢰하여서 쓰게 하였다.

이 편지 정책의 효과를 기다리기는 벅찼다. 그때에는 아직 항공 우편이 없었으므로 상해, 미국 간에 한 번 편지를 부치고 답장을 받으려면 두 달이나 걸렸기 때문이다. 그러나 기다린 보람은 있어서 차차 동정하는 회답이 왔고, 시카고에 있는 김경은 그곳 공동회에서 모은 것이라 하여 집세나 하라고 미화 200불을 보내왔다. 당시 임시정부의 형편으로는 이것이 결코 적은 돈이 아니었다. 동포들의 정성이 고마웠다. 김경은 나와는 일면식도 없는 사람이었다.

하와이에서도 안창호, 가와이, 현순, 김상호, 이홍기, 임성우, 박종수, 문인화, 조병요, 김현구, 황인환, 김윤배, 박신애, 심영신 등 제씨가 임시정부를 위하여 정성을 쓰기 시작하고, 미주에서는 국민회에서 점차로 정부에 대한 향심이 생겨서 김호, 이종소, 홍언, 한시대, 송종익, 최진하, 송헌주, 백일규 등 제씨가 일어나 정부를 지지하고, 멕시코에서는 김기창, 이종오, 쿠바에서는 임천택, 박창운 등 제씨가 임시정부를 후원하고, 동지회 방면에서는 이승만 박사를 위시하여 이원순, 손덕인, 안현경 제씨가 임시정부를 유지하는 운동에 참가하였다.

그리고 하와이에 있는 안창호(도산 아님), 임성우 양 씨는 내가 민족에 생색날 일을 한다면 돈을 주선하마! 하였다.

하루는 어떤 청년 동지 한 사람이 거류민단으로 나를 찾아왔다. 그는 이봉창이라 하였다. (나는 그때에 상해 거류민단도 겸임하였다) 그는 말하기를 자기는 일본서 노동을 하고 있었는데 독립운동에 참예하고 싶어서 왔으니, 자기와 같은 노동자도 노동을 하면서 독립운동을 할 수 있는가 하였다. 그는 우리말과 일본말을 섞어 쓰고, 임시정부를 가정부라고 왜식으로 부르므로 나는 특별히 조사할 필요가 있다고 생각하고 민단 사무원을 시켜 여관을 잡아주라 하고 그 청년더러는 이미 날이 저물었으니 내일 또 만나자 하였다.

며칠 후였다. 하루는 내가 민단 사무실에 있노라니 부엌에서 술 먹고 떠드는 소리가 들리는데 그 청년이 이런 소리를 하였다.

"당신네들은 독립운동을 한다면서 왜 일본 천황을 안 죽이오?"

이 말에 어떤 민단 사무원이,

"일개 문관이나 무관 하나도 죽이기가 어려운데 천황을 어떻게 죽이오?"

한즉, 그 청년은,

"내가 작년에 천황이 능행을 하는 것을 길가에 엎드려서 보았는데, 그 때에 나는 지금 내 손에 폭발탄 한 개만 있었으면 천황을 죽이겠다고 생각하였소."

하였다.

나는 그날 밤에 이봉창을 그 여관으로 찾았다. 그는 상해에 온 뜻을 이렇게 말하였다.

"제 나이가 이제 서른한 살입니다. 앞으로 서른한 해를 더 산다 하더라도 지금까지보다 더 나은 재미는 없을 것입니다. 늙겠으니까요. 인생의 목적이 쾌락이라면 지난 31년 동안에 인생의 쾌락이란 것은 대강 맛을 보았습니다. 이제부터는 영원한 쾌락을 위해서 독립사업에 몸을 바칠 목적으로 상해에 왔습니다."

이 씨의 이 말에 내 눈에는 눈물이 찼다.

이봉창 선생은 공경하는 태도로 내게 국사에 헌신할 길을 지도하기를 청하였다. 나는 그러마! 하고 쾌락하고 1년 이내에는 그가 할 일을 준비할 터이나 지금 임시정부의 사정으로는 그의 생활비를 댈 길이 없으니 그 동안은 어떻게 하려는 가고 물었더니, 그는 자기가 철공으로 배운 재주가 있고 또 일어를 잘하여 일본서도 일본 사람으로 행세하였고, 또 일본 사람의 양자로 들어가 목하창장(木下昌藏)이라 하여 상해에 오는 배에서도 그 이름을 썼으니, 자기는 공장에서 생활비를 벌면서 일본 사람 행세를 하며 언제까지나 나의 지도가 있기를 기다리노라고 하였다.

이리하여 나는 그에게 나하고는 빈번한 교제를 하지 말고 한 달에 한 번씩 밤에 나를 찾아와 만나자고 주의시킨 후에 일인이 많이 사는 홍구로 떠나보냈다.

수일 후에 그가 내게 와서 월급 80원에 일본인의 공장에 취직하였노라 하였다.

그 후부터는 그는 종종 술과 고기와 국수를 사가지고 민단 사무소에 와서 민단 직원들과 놀고, 술이 취하면 일본 소리를 잘 하므로 '일본영감'이라는 별명을 얻었다.

어느 날은 하오리에 왜 나막신을 신고 정부 문을 들어서다가 중국인 하인에게 쫓겨난 일도 있었다. 그래서 나는 이동녕 선생과 기타 국무원들에게 한인인지 일인인지 판단키 어려운 인물을 정부 문내에 출입시킨다는 책망을 받았고, 그때마다 조사하는 일이 있어서 그런다고 변명하였으나 동지들은 매우 불쾌하게 여기는 모양이었다.

이럭저럭 이 씨와 약속한 1년이 거의 다 가서야 미국에서 부탁한 돈이 왔다. 이제는 폭탄도 돈도 다 준비가 되었다. 폭탄 1개는 왕웅을 시켜 상해 병공창에서, 1개는 김현을 하남성 유치(劉峙)에게 보내어 얻어온 것이니 모두 수류탄이었다. 이 중에 1개는 일본 천황에게 쓸 것이요, 1개는 이 씨 자살용이다.

나는 거지 복색을 입고 돈을 몸에 지니고 거지 생활을 계속하니 아무도 내 품에 1000여원의 큰돈이 든 줄을 아는 이가 없었다. 12월 중순 어느 날, 나는 이봉창 선생을 비밀리에 법조계 중흥여사로 청하여 하룻밤을 같이 자며 이 선생이 일본에 갈 일에 대하여 여러 가지 의논을 하였다. 만일 자살이 실패되어 왜 관원에게 심문을 받게 되거든 이 선생이 대답할 문구까지 일러주었다. 그 밤을 같이 자고 이튿날 아침에 나는 내 헌옷 주머니 속에서 돈뭉치를 내어 이봉창 선생에게 주며 일본 갈 준비를 다 하여 다시 오라 하고 서로 작별하였다.

이틀 후에 그가 찾아왔기로 중흥여사에서 마지막 한 밤을 둘이 함께 잤다. 그때에 이 씨는 이런 말을 하였다.

"일전에 선생님이 내게 돈뭉치를 주실 때에 나는 눈물이 났습니다. 나를 어떤 놈으로 믿으시고 이렇게 큰 돈을 내주시나 하고. 내가 이 돈을 떼어먹기로, 법조계 밖에는 한 걸음도 못 나오시는 선생님이 나를 어찌 할 수 있습니까. 나는 평생에 이처럼 신임을 받아본 일이 없습니다. 이것이 처음이요, 또 마지막입니다. 과시 선생님이 하시는 일은 영웅의 도량이라고 생각하였습니다."

그 길로 나는 그를 안공근의 집을 데리고 가서 선서식을 행하고 폭탄 2개를 다시 주고 다시 그에게 돈 300원을 주며 이 돈을 더 보내마고 말하였다. 그리고 기념사진을 찍을 때에 내 낯에는 처연한 빛이 있던 모양이어서 이 씨가 나를 돌아보고,

"제가 영원한 쾌락을 얻으러 가는 길이니 우리 기쁜 낯으로 사진을 찍읍시다."

하고 얼굴에 빙그레 웃음을 띄웠다. 나도 그를 따라 웃으면서 사진을 찍었다.

자동차에 올라앉은 그는 나를 향하여 깊이 허리를 굽히고 홍구를 향하여 가버렸다.

10여 일 후에 그는 동경에서 전보를 보내었는데, 물품은 1월 8일에 방매하겠다고 하였다. 나는 곧 200원을 전보환으로 부쳤더니, 편지로 미친놈처럼 돈을 다 쓰고 여관비, 밥값이 밀렸던 차에 2백 원 돈을 받아 주인의 빚을 청산하고도 돈이 남았다고 하였다.

당시 정세로 말하면 우리 민족의 독립사상을 떨치기로 보나, 또 만보산사건, 만주사변 같은 것으로 우리 한인에 대하여 심히 악화된 중국인의 악감을 풀기로 보거나 무슨 새로운 국면을 타개할 필요가 있었다. 그래서 우리 임시정부에서 회의한 결과 한인애국단을 조직하여 암살과 파괴공작을 하되, 돈이나 사람이나 내가 전담하여 하고 다만 그 결과를 정부에 보고하라는 전권을 위임받았다. 1월 8일이 임박하므로 나는 국무위원에 한하여 그동안의 경과를 보고하여 두었었다. 기다리던 1월 8일, 중국 신문에, '한인이봉창저격일황부중(韓人李奉昌狙擊日皇不中: 한인 이봉창이 일본 천황을 저격하였으나 명중하지 못했다)'

이라고 하는 동경 전보가 게재되었다. 이봉창이 일황을 저격하였다는 것

은 좋으나 맞지 아니하였다는 것은 극히 불쾌하였다. 그러나 여러 동지들은 나를 위로하였다. 일본 천황이 그 자리에서 죽은 것만은 못하나, 우리 한인이 정신상으로는 그를 죽인 것이요, 또 세계만방에 우리 민족이 일본에 동화되지 않았다는 것을 웅변으로 증명하는 것이니 이번 일은 성공으로 볼 것이라 하는 것이었다. 그리고 내 동지들은 내 신변을 주의할 것을 부탁하였다.

아니나 다를까, 이튿날 조조(早朝)에 프랑스 공무국으로부터 비밀리 통지가 왔다. 과거 10년간 프랑스 관헌이 김구를 보호하였으나, 이번 김구의 부하가 일황에게 폭탄을 던진 데 대하여서는 일본의 김구 체포 인도 요구를 거절할 수가 없다는 것이었다.

중국 국민당 기관지, 청도의 〈국민일보〉는 특호 활자로,

'한인이봉창저격일황불행부중(韓人李奉昌狙擊日皇不幸不中: 한인 이봉창이 일본 천황을 저격하였으나 불행히 맞지 않음)'

이라고 썼다 하여 당지 주둔 일본 군대와 경찰이 그 신문사를 습격하여 파괴하였고, 그 밖에 장사 등 여러 신문에서도 '불행부중'이라고 문구를 썼다 하여 일본이 중국 정부에 엄중한 항의를 한 결과로 '불행'자를 쓴 신문사는 모두 폐쇄를 당하고 말았다.

그러다 상해에서 일본인 중 하나가 중국인에게 맞아 죽었다는 것을 빌미로 하여 일본은 1.28 상해사변을 일으켰으니, 기실은 이봉창 의사의 일황 저격과 이에 대한 중국인의 '불행부중'이라고 말한 감정이 이 전쟁의 주요 원인인 것이었다.

나는 동지들의 권고에 의하여 낮에는 일체 활동을 쉬고, 밤에는 동지의 집이나 창기의 집에서 자고, 밥은 동포의 집으로 돌아다니면서 얻어먹었다. 동포들은 정성껏 나를 대접하였다.

19로군의 채정해와 중앙군 제 5군장 장치중의 참전으로 일본군에 대한 상해 싸움은 가장 격렬하게 되어서, 법조계 안에도 후방 병원이 설치되어 중국측 전사병의 시체와 전상병을 가득가득 실은 트럭이 피를 흘리며 왕래하는 것을 보고, 나는 언제 우리도 왜와 싸워 본국 강산을 피로 물들일 날이 올까 하고 눈물이 흘러 통행인들이 수상히 볼 것이 두려워 고개를 숙이고 피해버렸다.

동경사건이 전하자 미주와 하와이 동포들로부터 많은 편지가 오고, 그

중에는 이번 중일전쟁에 우리도 한몫 끼어 중국을 도와서 일본과 싸우는 일을 하라고 하는 이도 있고, 적당한 사업을 한다면 거기 필요한 돈을 마련하마 하는 이도 있었다. 그러나 이번 중일전쟁에 한몫 끼이기는 임갈굴정(臨渴掘井: 목이 말라야 우물을 판다는 뜻으로, 평소에 준비 없이 있다가 일을 당하고 나서야 허둥지둥 서두름을 이르는 말)이라, 준비도 없이 무엇을 하랴. 나는 한인 중에 일본군 중에 노동자로 출입하는 사람들을 이용하여 그 비행기 격납고와 군수품 창고에 연소탄을 설치하여 이것을 태워버릴 계획을 진행하고 있었으나, 송호협정으로 중국이 일본에 굴복하여 상해전쟁이 끝을 맺으니 내 계획은 수포로 돌아가고 말았다. 송호협정의 중국측 전권은 곽태기였다.

이에 나는 암살과 파괴 계획을 계속하여 실시하려고 인물을 물색하였다. 내가 믿던 제자요 동지인 나석주는 벌써 연전에 서울 동양척식주식회사에 침입하여 7명의 일인을 쏘아 죽이고 자살하였고, 이승춘은 천진에서 붙들려 사형을 당하였으니, 이제는 그들을 생각하여도 하릴없었다.

새로 얻은 동지 이덕주, 유진식은 왜 총독의 암살을 명하여 먼저 본국으로 보냈고, 유상군, 최흥식 등은 왜의 관동군 사령관 본장번(本庄繁: 혼조 시게루)의 암살을 명하여 만주로 보내려고 할 즈음에, 윤봉길이 나를 찾아왔다. 윤 군은 동포 박진이 경영하는 말총으로 모자나 기타 일용품을 만드는 공장에서 일하다가 근래에는 홍구 소채장에서 소채장수를 하던 사람이다.

윤봉길 군은 자기가 애초에 상해에 온 것이 무슨 큰일을 하려 함이었고, 소채를 지고 홍구 방면으로 돌아다닌 것도 무슨 기회를 기다렸던 것인데, 이제는 중일간의 전쟁도 끝이 났으니 아무리 보아도 죽을 자리를 구하기가 어렵다고 한탄한 뒤에, 내게 동경사건과 같은 계획이 있거든 자기를 써달라는 것이었다.

나는 그에게 나라를 위하여 목숨을 버리려는 큰 뜻이 있는 것을 보고 기꺼이 이렇게 대답하였다.

"내가 마침 그대와 같은 인물을 구하던 중이니 안심하시오."

그리고 나는 왜놈들이 이번 상해 싸움에 이긴 것으로 자못 의기양양하여 오는 4월 29일에 홍구 공원에서 그놈들의 소위 천장절 축하식을 성대히 거행한다 하니 이 때에 한번 큰 목적을 달해봄이 어떠냐 하고 그 일의 계획을

말하였다. 내 말을 들더니 윤 군은,

"할랍니다. 이제부텀은 마음이 편안합니다. 준비해주십시오."

하고 쾌히 응낙하였다.

그 후, 왜의 신문인 상해 일일신문에 천장절 축하식에 참예하는 사람은 점심 도시락과 물통 하나와 일장기 하나를 휴대하라는 포고가 났다. 이 신문을 보고 나는 곧 서문로 왕웅(본명은 김홍일)을 방문하여 상해 병공창장 송식마에게 교섭하여 일인이 메는 물통과 벤또 그릇에 폭탄 장치를 하여 사흘 안에 보내주기를 부탁케 하였더니 왕웅이 다녀와서 말하기를, 내가 친히 병공창으로 오라고 한다 하므로 가보니 기사 왕백수의 지도 밑에 물통과 벤또 그릇으로 만든 두 가지 폭탄의 성능을 시험하여 보여주었다. 시험 방법은 마당에 토굴을 파서 그 속의 사면을 철판으로 싸고 폭탄을 그 속에 넣고 뇌관에 긴 줄을 달아서 사람 하나가 수십 보 밖에 엎드려서 그 줄을 당기니 토굴 안에서 벼락소리가 나며 깨어진 철판 조각이 공중으로 날아오르는 것이 아주 장관이었다. 뇌관을 이 모양으로 20개나 실험하여서 한 번도 실패가 없는 것을 보고야 실물에 장치한다고 하는데, 이렇게까지 이 병공창에서 정성을 들이는 까닭은 동경사건에 쓴 폭탄이 성능이 부족하였던 것을 유감으로 생각하는 때문이라고 왕 기사는 말하였다. 그래서 20여개 폭탄을 이 모양으로 무료로 만들어 준다는 것이었다.

이튿날 물통 폭탄과 벤또 폭탄을 병공창 자동차로 서문로 왕웅 군의 집까지 실어다 주었다. 이런 금물은 우리가 운반하기에는 어렵다고 생각한 친절에서였다. 나는 내가 입고 있던 중국 거지 복색을 벗어버리고 넝마전에 가서 양복 한 벌을 사 입어 엄연한 신사가 되어가지고 하나씩 둘씩 이 폭탄을 날라다가, 법조계 안에 사는 친한 동포의 집에 주인에게도 그것이 무엇이라고는 알리지 아니하고, 다만 귀중한 약이니 불조심만 하라고 이르고 까마귀 떡 감추듯 이집 저집에 감추었다.

나는 오랜 상해 생활에 동포들과 다 친하게 되어 어느 집에를 가나 내외가 없었다. 더구나 동경사건 이래로 그러하여서 부인네들도 나와 허물없이 되어,

"선생님, 아이 좀 보아 주세요."

하고 우는 젖먹이를 내게 안겨 놓고 제 일들을 하였다. 내게 오면 울던

아이도 울음을 그치고 잘 논다는 소문이 났다.

4월 29일이 점점 박두하여 왔다. 윤봉길 군은 말쑥하게 일본식 양복을 사 입혀서 날마다 홍구공원에 가서 식장 설비하는 것을 살펴서 그 당일에 자기가 행사할 적당한 위치를 고르게 하고, 일변 백천 대장(白川 義則: 시라카와 요시노리)의 사진이며 일본 국기 같은 것도 마련하게 하였다.

하루는 윤 군이 홍구에 갔다가 와서,

"오늘 백천이 놈도 식장 설비하는 데 왔겠지요. 바로 내 곁에 선단 말야요. 내게 폭탄만 있었다면 그 때에 해 버리는 겐데."

하고 아까워하였다. 나는 정색하고 윤군을 책하였다.

"그것이 무슨 말이요? 포수가 사냥을 하는 법이 앉은 새와 자는 짐승은 아니 쏜다는 것이오. 날려 놓고 쏘고 달려 놓고 쏘는 것이야. 윤 군이 그런 소리를 하는 것을 보니 내일 일에 자신이 없나 보구려."

윤 군은 내 말에 무료(無聊: 부끄럽고 열없음)한 듯이,

"아니오. 그놈이 내 곁에 있는 것을 보니 불현듯 그런 생각이 나더란 말입니다. 내일 일에 왜 자신이 없어요. 있지요."

하고 변명하였다.

나는 웃는 낯으로,

"나도 윤 군의 성공을 확신하오. 처음 이 계획을 말할 때에 윤 군이 마음이 편안해진다고 하지 않았소? 그것이 성공할 증거라고 나는 믿고 있소. 마음이 움직여서는 안 되오. 가슴이 울렁거리는 것이 마음이 움직이는 게요."

하고 내가 치하포에서 토전양량을 타살하려 할 때에 가슴이 울렁거리던 것과, 고능선 선생에게 들은 '득수반지무족기 현애철수장부아'라는 글귀를 생각하매 마음이 고요하게 되었다는 것을 말하니 윤 군은 마음에 새기는 모양이었다.

윤 군을 여관으로 보내고 나는 폭탄 두 개를 가지고 김해산 군 집으로 가서 김 군 내외에게, 내일 윤봉길 군이 중대한 임무를 띠고 동삼성(만주)으로 떠나니, 고기를 사서 이른 조반을 지어 달라고 부탁하였다.

이튿날은 4월 29일이었다. 나는 김해산 집에서 윤봉길 군과 최후의 식탁을 같이하였다. 밥을 먹으며 가만히 윤 군의 기색을 살펴보니 그 태연자약함이 마치 농부가 일터에 나가려고 넉넉히 밥을 먹는 모양과 같았다.

김해산 군은 윤 군의 침착하고도 용감한 태도를 보고, 조용히 내게 이런 권고를 하였다.

"지금 상해에 민족 체면을 위하여 할 일이 많은데 윤 군 같은 인물을 구태여 다른 데로 보낼 것이 무엇이오?"

"일은 하는 사람에게 맡기는 것이 좋지. 윤 군이 어디서 무슨 소리를 내나 들어봅시다."

나는 김해산 군에게 이렇게 대답하였다.

식사도 끝나고 시계가 일곱 점을 친다. 윤 군은 자기의 시계를 꺼내어 내게 주며,

"이 시계는 어제 선서식 후에 선생님 말씀대로 6원을 주고 산 시계인데 선생님 시계는 2원짜리니 제 것하고 바꿉시다. 제 시계는 앞으로 한 시간밖에는 쓸 데가 없으니까요."

하기로 나도 기념으로 윤 군의 시계를 받고 내 시계를 윤 군에게 주었다.

식장을 향하여 떠나는 윤 군은 자동차에 앉아서 그가 가졌던 돈을 꺼내어 내게 준다.

"왜, 돈은 좀 가지면 어떻소?"

하고 묻는 내 말에, 윤 군은,

"자동차값 하고도 5, 6원은 남아요."

할 즈음에 자동차가 움직였다. 나는 목이 메인 목소리로,

"후일 지하에서 만납시다."

하였더니 윤 군은 차창으로 고개를 내밀어 나를 향하여 숙였다. 자동차는 크게 소리를 지르며 천하 영웅 윤봉길을 싣고 홍구 공원을 향하여 달렸다.

그 길로 나는 조상섭의 상점에 들려 편지 한 장을 써서 점원 김영린을 주어 급히 안창호 선생에게 전하라 하였다. 그 내용은 '오전 10시경부터 댁에 계시지 마시오. 무슨 대사건이 있을 듯합니다.' 하는 것이었다. 그리고 나는 석오 선생께로 가서 지금까지 진행한 일을 보고하고 점심을 먹고 무슨 소식이 있기를 기다리고 있었다.

오후 1시쯤 해서야 중국 사람들의 입으로 홍구 공원에서 누가 폭탄을 던져서 일인이 많이 죽었다고 술렁술렁하기 시작했다. 혹은 중국인이 던진 것이라 하고, 혹은 고려인의 소위라고 하였다. 우리 동포 중에도 어제까지 소

채바구니를 지고 다니던 윤봉길이 오늘에 경천위지할 이 일을 했으리라고 아는 사람은 김구 이외에는 이동녕, 이시영, 조완구 같은 몇 사람이나 짐작하였을 것이다.

이 날 일은 순전히 내가 혼자 한 일이므로, 이동녕 선생에게도 이 날은 처음 자세한 보고를 하고 자세한 소식을 기다리고 있었다. 오후 3시에 비로소 신문 호외로, '홍구 공원 일인의 천장절 경축대상에 대량의 폭탄이 폭발하여 민단장 하단(河端: 카와 바타)은 즉사하고 백천 대장, 중광 대사(重光葵: 시게미쓰 마모루), 야촌 중장(노무라 기치사부로) 등 문무대관이 다수 중상.' 이라는 것이 보도되었다.

그 날 일인의 신문에는 폭탄을 던진 것은 중국인의 소위라고 하더니, 이튿날 신문에야 일치하게 윤봉길의 이름을 크게 박고 법조계에 대수색이 일어났다.

나는 안공근과 엄항섭을 비밀히 불러 이로부터 나를 따라 일을 같이 할 것을 명하고, 미국인 피취(비오생이라고 중국식으로 번역한다) 씨에게 잠시 숨겨주기를 교섭하였더니 피취 씨는 쾌락하고 그 집 2층을 전부 내게 제공하므로 나와 김철, 안공근, 엄항섭 넷이 그 집에 있게 되었다. 피취 씨는 고 피취 목사의 아들이요, 피취 목사는 우리 상해 독립운동의 숨은 은인이었다. 피취 부인은 손수 우리의 식절을 보살폈다.

우리는 피취 댁 전화를 이용하여 누가 잡힌 것 등을 알고 또 잡혀간 동지의 가족의 구제며 피난할 동지의 여비 지급 같은 일을 하고 있었다. 내가 전인하여 편지까지 하였건마는 불행히 안창호 선생이 이유필의 집에 갔다가 잡히고, 그 밖에 장헌근, 김덕근과 몇몇 젊은 학생들이 잡혔을 뿐이요, 독립운동 동지들은 대개 무사함을 알고 다행히 생각하였다. 그러나 수색의 손이 날마다 움직이니 재류동포가 안거할 수가 없고, 또 애매한 동포들이 잡힐 우려가 있으므로 나는 동경사건과 이번 홍구 폭탄 사건의 책임자는 나 김구라는 성명서를 즉시로 발표하려 하였으나, 안공근의 반대로 유예하다가 마침내 엄항섭으로 하여금 이 성명서를 기초케 하고 피취 부인에게 번역을 부탁하여 통신사에 발표하였다. 이리하여 일본 천황에게 폭탄을 던진 이봉창 사건이나, 상해에 백천 대장 이하를 살상한 윤봉길 사건이나 그 주모자는 김구라는 것이 전 세계에 알려진 것이었다.

이 일이 생기자 은주부, 주경란 같은 중국 명사가 내게 특별 면회를 청하고, 남경에 있던 남파 박찬익 형의 활동도 있어 물질로도 원조가 답지하였다. 만주사변, 만보산 사건 등으로 악화하였던 중국인의 우리 한인에 대한 감정은 윤봉길 의사의 희생으로 말미암아 극도로 호전하였다.

왜는 제 1차로 내 몸에 20만원 현상을 하더니 제 2차로 일본 외무성, 조선총독부, 상해 주둔군 사령부의 3부 합작으로 60만원 현상으로 나를 잡으려 하였다. 그러나 전에는 법조계에서 한 발자국도 아니 나가던 나는 자동차로 영조계, 법조계 할 것 없이 막 돌아다녔다. 하루는 전차공사 인스펙터로 다니는 별명 박 대장의 집에 혼인 국수를 먹으러 가는 것이 10여 명의 왜 경관대에게 발견되어 박 대장 집 아궁이까지 수색되었으나, 나는 부엌에서 선 채로 국수를 얻어먹고 나온 뒤여서 아슬아슬하게 면하였다.

남경 정부에서는 내가 신변이 위험하다면 비행기를 보내마고까지 말하여 왔다. 그러나 그들이 나를 데려가려 함은 반드시 무슨 요구가 있을 것인데, 내게는 그들을 만족시킬 아무 도리도 없음을 생각하고 헛되이 남의 나라의 신세를 질 것이 없다 하여 모두 사절하여 버렸다.

이러하는 동안에 20여 일이 지났다. 하루는 피취 부인이 나를 보고 내가 피취 댁에 있는 것을 정탐들이 알고 그들이 넌지시 집을 포위하고 지키고 있다 하므로, 나는 피취 댁에 더 있을 수 없음을 깨닫고 피취 댁 자동차에 피취 부인과 나는 내외인 것처럼 동승하고, 피취 씨가 운전수가 되어 대문을 나서 보니 과연 중국인, 러시아인, 프랑스인 정탐들이 늘어서 있었다. 그 사이로 피취 씨가 차를 빨리 몰아 법조계를 지나 중국 땅에 있는 정거장으로 가서 기차로 가흥 수륜사창에 피신하였다. 이는 박남파가 은주부, 저보성 제씨에게 주선하여 얻어 놓은 곳으로, 이동녕 선생을 비롯하여 엄항섭, 김의한 양군의 가족은 수일 전에 벌써 반이해 와 있었다. 나중에 들은즉 우리가 피취 댁에 숨은 것이 발각된 것은 우리가 그 집 전화를 남용한 데서 단서가 나온 것이라 하였다.

제2장. 기적장강만리풍

나는 이로부터 일시 가흥에 몸을 붙이게 되었다. 성은 부모님을 따라 장이라 하고 이름은 진구, 또는 진이라고 행세하였다.

가흥은 내가 의탁하여 있는 저보성 씨의 고향인데, 저 씨는 일찍이 강소성장을 지낸 이로, 덕망이 높은 신사요, 그 맏아들 봉장은 미국 유학생으로 그곳 동문 밖 민풍지창이라는 종이 공장의 기사장이었다. 저 씨의 집은 가흥 남문 밖에 있는데 구식 집으로 그리 굉장하지는 아니하나 대부의 저택으로 보였다. 저 씨는 그의 수양자인 진동손 군의 정자를 내 숙소로 지정하였는데, 이것은 호숫가에 반양제로 지은 말쑥한 집이었다. 수륜사창이 바라보이고 경치가 좋았다. 저씨 댁에 내 본색을 아는 이는 저 씨 내외와 그 아들 내외와 진동손 내외뿐인데, 가장 곤란한 것은 내가 중국말을 통치 못함이었다. 비록 광동인이라고 행세는 하지마는 이렇게도 말을 모르는 광동인이 어디 있으랴.

가흥에는 산은 없으나 호수와 운하가 낙지발같이 사통팔달하여서 7, 8세 되는 아이들도 배 저을 줄을 알았다. 토지는 극히 비옥하여서 물산이 풍부하고, 인심은 상해와 딴판으로 순후하여 상점에 에누리가 없고 고객이 물건을 잊고 가면 잘 두었다가 주었다.

나는 진씨 내외와 동반하여 남호 연우루와 서문 밖 삼탑 등을 구경하였다. 여기는 명나라 때에 왜구가 침입하여 횡포하던 유적이 있었다. 동문 밖으로 10리쯤 나아가면 한나라 적 주매신의 무덤이 있고, 북문 밖 낙범정은 주매신이 글을 읽다가 나락 멍석을 떠내려 보내고 아내 최 씨에게 소박을 받은 유적이라고 한다. 나중에 주매신이 회계태수가 되어 올 때에 최씨는 엎지른 동이의 물을 주워 담지 못하여 낙범정 밑에서 물에 빠져 죽었다고 한다.

가흥에 우접한지 얼마 아니하여 상해 일본 영사관에 있는 일인 관리 중에서 우리의 손에 매수된 자로부터 호항선(상해, 항주 철도)을 수색하러 가니 조심하라는 기별이 왔다. 가흥 정거장에 사람을 보내어 알아보았더니 과연 변장한 왜 경관이 내려서 여기저기 둘러보고 갔다 하므로 저봉장의 처가인 주 씨 댁 산정으로 가기로 하였다. 주 씨는 저봉장의 재취로, 첫아기를 낳은 지 얼마 아니 되는 젊고 아름다운 부인이었다. 저 씨는 이러한 그 부인을 단독으로 내 동행을 삼아서 기선으로 하룻길 되는 해염현성 주 씨 댁으로 나를 보내었다.

주 씨 댁은 성내에서 가장 큰 집이라 하는데 과연 굉장하였다. 내 숙소인 양옥은 그 집 후원에 있는데, 대문 밖은 돌을 깔아 놓은 길이요, 길 건너는 대소 선박이 내왕하는 호수다. 그리고 대문 안은 정원이요, 한 협문을 들어가면 사무실이 있는데, 여기는 주 씨 댁 총경리가 매일 이 집 살림살이를 맡아 보는 곳이다. 예전에는 4백여 명 식구가 한 식당에 모여서 식사를 했으나 지금은 사농공상의 직업을 따라서 대부분이 각처로 분산하고 남아있는 식구들도 소가족으로 자취를 원하므로 사무실에서 물자만 배급한다고 한다.

집의 생김은 벌의 집과 같아서 세 채나 네 채가 한 가족 차지가 되었는데, 앞에는 큰 객청이 있고, 양옥과 화원이 있고, 또 그 뒤에는 운동장이 있다.

해염에 대화원(大花園) 셋이 있는데 전가 화원이 첫째요, 주가 화원이 둘째라 하기로 전가 화원도 구경하였다. 과연 전 씨 댁이 화원으로는 주씨 것보다 컸으나 집과 설비로는 주 씨 것이 전 씨 것보다 나았다.

해염 주 씨 댁에서 하룻밤을 지내고 이튿날 다시 주 씨 부인과 함께 기차로 노리언까지 가서 거기서부터는 서남으로 산길 5, 6리를 걸어 올라갔다. 저 부인이 굽 높은 구두를 신고 연방 손수건으로 땀을 씻으며 7, 8월 염천에 고개를 걸어 넘는 광경을 영화로 찍어 만대 후손에게 전할 마음이 간절하였다. 부인의 친정 시비 하나가 내가 먹을 것과 기타 일용품을 들고 우리를 따랐다. 국가가 독립이 된다면 저 부인의 정성과 친절을 내 자손이나 우리 동포가 누구든 감사하지 아니하랴. 영화로는 못 찍어도 글로라도 전하려고 이것을 쓰는 바이다.

고개턱에 오르니 주 씨가 지은 한 정자가 있다. 거기서 잠시 쉬고 다시 걸어 수백 보를 내려가니 산 중턱에 소쇄한 양옥 한 채가 있다. 집을 수호하는 비복들이 나와서 공손하게 저 부인을 맞는다.

부인은 시비에게 들려 가지고 온 고기며 과일을 꺼내어 비복들에게 주며 내 식성과 어떻게 요리할 것을 설명하고, 또 나를 안내하여 어디를 가거든 얼마, 어디 어디는 얼마를 받으라고 안내 요금까지 자상하게 분별하여 놓고 당일로 해염 친가로 돌아갔다.

나는 이로부터 매일 산에 오르기로 일을 삼았다. 나는 상해에 온지 14년이 되어 남들이 다 보고 말하는 소주니 항주니 남경이니 하는 데를 구경하기는 고사하고 상해 테두리 밖에 한 걸음을 내어 놓은 일도 없었다. 그러다가 마음대로 산과 물을 즐길 기회를 얻으니 유쾌하기 짝이 없었다.

이 집은 본래 저 부인의 친정 숙부의 여름 별장이러니, 그가 별세하매 이 집 가까이 매장한 뒤로는 이 집은 그 묘소의 묘막과 제각을 겸한 것이라고 한다. 명가가 산장을 지을 만한 곳이라 풍경이 자못 아름다웠다. 산에 오르면 앞으로는 바다요, 좌우는 푸른 솔, 붉은 가을 잎이었다.

하루는 응과정에를 올랐다. 거기는 일좌 승방이 있어, 한 늙은 여승이 나와 맞았다. 그는 말끝마다 나무아미타불을 불렀다.

"원로 잘 오셔 계시오, 아미타불. 내불당으로 들어오시오, 아미타불!"

이 모양이었다. 그를 따라 암자로 들어가니 방방이 얼굴 희고 입술 붉은 젊은 여승이 승복을 맵시 있게 입고 목에는 긴 염주, 손에는 단주를 들고 저두추파(고개를 숙이고 다감한 눈길을 보냄)로 인사를 하였다.

암자 뒤에 바위 하나가 있는데 그 위에 지남침을 놓으면 거꾸로 북을 가리킨다 하기로 내 시계에 달린 윤도를 놓아보니 과연 그러하였다. 아마 자철광 관계인가 하였다.

하루는 해변 어느 진(나루터)에 장구경을 갔다가 경찰의 눈에 걸려서 마침내 내 정체가 이 지방 경찰에 알려지게 되었으므로 안전치 못하다 하여 도로 가흥으로 돌아왔다.

가흥에 와서는 거진 매일 배를 타고 호수에 뜨거나 운하로 오르내리고, 혹은 엄가빈이라는 농촌에 몸을 붙여 있기도 하였다.

이렇게 강남의 농촌을 보니 누에를 쳐서 길쌈을 하는 법이나 벼농사를 짓는 법이나 다 우리나라보다는 발달된 것이 부러웠다. 구미 문명이 들어와서 그런 것 외에 고래의 것도 그러하였다. 나는 생각하였다. 우리 선인들은 한, 당, 송, 원, 명, 청 시대에 끊임없이 사절이 내왕하면서 왜 이 나라의 좋은 것은 못 배워 오고 궂은 것만 들여왔는고. 의관 문물 실준중화(衣冠 文物 實遵中和: 의관과 문물은 모두 중국의 것을 좇는다)라는 것이 이조 오백 년의 당책이라 하건마는 머리 아픈 망건과 기타 망하기 좋은 것뿐이요, 이용후생에 관한 것은 없었다. 그리고 민족의 머리에 틀어박힌 것은 원수의 사대사상뿐이 아니냐. 주자학을 주자 이상으로 발달시킨 결과는 공수위좌(拱手爲座)하여 손가락 하나 안 놀리고 주둥이만 까게 하여서 민족의 원기를 소진하여 버리니 남는 것은 편협한 당파싸움과 의뢰심뿐이다.

오늘날로 보아서 요새 일부 청년들이 제정신을 잃고 러시아로 조국을 삼고 레닌을 국부로 삼아서 이제까지의 민족혁명은 두 번 피 흘릴 운동이니, 대번에 사회주의 혁명을 한다고 떠들던 자들이 레닌의 말 한 마디에 돌연히 민족혁명이야말로 그들의 진면목인 것처럼 들고 나오지 않는가. 주자님의 방구까지 향기롭게 여기던 부류들 모양으로 레닌의 똥까지 달다고 하는 청년들을 보게 되니 한심한 일이다. 나는 반드시 주자를 옳다고도 아니하고 마르크스를 그르다고도 아니한다. 내가 청년 제군에게 바라는 것은 자기를 잃지 말란 말이다. 우리의 역사적 이상, 우리의 민족성, 우리의 환경에 맞는 나라를 생각하라는 것이다. 밤낮 저를 잃고 남만 높여서 남의 발뒤꿈치를 따르는 것으로 장한 체를 말라는 것이다. 제 뇌로, 제 정신으로 생각하란 말이다.

나는 엄가빈에서 다시 사회교 엄항섭 군 집으로, 오룡교(五龍橋) 진동생(陳桐生)의 집으로 옮아 다니며 숙식하고, 낮에는 주애보라는 여자가 사공이 되어 부리는 배를 타고 이 운하, 저 운하로 농촌 구경을 돌아 다니는 것이 나의 일과였다.

가흥 성내에 있는 진명사는 유명한 도주공의 집터라 한다. 그 속에는 축오자(암소 다섯 마리를 기른다)하고 또 양어하던 못이 있고, 절문 밖에는 도주공유지라는 돌비(碑)가 있다.

하루는 길로 돌아다니다가 큰길가 마당에서 군사가 조련하는 것을 사람들이 보고 있기로 나도 그 틈에 끼었더니 군관 하나가 나를 유심히 보며 내 앞으로 와서 누구냐 하기로 나는 언제나 하는 대로 광동인이라고 대답하였다. 이 군관이 정작 광동인인 줄이야 누가 알았으랴. 나는 곧 보안대 본부로 붙들려 갔다. 저씨 댁과 진씨 댁에 조사한 결과로 무사하게는 되었으나 저봉장 군은 내가 피신할 줄을 모른다고 책하고 그의 친우요, 중학교 교원인 과부가 하나 있으니 그와 혼인하여 살면서 행색을 감추라고 권하였다. 나는 그런 유식한 여자와 함께 살면 더욱 내 본색이 탄로되기 쉬우니 차라리 무식한 뱃사공 주애보에게 몸을 의탁하리라 하여 아주 배 속에서 살기로 하였다. 오늘은 남문 밖 호숫가에서 자고 내일은 북문 밖 은하 옆에서 자고 낮에는 육지에 나와 다녔다.

이러는 동안에도 박남파, 엄일파(一派: 엄항섭의 가명), 안신암 세 사람은 줄곧 외교 정보의 수집에 종사하였다. 중국인 친구의 동정과 미주 동포의 후원으로 활동하는 비용에는 곤란이 없었다.

박남파가 중국 국민당 당원인 관계로 당의 조직부장이요, 강소성 주석인 진과부와 면식이 있어, 그의 소개로 장개석 장군이 내게 면회를 청한다는 통지를 받고 나는 안공근, 엄항섭 두 사람을 대동하고 남경으로 갔다. 공패성, 소쟁 등 요인들이 진과부 씨를 대표하여 나를 나와 맞아 중앙반점에 숙소를 정하였다.

이튿날 밤에 중앙군관학교 구내에 있는 장개석 장군의 자택으로 진과부 씨의 자동차를 타고 박남파 군을 통역으로 데리고 갔다. 중국 옷을 입은 장씨는 온화한 낯빛으로 나를 접하여 주었다. 인사가 끝난 뒤에 장 주석은 간명한 어조로,

"동방 각 민족은 손중산 선생의 삼민주의(중국의 쑨원이 제창한 민족, 민권, 민생주의를 이름)에 부합하는 민주정치를 하는 것이 좋을 것이라."

고 하기로 나는 그렇다고 대답하고,

"일본의 대륙 침략의 마수가 각일각으로 중국에 침입하니 벽좌우(좌우 사람을 잠시 물리침)를 하시면 필담으로 몇 마디를 하겠소."

하였더니 장씨는,

"하오하오(좋소)"

하므로 진과부와 박남파는 밖으로 나갔다. 나는 붓을 들어,

"선생이 백만 금을 허하시면 이태 내에 일본, 조선, 만주 세 방면에 폭풍을 일으켜 일본의 대륙침략의 다리를 끊을 터이니 어떻게 생각하오?"

하고 써서 보였다.

그것을 보더니 이번에는 장씨가 붓을 들어,

"청이계획서상시(請以計劃書詳示: 청하건대, 계획서로 상세히 보이시오.)"

라고 써서 내게 보이기로 나는 물러나왔다.

이튿날 간단한 계획서를 만들어 장 주석에게 드렸더니 진과부 씨가 자기의 별장에 나를 초대하여 연석을 베풀고, 장 주석의 뜻을 내게 대신 전한다. 특무공작으로는 천황을 죽이면 또 천황이 있고 대장을 죽이면 대장이 또 있으니, 장래의 독립전쟁을 위하여 무관을 양성함이 어떠한가 하기로 나는 이야말로 불감청(不敢請)이언정 고소원이라 하였다. 이리하여 하남성 낙양의 군관학교 분교를 우리 동포의 무관양성소로 삼기로 작정되어 제 1차로 북평, 천진, 상해, 남경 등지에서 백여 명의 청년을 모집하여 학적에 올리고, 만주로부터 이청천과 이범석을 청하여 교관과 영관이 되게 하였다. (그러나 이 군관 학교는 겨우 제1기생의 필업을 하고는 일본 영사 수마(스마 야키치로)의 항의로 남경 정부에서 폐쇄령이 내렸다).

이때에 대일전선통일동맹이란 것이 발동하여 또 통일론이 일어났다. 김원봉이 내게 특별히 만나기를 청하기로 어느 날 진회에서 만났더니 그는 자기도 통일운동에 참가하겠는 즉 나더러도 참가하라는 것이었다. 그가 이 운동에 참가하는 동기는 통일이 목적인 것보다도 중국인에게 김원봉은 공산당이라는 혐의를 면하기 위함이라 하기로, 나는 통일은 좋으나 그런 한 이불 속에서 딴 꿈을 꾸려는 통일운동에는 참가할 수 없다고 거절하였다.

얼마 후에 소위 5당 통일회의라는 것이 개최되어 의열단, 신한독립당, 조선혁명당, 한국독립당, 미주대한인독립단이 통일하여 조선민족혁명당이 되어 나왔다. 이 통일의 주동자가 된 김원봉, 김두봉 등 의열단은 임시정부를 눈에 든 가시와 같이 싫어하는 패라 임시정부의 해소를 극렬히 주장하였고, 당시 임시정부의 국무위원이던 김규식, 조소앙, 최동오, 송병조, 차이석, 양기탁, 유동열 일곱 사람 중에 차이석, 송병조 두 사람을 내어놓고 그 외 다섯 사람이 통일이란 말에 취하여 임시정부에 무관심한 태도를 보이니 김두봉은 좋다구나 하고 임시정부 소재지인 항주로 가서 차이석, 송병조 양씨에게 5당이 통일된 이 날에 이름만 남은 임시정부는 취소해버리자고 강경하게 주장하였으나, 송병조, 차이석 양씨는 굳이 반대하고 임시정부의 문패를 지키고 있었다. 그러나 각원 일곱 사람 중에 다섯이 빠졌으니 국무회의를 열 수도 없어서 사실상 무정부 상태였다.

조완구 형이 편지로 내게 이런 사정을 전하였으므로 나는 분개하여 즉시 항주로 달려갔다. 이때에 김철은 벌써 작고하여 없고 5당 통일에 참가하였던 조소앙은 벌써 거기서 탈퇴하고 없었다.

나는 이시영, 조완구, 김봉준, 양소벽, 송병조, 차이석 제씨와 임시정부 유지 문제를 협의한 결과 의견이 일치하기로, 일동이 가흥으로 가서 거기 있던 이동녕, 안공근, 안경근, 엄항섭 등을 가하여 남호의 놀잇배 한 척을 얻어 타고 호상에 떠서 선중에서 의회를 열고 국무위원 세 사람을 더 뽑으니 이동녕, 조완구와 김구였다. 이에 송병조와 차이석을 합하여 국무위원이 다섯 사람이 되었으니 이제는 국무회의를 진행할 수 있게 된 것이었다.

5당 통일론이 났을 때에도 여러 동지들은 한 단체를 조직할 것을 주장하였으나 나는 차마 또 한 단체를 만들어 파쟁을 늘이기를 원치 아니한다는 이유로 줄곧 반대하여 왔었다. 그러나 임시정부를 유지하려면 그 배경이 될 단체가 필요하였고, 또 조소앙이 벌써 한국독립당을 재건한다 하니 내가 새 단체를 조직하더라도 통일을 파괴하는 책임은 지지 아니하리라 하여 동지들의 찬동을 얻어 대한국민당을 조직하였다.

나는 다시 남경으로 돌아왔으나 왜는 내가 남경에 있는 냄새를 맡고 일변 중국 관헌에 대하여 나를 체포할 것을 요구하고, 일변 암살대를 보내어 내 생명을 엿보고 있었다. 남경 경비사령관 곡정륜은 나를 면대하여 말하기를, 일본 측에서 대역 김구를 체포할 것이니 입적, 기타의 이유로 방해 말라 하기로, 자기가 김구를 잡거든 일본서 걸어 놓은 상금은 자기에게 달라고 대답하였으니 조심하라고 하였다. 또 사복 입은 일본 경관 일곱이 부자묘 부근으로 돌아다니더라는 말도 들었다.

이에 나는 남경에서도 내 신변이 위험함을 깨닫고 회청교에 집 하나를 얻고 가흥에서 배 저어주던 주애보를 매삭 15원씩 주기로 하고 데려다가 동거하며, 직업은 고물상이요, 원적은 광동성 해남도라고 멀찍이 대었다. 혹시 경관이 호구조사를 오더라도 주애보가 나서서 설명하기 때문에 내가 나서서 본색을 탄로할 필요는 없었다.

노구교 사건이 일어나자 중국은 일본에 대하여 항전을 개시하였다. 이에 재류한인의 인심도 매우 불안하게 되어서 5당 통일로 되었던 민족혁명당이 쪽쪽이 분열되어 조선혁명당이 새로 생기고, 미주대한독립단은 탈퇴하고, 근본 의열단 분자만이 민족혁명당의 이름을 차지하고 있었다. 이렇게 분열된 원인은 의열단 분자가 민족운동의 가면을 쓰고 속으로는 공산주의를 실행하기 때문이었다.

이렇게 민족혁명당이 분열되는 반면에 민족주의자의 결합이 생기니 곧 한국국민당, 조선혁명당, 한국독립단과 미주와 하와이에 있는 모든 애국단체들이 연결하여 임시정부를 지지하게 되었다. 이리하여 임시정부는 점점 힘을 얻게 되었다.

중일전쟁은 강남에까지 미쳐서 상해의 전투가 날로 중국에 불리하였다. 일본 공군의 남경 폭격도 갈수록 우심하여 회청교의 내가 들어있는 집도 폭격에 무너졌으나 나와 주애보는 간신히 죽기를 면하고, 이웃에는 시체가 수두룩하였다. 나와 보니 남경 각처에는 불이 일어나서 밤하늘은 붉은 모전과 같았다. 날이 밝기를 기다려 무너진 집과 흩어진 시체 사이로 마로가(馬路街)에 어머니가 계신 집을 찾아 갔더니 어머니가 친히 문을 열으시며, 놀라셨겠다는 나의 말에 어머니는,

"놀라기는 무얼 놀라. 침대가 들썩들썩하더군."

하시고,

"우리 사람은 상하지 않았나?"

하고 물으셨다,

나는 그 길로 동포 사는 데를 돌아보았으나 남기가에 많이 있는 학생들도 다 무고하였다.

남경의 정세가 위험하여 정부 각 기관도 중경으로 옮기게 되므로 우리 광복전선 3당의 백여 명 대가족은 물가가 싼 장사로 피난하기로 정하고 상해, 항주에 있는 동지들에게 남경에 모이라는 지시를 하였다. 율양 고당암에게 선도를 공부하고 있는 양기탁에게도 같은 기별을 하였다. 그리고 안공근을 상해로 보내어 그 가권을 데려오되, 그의 맏형수 고 안중근 의사 부인을 꼭 모셔 오라고 신신 부탁하였더니 안공근이 돌아올 때에 보니 제 가권뿐이요, 안 의사 부인이 없으므로 나는 크게 책망하였다.

양반의 집에 불이 나면 신주부터 먼저 안아 모시는 법이거늘, 혁명가가 피난을 하면서 나라를 위하여 몸을 버린 의사의 부인을 적진 중에 버리고 가는 법이 어디 있는가. 이는 다만 안공근 한 집의 잘못만이 아니라 혁명가의 도덕에 어그러지고, 우리 민족의 수치라고 하였다. 그리고 안공근은 피난하

는 동포들의 단체에 들기를 원치 아니하므로 제 뜻에 맡겨버렸다.

나는 안휘 둔계중학에 재학 중인 신이를 불러오고 어머니를 모시고 영국 윤선(輪船)으로 한구로 가고, 대가족 백여 식구는 중국 목선 두 척에 행리까지 잔뜩 싣고 남경을 떠났다.

나는 어머니를 모시고 신이를 데리고 한구를 거쳐서 무사히 장사에 도착하였다. 선발대로 임시정부의 문부(文簿)를 가지고 진강을 떠난 조성환, 조완구 등은 남경서 오는 일행보다 수일 먼저 도착하였고, 목선으로 오는 대가족 일행도 풍랑을 겪었다 하나 무고히 장사에 왔다. 남기가 사무소에서 부리던 중국인 채 군이 무호(蕪湖) 부근에서 풍랑 중에 물을 길어 올리다가 실족하여 익사한 것이 유감이었다. 그는 사람이 충실하니 데리고 가라 하시는 어머님 명령으로 일행 중에 편입하였던 것이다.

내가 남경서 데리고 있던 주애보는 거기를 떠날 때에 제 본향 가흥으로 돌려보내었다. 그 후 두고두고 후회되는 것은 그때에 여비 100원만 준 일이다. 그는 5년이나 가깝게 나를 광동인으로만 알고 섬겨 왔고, 부부 비슷한 관계도 부지간에 생겨서 실로 내게 대한 공로란 적지 아니한데, 다시 만날 기약이 있을 줄 알고 노자 이외에 돈이라도 넉넉하게 못 준 것이 참으로 유감천만이다.

안공근의 식구는 중경으로 갔거니와 장사에 모인 100여 식구도 공동 생활을 할 줄 모르므로 저마다 방을 얻어서 제각기 밥을 짓는 살림을 하였다. 나도 어머니를 모시고 또 한 번 살림을 시작하여서 어머니가 손수 지어주시는 음식을 먹었다. 그러나 어머니는 이 글을 쓰는 오늘날에는 이미 이 세상에 아니 계시다. 어머니가 계셨더라면 상권을 쓸 때와 같이 지난 일과 날짜도 많이 여쭈어볼 것이건마는 이제는 어머니가 안 계시다.

이 기회에 내가 상처(喪妻: 아내를 잃음) 후에 어머니가 본국으로 가셨다가 다시 오시던 일을 기록하련다.

어머니가 신이를 데리고 인천에 상륙하셨을 때에는 노자가 다 떨어지셨다. 그때에는 우리가 상해에서 조석이 어려워서 어머니가 중국 사람들이 쓰레기통에 버린 배추 떡잎을 뒤져다가 겨우 반찬을 만드시던 때라 노자를 넉넉히 드렸을 리가 만무하다.

인천서 노자가 떨어진 어머니는 내가 말씀도 한 일이 없건마는 동아일보지국으로 가셔서 사정을 말씀하셨다. 지국에서는 벌써 신문 보도로 어머니가 귀국하시는 것을 알았다 하면서 서울까지 차표를 사 드렸다. 어머님은 서울에 내려서는 동아일보사를 찾아가셨다. 동아일보사에서는 사리원까지 차표를 사 드렸다.

어머니는 해주 본향에 선영과 친족을 찾으시지 않고 안악 김씨 일문에서 미리 준비하여 놓은 집에 계시게 하였다.

내가 인이를 데리고 있는 동안, 어머님은 당신의 생활비를 절약하셔서 때때로 내게 돈을 보내주셨다.

이봉창, 윤봉길 두 의사의 사건이 생기매 경찰이 가끔 어머니를 괴롭게 한다는 소식을 듣고, 나는 어머니께 아이들을 데리고 중국으로 나오시라고 기별하였다. 그때에는 내게 어머니께서 굶지 않으시게 할 만한 힘이 있다고 여쭈었다.

어머님은 중국으로 오실 결심을 하시고 안악 경찰서에 친히 가셔서 출국 허가를 청하였더니 의외에 좋다고 하므로 살림을 걷어치우셨다.

그랬더니 서울 경무국으로부터 관리 하나가 안악으로 일부러 와서 어머니께, 경찰의 힘으로도 못 찾는 아들을 노인이 어떻게 찾느냐고, 그러니 출국 허가를 취소한다고 하였다.

어머니는 대로하여서,

"내 아들을 찾는 데는 내가 경관들보다 나을 터이고, 또 가라고 허가를 하여서 가장집물을 다 팔게 해놓고 이제 또 못간다는 것이 무슨 법이냐. 너희 놈들이 남의 나라를 빼앗아 먹고 이렇게 정치를 하고도 오래 갈 줄 아느냐?"

하면서 기절하셨다. 이에 경찰은 어머니를 김씨네에게 맡기고 가버렸다.

그 후에 경찰이 물으면 어머니는,

"그렇게 말썽 많은 길은 안 떠난다."

하시고는 목수를 불러 다시 집을 수리하고 집물을 마련하시는 등 오래 사실 모양을 보이셨다.

이러하신 지 수삭 만에 어머니는 송화 동생을 보러가신다 칭하고 신이를 데리시고 신천으로, 재령으로, 사리원으로 도막도막 몸을 옮겨서 평양에 도착하여 숭실중학교에 재학 중인 인이를 데리고 안동현으로 가는 직행차를 타셨다. 대련서 왜 경찰의 취조를 받았으나 거기서 인이가 늙은 조모를 모시고 위해 위 친척의 집에 간다고 대답하여서 무사히 통과하셨다. 어머니가 상해 안공근 집을 거쳐 가흥 엄항섭 집에 오셨다는 기별을 남경에서 듣고 나는 곧 가흥으로 달려가서 9년 만에 다시 모자가 서로 만났다.

나를 보시자마자 어머님은 이러한 의외의 말씀을 하셨다.

"나는 이제부터 '너'라고 아니하고 '자네'라고 하겠네. 또 말로는 책하더라도 초달로 자네를 때리지는 않겠네. 들으니 자네가 군관학교를 설립하고 청년들을 교육한다니 남의 사표가 된 모양이니 그 체면을 보아주자는 것일세."

나는 어머니의 이 분부에 황송하였고, 또 이것을 큰 은전으로 알았다.

나는 어머니를 남경에서 따로 집을 잡고 계시게 하다가 1년이 못되어 장사로 가게 된 것이었다.

어머니가 남경에 계실 때 일이다. 청년단과 늙은 동지들이 어머니의 생신 축하연을 베풀려 함을 눈치 채시고 어머니는 그들에게, 그 돈을 돈으로 달라, 그러면 당신이 자시고 싶은 음식을 만들겠다 하시므로 발기하던 사람들은 어머니의 청구대로 그 돈을 드렸더니 어머니는 그것으로 단총 두 자루를 사서 그것을 독립운동에 쓰라 하고 내어놓으셨다.

장사로 옮아온 우리 100여명 대가족은 중국 중앙정부의 보조와 미국에 있는 동포들의 후원으로 생활에 곤란은 없어서 피난민으로는 고등 피난민이라 할 만하게 살았다. 더욱이 장사는 곡식이 흔하고 물가가 지천하였고, 호남성 부주석으로 새로 도임한 장지충 장군은 나와는 숙친한 사람이었기 때문에 더욱 우리에게 많은 편의를 주었다.

나는 상해, 항주, 남경에서는 특별한 경우를 제하고는 변성명을 하였으나 장사에서는 언제나 김구로 행세하였다.

오는 노중에서부터 발론이 되었던 3당 합동문제가 장사에 들어와서는 더욱 활발하게 진전되었다. 합동하려는 3당의 진용은 이러하였다.

첫째는 조선혁명당이니, 이청천, 유동열, 최동오, 김학규, 황학수, 이복원, 안일청, 현익철 등이 중심이요, 둘째는 한국독립당이니, 조소앙, 홍진, 조시원 등이 그 간부며, 다음으로 셋째는 내가 창설한 한국국민당이니, 이동녕, 이시영, 조완구, 차이석, 송병조, 김병준, 엄항섭, 안공근, 양묵, 민병길, 손일민, 조성환 등이 그 중의 중심인물이었다.

이상 3당이 통합문제를 토의하려고 조선혁명당 본부인 남목청에 모였는데 나도 거기 출석하여 있었다.

내가 의식을 회복하여보니 병원인 듯하였다. 웬일이냐 한즉, 내가 술에 취하여 졸도하여서 입원한 것이라고 하였다. 의사가 회진할 때에 내 가슴에 웬 상처가 있는 것을 알고 이것은 웬것이냐 한즉 그것은 내가 졸도할 때에 상머리에 부딪친 것이라 하므로 그런 줄만 알고 병석에 누워 있었다. 한 달이나 지나서야 엄항섭 군이 내게 비로소 진상을 설명하여 주었다. 그것은 이러하였다.

그날 밤, 조선혁명당원으로서 내가 남경 있을 때에 상해로 특수공작을 간다고 하여서 내게 금전의 도움을 받은 일이 있는 이운한이 회장에 돌입하여 권총을 난사하여 첫 방에 내가 맞고, 둘째로 현익철, 셋째로 유동열이 다 중상하고 넷째 방에 이청천이 경상하였는데, 현익철은 입원하자 절명하고 유동열은 치료 경과가 양호하다는 것이었다.

범인 이운한은 장사 교외의 작은 정거장에서 곧 체포되고 연루자로 강창제, 박창세 등도 잡혔었으나 강, 박 양인은 석방되고 이운한은 탈옥하여 도망하였다.

성 주석 장치중 장군은 친히 내가 입원한 상아의원에 나를 위문하고, 병원 당국에 대하여서는 치료비는 얼마가 들든지 성 정부에서 담당할 것을 말하였다고 한다. 당시 한구에 있던 장개석 장군은 하루에도 두세 번 정보로 내 병상을 묻고, 내가 퇴원한 기별을 듣고는 나하천을 대표로 내게 보내어 돈 3천원을 요양비로 쓰라고 주었다.

퇴원하여 어머니를 찾아뵈니 어머니는,

"자네 생명은 하나님이 보호하시는 줄 아네-사불범정(邪不犯正: 바르지 못하고 요사스러운 것은 바른 것을 범하지 못함)이지."

이렇게 말씀하시고 또,

"한인의 총에 맞고 살아 있는 것이 왜놈의 총에 맞아 죽은 것만 못해."

하시기도 하였다.

애초에 내 상처는 중상이어서 병원에서 의사가 보고 입원 수속도 할 필요가 없다 하여 문간방에 두고 절명하기만 기다렸던 것이 네 시간이 되어도 살아 있었기 때문에 병실로 옮기고 치료를 시작하였다고 한다. 내가 이런 상태이므로 향항에 있던 인이에게는 내가 총을 맞아 죽었다는 전보를 놓아서 안공근은 인이와 함께 내 장례에 참여할 생각으로 달려왔었다.

전쟁의 위험이 장사에도 파급되어서 성 정부에서도 끝까지 이 사건을 법적으로 규명할 여유가 없었던 것이다. 내 추측으로는 이운한이 강창제, 박창세 두 사람의 악선전에 혹하여 그런 일을 한 것인 듯하다.

내가 퇴원하여 엄항섭 군 집에서 정양을 하고 있는데, 하루는 갑자기 신기(神氣)가 불편하고 구역이 나며 오른편 다리가 마비되어서 다시 상아의원에 가서 진찰을 받았다. 엑스 광선으로 본 결과 서양인 외과 주임이 말하기를, 내 심장 옆에 박혀 있던 탄환이 혈관을 통하여 오른편 갈빗대 옆에 옮아가 있으니 불편하면 수술하기도 어렵지 아니하나 그대로 두어도 생명에는 관계가 없다 하고, 또 말하기를 오른편 다리가 마비되는 것은 탄환이 대혈관을 압박하는 때문이거니와 작은 혈관들이 확대되어서 압박된 혈관의 기능을 대신하게 되면 다리가 마비되던 것도 차차 나으리라는 것이었다.

그러던 중 장사가 또 위험하게 되매 우리 3당의 백여 명 가족은 또 광주로 이전하였으니, 호남의 장치중 주석이 광동성 주석 오철성 씨에게 소개하여 준 것이었다. 광주에서는 중국 군대에 있는 동포 이준식, 채원개 두 분의 알선으로 동산백원을 임시정부의 청사로, 아세아 여관을 전부 우리 대가족의 숙사로 쓰게 되었다. 이렇게 정부와 가족을 안돈(安頓)하고 나는 안 의사 미망인과 가족을 상해에서 나오게 할 계획으로 다시 향항으로 가서 안정근, 안공근 형제를 만나 강경하게 그 일을 주장하였으나 그들은 교통이 어렵다는 이유로 듣지 아니하였다. 사실상 그때 사정으로는 어렵기도 하였다. 나는 안 의사의 유족을 적진 중에 둔 것과 율양 고당암에서 중국 도사 임한정에게 선도를 공부하고 있던 양기탁을 구출하지 못한 것이 유감이었다.

향항에서 이틀을 묵어서 광주로 돌아오니 거기도 왜의 폭격이 시작되었으므로 또 나는 어머님과 우리 대가족을 불산으로 이접하게 되었다. 이것은 오철성 주석의 호의와 주선에 의함이었다.

이 모양으로 광주에서 두 달을 지나, 장개석 주석에게 우리도 중경으로 가기를 원한다고 청하였더니 오라는 회전이 왔기로 조성환, 나태섭 두 동지를 대동하고 나는 다시 장사로 가서 장치중 주석에게 교섭하여 공로(公路) 차표 석 장과 귀주성 주석 오정창 씨에게로 하는 소개장을 얻어가지고 중경 길을 떠나 10여 일만에 귀주성 수부 귀양에 도착하였다.

내가 지금까지 본 중국은 물산이 풍부한 지방뿐이었으나 귀주 지경에 들어서는 눈에 띄는 것이 모두 빈궁뿐이었다. 귀양 시중에 왕래하는 사람들을 보면 극소수를 제외하고는 모조리 의복이 남루하고 혈색이 좋지 못하였다. 원체 산이 많은 지방인데다가 산들이 다 돌로 되고 흙이 적어서 농가에서는 바위 위에다 흙을 펴고 씨를 뿌리는 형편이었다. 그 중에서도 한족은 좀 나으나 원주민인 묘족의 생활은 더욱 곤궁하고 야매(野昧)한 모양이었다. 중국말을 모르는 나는 말을 듣고 한족과 묘족을 구별할 수는 없으나 복색으로는 묘족의 여자를 알아낼 수 있고, 안광으로는 묘족의 남자를 지적할 수 있었다. 한족의 눈에는 문화의 빛이 있는데 묘족의 눈에는 그것이 없었다. 묘족은 요순 시대 삼묘씨의 자손으로서, 4천년 이래로 이렇게 꼴사나운 생활을 하고 있으니 이 무슨 전생의 업보인고. 요순 이후로는 역사상에 묘족의 이름이 다시 나타나지 아니하기로 그들은 이미 다 절멸된 줄만 알았더니 호남, 광동, 광서, 운남, 귀주, 사천, 서강 등지에 수십 백 종족으로 갈린 묘족이 퍼져 있으면서도 이렇게 소문이 없는 것은 그들 중에 인물이 나지 못한 까닭이다. 현재 광서의 백승희과 운남의 용운 두 장군이 묘족의 후예라 하는 말도 있으나 나는 그 진부를 단정할 자료를 가지지 못하였다.

귀양에서 여드레를 묵어서 나는 무사히 중경에 도착하였으나 그 동안 광주가 일본군에게 점령되었다. 우리 대가족의 소식이 궁금하던 차에, 다 무사히 광주를 탈출하여 유주에 와 있다는 전보를 받고 안심하였다. 그들은 다 중경에 오기를 희망하므로 내가 교통부와 중앙당부에 교섭하여 자동차 여섯 대를 얻어서 기강이라는 곳에 대가족을 옮겨왔다. 군수품 운송에도 자동차가 극히 부족하던 이 때에 이렇게 빌려준 중국의 호의는 이루 감사할 말이 없는 일이었다.

내가 미주서 오는 통신을 기다리노라고 우정국에 가 있는 때에 인이가 왔다. 유주에 계신 어머니의 병환이 중하신데 중경으로 오기를 원하시므로 모시고 온 것이었다. 내가 인이를 따라 달려가니 어머님은 내 여관인 저기문 홍빈여사 맞은편에 와 계셨다. 곧 내 여관으로 모시고 와서 하룻밤을 지내시게 하고 강남쪽 아궁보 손가화원에 있는 김홍서 군의 집으로 가 계시게 하였다. 이것은 김홍서 군이 호의로 자청한 것이었다.

어머니의 병환은 인후증인데 의사의 말이 이것은 광서의 수토병으로, 젊은 사람이면 수술을 할 수 있으나 어머니 같은 노인으로서는 그리할 수도 없고, 또 이미 치료시기를 놓쳐서 손 쓸 길이 없다고 하였다.

어머님이 중경으로 오시는 일에 관하여 잊지 못할 은인이 있으니 그는 의사 유동진 군과 그 부인 강영파 여사였다. 이 부처는 상해에서 학생으로 있을 때부터 나를 위하여주던 사람들인데 쿨링에서 요양원을 경영하던 것을 걷어치우고 제 몸이 제 몸이 아닌 나를 대신하여 내 어머니를 모시고 간호하기 위하여 중경으로 온 것이었다. 그러나 어머니는 유 의사 부처가 왔을 때에는 벌써 더 손쓸 수가 없게 되신 뒤였다.

내가 중경에 와서 할 일은 세 가지였었다. 첫째는 차를 얻어서 대가족을 실어 오는 일이요, 둘째는 미주, 하와이와 연락하여 경제적 후원을 받는 일이요, 셋째로는 장사에서부터 말이 있었으나 이루지 못한 여러 단체의 통일을 완성하는 것이었다. 대가족도 안돈이 되고 미주와 연락도 되었으므로 나는 셋째 사업인 단체 통일에 착수하였다.

나는 중경에서 강 건너 아궁보에 있는 조선의용대와 민족혁명당 본부를 찾았다. 그 당수 김약산은 계림에 있었으나 윤기섭, 성주식, 김홍서, 석정, 김두봉, 최석순, 김상덕 등 간부가 나를 위하여 환영회를 열었다. 그 자리에서 나는 모든 단체를 통일하여 민족주의의 단일당을 만들 것을 제의하였더니 그 자리에 있던 이는 일치하여 찬성하였고, 한 걸음 더 나아가서 미주와 하와이에 있는 여러 단체에도 참가를 권유하기로 결의하였다.

미주와 하와이에서는 곧 회답이 왔다. 통일에는 찬성이나, 김약산은 공산주의자인즉 만일 내가 그와 일을 같이 한다면 그들은 나와의 관계까지도 끊어버린다는 것이었다. 그래서 나는 김약산과 상의한 결과 그와 나의 연명으로, 민족운동이야말로 조국 광복에 필요하다는 뜻으로 성명서를 발표하였다.

그러나 여기 의외의 고장이 생겼으니 그것은 국민당 간부들이 연합으로 하는 통일은 좋으나, 있던 당을 해산하고 공산주의자들을 합한 단일당을 조직하는 데는 반대한다는 것이었다. 주의가 서로 다른 자는 도저히 한 조직체를 유지할 수 없다는 것이 그 이유였다.

나는 병을 무릅쓰고 기강으로 가서 국민당의 전체회의를 열고 노력한지 1개월 만에 비로소 단일당으로 모든 당들을 통일하자는 의견에 국민당의 합의를 얻었다. 그래서 민족운동 진영인 한국국민당, 한국독립당, 조선혁명당과 공산주의전선인 조선민족혁명당, 조선민족해방동맹, 조선민족전위동맹, 조선혁명자연맹의 일곱으로 된 7당 통일 회의를 열게 되었다.

회의가 진행됨에 따라 민족운동 편으로 대세가 기울어지는 것을 보고 해방동맹과 전위동맹은 민족운동을 위하여 공산주의의 조직을 해산할 수 없다고 말하고 퇴석하였다. 이렇게 되니 7당이 5당으로 줄어서 순전한 민족주의적인 새 당을 조직하고 8개조의 협정에 5당의 당수들이 서명하였다.

이에 좌우 5당의 통일이 성공하였으므로 며칠을 쉬고 있던 차에, 이미 해산하였을 민족혁명당 대표 김약산이 돌연히 탈퇴를 선언하였으니, 그 이유는 당의 간부들과 그가 거느리는 청년의용대가 아무리 하여도 공산주의를 버릴 수 없으니 만일 8개조의 협정을 수정하지 아니하면 그들이 다 달아나겠다는 것이었다.

이리하여 5당 통일도 실패되어서 나는 민족진영 3당의 동지들과 미주, 하와이 여러 단체에 대하여 나의 불명한 허물을 사과하고 이어서 원동에 있는 3당만을 통일하여 새로 한국독립당이 생기게 되었다. 하와이 애국단과 하와이 단합회가 각각 해소하고 한국독립당 하와이 지부가 되었으니 역시 5당 통일은 된 셈이었다.

새로 된 한국독립당의 간부로는 집행위원장에 김구, 위원으로는 홍진, 조소앙, 이청천, 김학규, 유동열, 안훈, 송병조, 조완구, 엄항섭, 김봉준, 양묵, 조성환, 차이석, 이복원이요, 감찰위원장에 이동녕, 위원에 이시영, 공진원, 김의한 등이었다.

임시의정원에는 나를 국무회의의 주석으로 천거하였는데, 종래의 주석을 국무위원이 번갈아 하던 제도를 고쳐서 대내, 대외에 책임을 지도록 하였다. 그리고 미국, 서울, 워싱턴에 외교위원부를 설치하고 이승만 박사를 그 위원장으로 임명하였다.

한편 중국 중앙정부에서는 우리 대가족을 위하여 토교 동감폭포 위에 기와집 세 채를 짓고 또 시가에도 집 한 채를 주었으나 그 밖에 우리 독립운동을 원조하여 달라는 청에 대하여서는 냉담하였다. 그래서 나는 중국이 일본군의 손에 여러 대도시를 빼앗겨 자신의 항전에 골몰한 이때에 우리를 위한 원조를 바라기가 미안하니 나는 미국으로 가서 미국의 원조를 청할 의사인즉 여행권을 달라고 청하였다. 그런즉 중앙정부의 서은증(徐恩曾) 씨가 말하기를, 내가 오랫동안 중국에 있었으니 중국에서 무슨 일을 하나 남김이 좋지 아니하냐 하고 사업 계획서를 제출하기를 청하였으므로 나는 장래 독립한 한국의 국군의 기초가 될 광복군 조직의 계획을 제출하였더니 곧 좋다는 회답이 왔다.

이에 임시정부에서는 이청천을 광복군 총사령으로 임명하고, 있는 힘(미주와 하와이 동포가 보내어 준 돈 4만원)을 다하여 중경 가능빈관에 중국인, 서양인 등 중요 인사를 초청하여 한국광복군 성립식을 거행하였다. 그리고 우선 30여명 간부를 서안으로 보내어 미리 가 있던 조성환 등과 합하여 한국광복군 사령부를 서안에 두고, 이범석을 제 1지대장으로 하여 산서 방면으로 보내고, 고운기(본명 공진원)을 제 2지대장으로 하여 수원 방면으로 보내고, 김학규를 제 3지대장으로 하여 산동으로 보내고, 나월환 등의 한국청년 전지공작대를 광복군으로 개편하여 제 5지대를 삼았다. 그리고 강서성 상요에 황해도 해주 사람으로서 죽안군 제 3전구 사령부 정치부에서 일을 보고 있는 김문호를 한국광복군 징모처 제 3분처 주임을 삼고 그 밑에 신정숙을 회계조장, 이지일을 정보조장, 한도명을 훈련조장으로 각각 임명하여 상요로 파견하였다.

독립당과 임시정부와 광복군의 일체 비용은 미주, 멕시코, 하와이에 있는 동포들이 보내는 돈으로 썼다. 장개석 부인 송미령이 대표하는 부녀위로총회로부터 중국 돈으로 10만원의 기부가 있었다.

이 모양으로 광복군이 창설되었으나 인원도 많지 못하여 몇 달 동안을 유명무실하게 지내다가 문득 한 사건이 생겼으니, 그것은 50여명 청년이 가슴에 태극기를 붙이고 중경에 있는 임시정부 정청으로 애국가를 부르며 들어온 것이다. 이들은 우리 대학생들로, 부양의 광복군 제 3지대를 찾아온 것인데 지대장 김학규가 임시정부로 보낸 것이었다. 이 사실은 중국인에게 큰 감동을 주어 중한문화협회 식당에서 환영회를 개최하였는데, 서양 여러 나라의 통신기자들이며 대사관원들도 출석하여 우리 학병들에게 여러 가지 질문을 발하였다. 어려서부터 일본의 교육을 받아 국어도 잘 모르는 그들이 조국의 독립을 위하여 목숨을 바치려고 총살의 위험을 무릅쓰고 임시정부를 찾아왔다는 그들의 말에 우리 동포들은 말할 것도 없이 목이 메었거니와 외국인들도 감격에 넘친 모양이었다.

이것을 인연으로 우리 광복군이 연합국의 주목을 끌게 되어, 미국의 OSS(미국 전략사무국)를 주관하는 사전트 박사는 광복군 제 2지대장 이범석과 합작하여 서안에서, 웜스 중위는 제 3지대장 김학규와 합작하여 부양에서 우리 광복군에세 비밀 훈련을 실시하였다. 예정대로 3개월의 훈련을 마치고 정탐과 파괴 공작의 임무를 띠고 그들을 비밀히 본국으로 파견할 준비가 된 때에 나는 미국 작전부장 다노배 장군과 군사협의를 하기 위하여 미국 비행기로 서안으로 갔다.

회의는 광복군 제 2지대 본부 사무실에서 열렸는데 정면 오른쪽 태극기 밑에는 나와 제 2지대 간부가, 왼쪽 미국기 밑에는 다노배 장군과 미국인 훈련관들이 앉았다. 다노배 장군이 일어나,

"오늘부터 아메리카 합중국과 대한민국 임시정부와의 적 일본을 항거하는 비밀공작이 시작된다."고 선언하였다.

다노배 장군과 내가 정문으로 나올 때에 활동사진의 촬영이 있고 식이 끝났다. 이튿날 미국 군관들의 요청으로 훈련받은 학생들의 실지의 공작을 시험하기로 하여 두곡에서 동남으로 40리, 옛날 한시에 유명한 종남산으로 자동차를 몰았다. 동구에서 차를 버리고 5리쯤 걸어가면 한 고찰이 있는데 이곳이 우리 청년들이 훈련을 받은 비밀 훈련소였다. 여기서 미국 군대식으로 오찬을 먹고 참외와 수박을 먹었다.

첫째로 본 것은 심리학적으로 모험에 능한 자, 슬기가 있어서 정탐에 능한 자, 눈과 귀가 밝아서 무선 전선에 능한 자를 고르는 것이었다. 이 시험을 한 심리학자는 한국 청년이 용기로나 지능으로나 다 우량하여서 장래에 희망이 많다고 결론하였다.

다음에는 청년 일곱을 뽑아서 한 사람에게 숙마바 하나씩을 주고 수백 길이나 되는 절벽 밑에 내려가서 나뭇잎 하나씩을 따 가지고 오라는 시험이었다.

일곱 청년은 잠깐 모여서 의논하더니 그들의 숙마바를 이어서 하나의 긴 바를 만들어, 한 끝을 바위에 매고 그 줄을 붙들고 일곱이 다 내려가서 나뭇잎 하나씩을 따 입에 물고 다시 그 줄에 달려 일곱이 차례차례로 다 올라왔다. 시험관은 이것을 보고 크게 칭찬하였다. 그는 이렇게 말하였다.

"내가 중국 학생 400명을 모아놓고 시켰건마는 그들이 해결치 못한 문제를 한국 청년 일곱이 훌륭하게 하였소. 참으로 한국 사람은 전도유망한 국민이오."

일곱 청년이 이 칭찬을 받을 때에 나는 대단히 기뻤다.

다음에는 폭파술, 사격술, 비밀히 강을 건너가는 재주 같은 것을 시험하여 다 좋은 성적을 얻은 것을 보고 나는 만족하여 그날로 두곡으로 돌아왔다.

이튿날은 중국 친구들을 찾을 생각으로 서안으로 들어갔다. 두곡서 서안은 40리였다. 호종남 장군은 출타하여서 참모장만을 만나고, 성 주석 축소주 선생은 나와 막역한 친우라 이튿날 그의 사저에서 석반을 같이하기로 하였다. 성 당부에서는 나를 위하여 환영회를 개최한다 하고, 서안 부인회에서는 특별히 연극을 준비한다 하고, 서안의 각 신문사에서도 환영회를 개최하겠으니 출석하여 달라는 초청이 왔다.

나는 그 밤을 우리 동포 김종만 씨 댁에서 지내고 이튿날은 서안의 명소를 대개 구경하고 저녁에는 어제 약속대로 축 주석 댁 만찬에 불려갔다. 식사를 마치고 객실에 돌아와 수박을 먹으며 담화를 하는 중에 문득 전령이 울었다. 축 주석은 놀라는 듯 자리에서 일어나 중경에서 무슨 소식이 있나보다고 전화실로 가더니 잠시 뒤에 뛰어나오며,

"왜적이 항복한다오!"

하였다.

'아! 왜적이 항복!'

이것은 내게는 기쁜 소식이라기보다는 하늘이 무너지는 듯한 일이었다. 천신만고로 수년간 애를 써서 참전할 준비를 한 것도 다 허사다. 서안과 부양에서 훈련을 받은 우리 청년들에게 각종 비밀한 무기를 주어 산동에서 미국 잠수함을 태워 본국으로 들여보내어서 국내의 요소를 혹은 파괴하고 혹은 점령한 후에 미국 비행기로 무기를 운반할 계획까지도 미국 육군성과 다 약속이 되었던 것을 한 번 해보지도 못하고 왜적이 항복하였으니 진실로 전공이 가석하거니와, 그보다도 걱정되는 것은 우리가 이번 전쟁에 한 일이 없기 때문에 장래에 국제간의 발언권이 박약하리라는 것이다.

나는 더 있을 마음이 없어서 곧 축 씨 댁에서 나왔다. 내 차가 큰 길에 나설 때에는 벌써 거리는 인산인해를 이루고 만세 소리가 성중에 진동하였다.

나는 서안에서 준비되고 있던 나를 위한 모든 환영회를 사퇴하고 즉시 두곡으로 돌아왔다. 와 보니 우리 광복군은 제 임무를 하지 못하고 전쟁이 끝난 것을 실망하여 침울한 분위기에 잠겨 있는데 미국 교관들과 군인들은 질

서를 잊으리만큼 기뻐 뛰고 있었다. 미국이 우리 광복군 수천 명을 수용할 병사를 건축하려고 일변 종남산에서 재목을 운반하고 벽돌가마에서 벽돌을 실어 나르던 것도 이날부터 일제히 중지하고 말았다. 내 이번 길의 목적은 서안에서 훈련받은 우리 군인들을 제 1차로 본국으로 보내고 그 길로 부양으로 가서 훈련받은 이들을 제 2차로 떠나보낸 후에 중경으로 돌아감이었으나 그 계획도 다 수포로 돌아가고 말았다. 내가 중경서 올 때에는 군용기를 탔으나 그리로 돌아갈 때에는 여객기를 타게 되었다.

중경에 와 보니 중국인들은 벌써 전쟁 중의 긴장이 풀어져서 모두 혼란한 상태에 빠져 있고 우리 동포들은 지향할 바를 모르는 형편에 있었다. 임시정부에서는 그동안 임시의정원을 소집하여 혹은 임시정부 국무위원의 총사직을 주장하고 혹은 이를 해산하고 본국으로 들어가자고 발론하여 귀결이 못 나다가, 주석인 내가 돌아온다는 소식을 듣고 3일간 정회를 하고 있었다.

나는 의정원에 나아가 해산도 총사직도 천만부당하다고 단언하고, 서울에 들어가 전체 국민의 앞에 정부를 내어바칠 때까지 현상대로 가는 것이 옳다고 주장하여 전원의 동의를 얻었다. 그러나 미국 측으로부터 서울에는 미국 군정부가 있으니 임시정부로는 입국을 허락할 수 없은즉 개인의 자격으로 오라 하기로 우리는 할 수 없이 개인의 자격으로 고국에 돌아가기로 결정하였다.

이리하여 7년간의 중경 생활을 마치게 되니, 실로 감개가 많아서 무슨 말을 써야 할지 두서를 찾기가 어렵다.

나는 교자를 타고 강 건너 화강산에 있는 어머니 묘소와 아들 인의 무덤에 가서 꽃을 놓고 축문을 읽어 하직하고, 묘지기를 불러 금품을 후히 주어 수호를 부탁하였다.

그리고는 가죽 상자 여덟 개를 사서 정부의 모든 문서를 싸고, 중경에 거주하는 5백여 명 동포의 선후책을 정하고, 임시정부가 본국으로 돌아간 뒤에 중국정부와 연락하기 위하여 주중화대표단을 두어 박찬익을 단장으로, 민필호, 이광, 이상만, 김은충 등을 단원으로 임명하였다.

우리가 중경을 떠나게 되매 중국공산당 본부에서는 주은래, 동필무 제씨가 임시정부 국무원 전원을 청하여 송별연을 하였고, 중앙정부와 국민당에서는 장개석 부처를 위시하여 정부, 당부, 각계 요인 2백여 명이 모여 우리 임시정부 국무위원과 한국독립당 간부들을 초청하여 국민당 중앙당부 대례당에서 중국기와 태극기를 교차하고 융숭하고도 간곡한 송별연을 열어 주었다. 장개석 주석과 송미령 여사가 선두로 일어나 장래 중국과 한국 두 나라가 영구히 행복하게 되도록 하자는 축사가 있고, 우리 편에서도 답사가 있었다.

중경을 떠나던 일을 기록하기 전에 7년간의 중경 생활에서 잊지 못할 것 몇 가지를 적으려 한다.

첫째, 중경에 있던 우리 동포의 생활에 관하여서다. 중경은 원래 인구 몇 만밖에 안 되던 작은 도시였으나, 중앙정부가 이리로 옮겨온 후로 일본군에게 점령당한 지방의 관리와 피난민이 모여들어서 일약 인구 백만이 넘는 대도시가 되었다. 아무리 새로 집을 지어도 미처 다 수용할 수 없어서 여름에는 한데에서 자는 사람이 수십만이나 되었다.

식량은 배급제여서 배급소 앞에는 언제나 장사진을 치고 서로 욕하고 때리고 하여 분규가 아니 일어나는 때가 없었다. 그러나 우리 동포는 따로 인구를 선책하여서 한몫으로 양식을 타서 하인을 시켜 집집에 배급하기 때문에 대단히 편하였고, 뜰을 쓸기까지 하였다. 먹을 물도 사용인을 시켜 길었다. 중경시 안에 사는 동포들 뿐 아니라, 교외인 토교에 사는 이들도 한인촌을 이루고 중국 사람의 중산계급 정도의 생활을 유지할 수가 있었다. 간혹 부족하다는 불평도 있었으나 규율 있고 안전한 단체생활을 유지할 수가 있었다.

나 자신의 중경 생활은 임시정부를 지고 피난하는 것이 일이요, 틈틈이 먹고 잤다고 할 수 있었다. 중경의 폭격이 점점 심하여가매 임시정부도 네 번이나 옮겼다. 첫 번 정청인 양류가 집은 폭격에 견딜 수가 없어서 석판가로 옮겼다가, 이 집이 폭격으로 일어난 불에 전소하여 의복까지 다 태우고 오사야항으로 갔다가, 이 집이 또 폭격을 당하여 무너진 것을 고쳤으나, 정청으로 쓸 수는 없어서 직원의 주택으로 하고 네 번째로 연화지에 70여 칸 집을 얻었는데, 집세가 1년에 40만원이었다, 그러나 이 돈은 장 주석의 보조를 받게 되어 임시정부가 중경을 떠날 때까지 이 집을 쓰고 있었다.

이 모양으로 연이어 오는 폭격에 중경에는 인명과 가옥의 손해가 막대하였으며 동포 중에 죽은 이는 신익희 씨의 조카와 김영린의 아내, 두 사람이 있었다.

이 두 동포가 죽던 폭격이 가장 심한 것이어서 한 방공호에서 400명이니

800명이니 하는 질식자를 낸 것이 이때였다. 그 시체를 운반하는 광경을 내가 목도하였는데, 화물자동차에 짐을 싣듯 시체를 싣고 달리면 시체가 흔들려 떨어지는 일이 있고, 그것을 다시 싣기가 귀찮아서 모가지를 매어 자동차 뒤에 달면 그 시체가 땅바닥으로 엎치락뒤치락 끌려가는 것이었다. 시체는 남녀를 물론하고 옷이 다 찢겨서 살이 나왔는데 이것은 서로 앞을 다투어 발악한 형적이었다.

가족을 이 모양으로 잃어 한 편에 통곡하는 사람이 있으면 다른 편에는 방공호에서 시체를 끌어내는 인부들이 시체가 지녔던 금은보화를 뒤져서 대번에 부자가 된 사람도 있었다. 이렇게 질식의 참사가 일어난 것이 밀매음녀 많기로 유명한 교장구이기 때문에 죽은 자의 대다수가 밀매음녀였다.

중경은 옛날 이름으로는 파인데, 지금은 성도라고 부르는 촉과 아울러 파촉이라 하던 곳이다. 시가의 왼편으로 가릉강이 흘러와서 바른편에서 오는 양자강과 합하는 곳으로, 천톤급의 기선이 정박하는 중요한 항구다. 지명을 파라고 하는 것은 옛날 파 장군이란 사람이 도읍하였던 때문이어서, 연화지에는 파 장군의 분묘가 있다.

중경의 기후는 심히 건강에 좋지 못하여 호흡기병이 많다. 7년간에 우리 동포도 폐병으로 죽은 자가 80명이나 된다. 9월 초생부터 이듬해 4월까지는 운무가 많아 별을 보기가 드물고, 기압이 낮은 우묵한 땅이라 지변의 악취가 흩어지지를 아니하여 공기가 심히 불결하다. 내 맏아들 인도 이 기후에 희생이 되어서 중경에 묻혔다.

11월 5일에 우리 임시정부 국무위원과 기타 직원은 비행기 두 대에 갈라 타고 중경을 떠나 다섯 시간 걸려 떠난 지 13년 만에 상해의 땅을 밟았다. 우리 비행기가 착륙한 비행장이 곧 홍구 신공원이라 하는데 우리를 환영하는 남녀 동포가 장내에 넘쳤다. 나는 14년을 상해에 살았건마는 홍구 공원에 발을 들여놓은 일이 없었다. 신공원에서 나와서 시내로 들어가려 한즉 아침 여섯 시부터 우리를 기다리고 있었다는 6000명 동포가 열을 지어서 고대하고 있었다. 나는 거기 있는 길(사람의 키의 한 길)이 넘는 단 위에 올라서 동포들에게 인사말을 하였다. 나중에 알고 본즉 그 단이야말로 13년 전 윤봉길 의사가 왜적 백천 대장 등을 폭격한 자리에 왜적들이 그 일을 기념하기 위하여 단을 모으고 군대를 지휘하던 곳이라고 한다. 세상에 우연한 것은 없다고 생각하였다.

나는 양자반점에 묵었다. 13년은 사람의 일생에는 긴 세월이었다. 내가 상해를 떠날 적에 아직 어리던 이들은 벌써 장정이 되었고, 장정이던 사람들은 노쇠하였다. 이 오랜 동안에 까딱도 하지 아니하고 깨끗이 고절을 지킨 옛 동지 선우혁, 장덕로, 서병호, 한진교, 조봉길, 이용환, 하상린, 한백원, 원우관 제씨와 서병호 댁에서 만찬을 같이하고 기념촬영을 하였다. 한편으로는 상해에 재류하는 동포들 중에 부정한 직업을 하는 이가 적지 않다는 말이 나를 슬프게 하였다. 나는 우리 동포가 가는 곳마다 정당한 직업에 정직하게 종사하여서 우리 민족의 신용과 위신을 높이는 애국심을 가지기를 바란다.

나는 법조계 공동묘지에 아내의 무덤을 찾고 상해에서 10여 일을 묵어서 미국 비행기로 본국을 향하여서 상해를 떠났다. 이동녕 선생, 현익철 동지 같은 이들이 이역에 묻혀서 함께 고국으로 돌아오지 못하는 것이 유감이었다.

나는 기쁨과 슬픔이 한데 엉클어진 가슴으로 27년 만에 조국의 신선한 공기를 마시고 그리운 흙을 밟으니 김포 비행장이요, 상해를 떠난 지 세 시간 후였다.

나는 조국의 땅에 들어오는 길로 한 가지 기쁨과 한 가지 슬픔을 느꼈다. 책보를 메고 가는 학생들의 모양이 심히 활발하고 명랑한 것이 한 기쁨이요, 그와는 반대로 동포들이 사는 집들이 납작하게 땅에 붙어서 퍽 가난해 보이는 것이 한 슬픔이었다. 동포들이 여러 날을 우리를 환영하려고 모였더라는데 비행기 도착 시일이 분명히 알려지지 못하여 이 날에는 우리를 맞아주는 동포가 많지 아니하였다. 늙은 몸을 자동차에 의지하고 서울에 들어오니 의구한 산천이 반갑게 나를 맞아 주었다.

내 숙소는 새문 밖 최창학 씨의 집이요, 국무원 일행은 한미호텔에 머물도록 우리를 환영하는 유지들이 미리 준비하여주었었다.

나는 곧 신문을 통하여 윤봉길, 이봉창 두 의사와 강화 김주경 선생의 유가족을 만나고 싶다는 뜻을 말하였더니 윤 의사의 아드님 윤태 군은 38선 이북에 있어서 못 보고 그 따님과 친척들이 혹은 강화에서 혹은 김포에서 와서 만나니 반갑기도 하고 슬프기도 하였다. 그러나 선조의 분묘가 계시고 친척과 고구(故舊)가 사는 그리운 내 고향은 소위 38선의 장벽 때문에 가보지 못하고 재종형제들과 종매들의 가족이 상경하여서 반갑게 만날 수가 있었다.

군정청에 소속한 각 기관과 정당, 사회단체, 교육계, 공장 등 각계가 빠짐없이 연합환영회를 조직하여서 우리는 개인의 자격으로 들어왔건마는 '임시정부환영'이라고 크게 쓴 깃발을 태극기와 아울러 높이 들고 수십만 동포가 서울 시가로 큰 시위행진을 하고, 그 끝에 덕수궁에 식탁이 400여 개로 환영연을 배설하고 하지 중장 이하 미국 군정 간부들도 출석하여 덕수궁 뜰이 좁을 지경이었으니 참으로 찬란하고 성대한 환영회였다. 나는 이러한 환영을 받을 공로가 없음이 부끄럽기도, 미안하기도 하였으나, 동포들이 해외에서 오래 신고한 우리를 위로하는 것이라고 강인하여 고맙게 받았다.

어느덧 해가 바뀌었다. 나는 38선 이남만이라도 돌아보리라 하고 첫 번째 길로 인천에 갔다. 인천은 내 인생에 뜻깊은 곳이다. 스물두 살에 인천감옥에서 사형선고를 받았다가 스물세 살에 탈옥 도주하였고, 마흔 한 살 적에 17년 징역수로 다시 이 감옥에 이수되었다. 저 축항에는 내 피땀이 배어있는 것이다. 옥중에 있는 이 불효를 위하여 부모님이 걸으셨을 길에는 그 눈물 흔적이 남아있는 듯 하여 마흔아홉 해 전 기억이 어제런 듯 새롭다. 인천서도 시민의 큰 환영을 받았다.

두 번째 길로 나는 공주 마곡사를 찾았다. 공주에 도착하니 충청남도 열한 개 군에서 10여만 동포가 모여서 나를 환영하는 회를 열어주었다.

공주를 떠나 마곡사로 가는 길에 김복한, 최익현 두 선생의 영정 모신 데를 찾아서 배례하고 그 유가족을 위로하고 동민의 환영하는 정성을 고맙게 받았다. 정당, 사회단체의 대표로 마곡사까지 나를 따르는 이가 3백 50여 명이었고, 마곡사 승려의 대표는 공주까지 마중을 나왔으며, 마곡사 동구에는 남녀 승려가 도열하여 지성으로 나를 환영하니, 옛날에 이 절에 있던 한 중이 일국의 주석이 되어서 온다고 생각함이었다. 48년 전에 머리에 굴갓을 쓰고 목에 염주를 걸고 출입하던 길이었다. 산천도 예와 같거니와 대웅전에 걸린 주련(기둥에 써 붙이는 글)도 옛날 그대로였다.

'각래관세간 유여몽중사(却來觀世間猶如夢中事: 한 걸음 물러나 세상을 보니 꿈 속의 일만 같구나.)'

그때에는 무심히 보았던 이 글귀를 오늘에 자세히 보니 나를 두고 이른 말인 것 같았다. 용담 스님께 보각서장을 배우던 염화실에서 뜻깊은 하룻밤을 보냈다. 승려들은 나를 위하여 이날 밤에 불공을 드렸다. 그러나 승려들 중에는 내가 알던 사람은 하나도 없었다. 이튿날 아침에 나는 기념으로 무궁화 한 포기와 향나무 한 그루를 심고 마곡사를 떠났다.

세 번째 길로 나는 윤봉길 의사의 본댁을 찾으니 4월 29일이라, 기념제를 거행하였다. 그리고 나는 일본 동경에 있는 박열 동지에게 부탁하여 윤봉길, 이봉창, 백정기 세 분 열사의 유골을 본국으로 모셔 오게 하고, 유골이 부산에 도착하는 날 나는 특별 열차로 부산까지 갔다. 부산은 말할 것도 없고, 세 분의 유골을 모신 열차가 정거하는 역마다 사회, 교육 각 단체며 일반 인사들이 모여 봉도식을 거행하였다.

서울에 도착하자 유골을 담은 영구를 태고사에 봉안하여 동포들의 참배에 편케 하였다가 내가 친히 잡아놓은 효창공원 안에 있는 자리에 매장하기로 하였다. 제일 위에 안중근 의사의 유골을 봉안할 자리를 남기고 그 다음에 세 분의 유골을 차례로 모시기로 하였다.

이날 미국인 군정간부도 전부 회장하였으며, 미국 군대까지 출동할 예정이었으나 그것은 중지되고 조선인 경찰관, 육해군 경비대, 정당, 단체, 교육기관, 공장의 종업원들이 총출동하고 일반 동포들도 구름같이 모여서 태고사로부터 효창공원까지 인산인해를 이루어 일시 전차, 자동차, 행인까지도 교통을 차단하였다.

선두에는 애도하는 비곡을 아뢰는 음악대가 서고 다음에는 화환대, 만장대가 따르고 세 분 의사의 영여(靈輿)는 여학생대가 모시니 옛날 인산보다 더 성대한 장의였다.

나는 삼남 지방을 순회하는 길에 보성군 득량면 득량리 김씨 촌을 찾았다. 내가 48년 전에 망명 중에 석 달이나 몸을 붙여 있던 곳이요, 김 씨네는 나와 동족이었다. 내가 온다는 선문을 듣고 동구에는 솔문을 세우고 길을 닦기까지 하였다. 남녀 동민들이 동구까지 나와서 도열하여 나를 맞았다. 내가 그때에 유숙하던 김광언 댁을 찾으니 집은 예와 같으되 주인은 벌써 세상을 떠났다. 그 유족의 환영을 받아 내가 그때에 상을 받던 자리에서 한 때 음식 대접을 한다 하여서 마루에 병풍을 치고 정결한 자리를 깔고 나를 앉혔다. 모인 이들 중에 나를 알아보는 이는 늙은 부인네 한 분과 김판남 종씨 한 분뿐이었다. 김 씨는 그때에 내 손으로 쓴 책 한 권을 가져다가 내게 보여주었다. 내가 이곳에 머물고 있을 때에 자별히 친하게 지내던 나와 동갑인 선 씨는 이미 작고하고, 내게 필낭을 기워서 작별 선물로 주던 그의 부인은 보성읍에서 그 자손들을 데리고 나와서 나를 환영하여주었다. 부인도 나와 동갑이라 하였다.

광주에서 나주로 향하는 도중에서 함평 동포들이 길을 막고 들르라 하므로 나는 함평읍으로 가서 학교 운동장에서 열린 환영회에서 한 차례 강연을 하고 나주로 갔다. 나주에서 육모정 이 진사의 집을 물은즉, 이 진사 집은 나주가 아니요, 지금 지나온 함평이며, 함평 환영회에서 나를 위하여 만세를 선창한 것이 이 진사의 종손이라고 하였다. 오랜 세월에 나는 함평과 나주를 뒤바꾼 것이었다. 그 후에 이 진사(나와 작별한 후에는 이 승지가 되었다 한다)의 종손 재승, 재혁 두 형제가 예물을 가지고 서울로 나를 찾아왔기로 함평을 나주로 잘못 기억하고 찾지 못하였던 것을 사과하였다.

이 길에 김해에 들리니 마침 수로왕릉의 추향(秋鄕)이라, 김 씨네와 허 씨네가 많이 참배하는 중에 나도 그들이 준비하여주어 평생 처음으로 사모와 각대(角帶)로 참배하였다.

전주에서는 옛 벗 김형진의 아들 맹문과 그 종제 맹열과 그 내종형 최경렬 세 사람을 만난 것이 기뻤다. 전주의 일반 환영회가 끝난 뒤에 이 세 사람의 가족과 한데 모여서 고인을 추억하며 기념으로 사진을 찍었다.

강경에서 공종렬의 소식을 물으니, 그는 젊어서 자살하고 자손도 없으며 내가 그 집에서 자던 날의 비극은 친족 간에 생긴 일이었다고 한다.

그 후 강화의 김주경 선생의 집을 찾아 그의 친족들과 사진을 같이 찍고 내가 그때에 가르치던 30명 학동 중 하나였다는 사람을 만났다.

나는 개성, 연안 등을 순회하는 동시에 노차에 이 효자의 무덤을 찾았다.

"고효자이창매지묘(故孝子李昌梅之墓)"

나는 해주 감옥에서 인천 감옥으로 끌려가던 길에 이 묘비 앞에서 쉬던 49년 전 옛날을 생각하면서 묘전에 절하고, 그날 어머니가 앉으셨던 자리를 눈어림으로 찾아서 그 위에 내 몸을 던졌다. 그러나 어머니의 얼굴을 뵈올 길이 없으니 앞이 캄캄하였다. 중경서 운명하실 때에 마지막 말씀으로,

"내 원통한 생각을 어찌하면 좋으냐."

하시던 것을 추억하였다. 독립의 목적을 달성하고 모자가 함께 고국에 돌아

가 함께 지난 일을 이야기하지 못하심이 그 원통하심이 아니었을까? 그런데 저 멀고 먼 서쪽 화상산 한 모퉁이에 손자와 같이 누워 계신 것을 생각하니 비회를 금할 수가 없었다. 혼이라도 조국에 돌아오셔서 내가 동포들에게 받는 환영을 보시기나 하여도 다소 어머니의 마음이 위안이 아니 될까.

배천에서 최광옥 선생과 전봉훈 군수의 옛일을 추억하고 장단 고랑포에서 나의 선조 경순왕릉에 참배할 적에는 능말에 사는 김 씨들이 내가 오는 줄 알고 제전을 준비하였었다.

나는 대한 나라 자주 독립의 날을 기다려서 다시 이 글을 계속하기로 하고 지금은 붓을 놓는다.

서울 새문 밖에서.

구 - 나의 소원

제1장. 민족 국가

"네 소원이 무엇이냐?"

하고 하느님이 물으시면, 나는 서슴지 않고

"내 소원은 대한 독립이오."

하고 대답할 것이다.

"그 다음 소원은 무엇이냐?"

하면, 나는 또

"우리나라의 독립이오."

할 것이요, 또,

"그 다음 소원이 무엇이냐?"

하는 세 번째 물음에도, 나는 더욱 소리를 높여서,

"나의 소원은 우리나라 대한의 완전한 자주독립이오."

하고 대답할 것이다.

동포 여러분!

나 김구의 소원은 이것 하나밖에는 없다. 내 과거의 70 평생을 이 소원을 위해 살아왔고, 현재에도 이 소원 때문에 살고 있고, 미래에도 나는 이 소원을 달(達)하려고 살 것이다.

독립이 없는 백성으로 70 평생에 설움과 부끄러움과 애탐을 받은 나에게는 세상에 가장 좋은 것이 완전하게 자주 독립한 나라의 백성으로 살아 보다가 죽는 일이다. 나는 일찍이 우리 독립 정부의 문지기가 되기를 원하였거니와, 그것은 우리나라가 독립국만 되면 나는 그 나라의 가장 미천한 자가 되어도 좋다는 뜻이다. 왜 그런고 하면, 독립한 제 나라의 빈천이 남의 밑에 사는 부귀보다 기쁘고 영광스럽고 희망이 많기 때문이다.

옛날, 일본에 갔던 박제상(朴堤上)이,

"내 차라리 계림(鷄林)의 개, 돼지가 될지언정 왜왕(倭王)의 신하로 부귀를 누리지 않겠다."

한 것이 그의 진정이었던 것을 나는 안다. 제상은 왜왕이 높은 벼슬과 많은 재물을 준다는 것을 물리치고 달게 죽음을 받았으니, 그것은

"차라리 내 나라의 귀신이 되리라."

함에서였다.

근래에 우리 동포 중에는 우리나라를 어느 큰 이웃 나라의 연방에 편입하기를 소원하는 자가 있다 하니, 나는 그 말을 차마 믿으려 아니하거니와, 만일 진실로 그러한 자가 있다 하면, 그는 제정신을 잃은 미친놈이라고밖에 볼 길이 없다.

나는 공자, 석가, 예수의 도를 배웠고, 그들을 성인으로 숭배하거니와, 그들이 합하여서 세운 천당, 극락이 있다 하더라도, 그것이 우리 민족이 세운 나라가 아닐진대, 우리 민족을 그 나라로 끌고 들어가지 아니할 것이다. 왜 그런고 하면, 피와 역사를 같이하는 민족이란 완연히 있는 것이어서, 내 몸이 남의 몸이 못 됨과 같이 이 민족이 저 민족이 될 수 없는 것은 마치 형제도 한집에서 살기에 어려움이 있는 것과 같은 것이다. 둘 이상이 합하여서 하나가 되자면 하나는 높고 하나는 낮아서, 하나는 위에 있어서 명령하고, 하나는 밑에 있어서 복종하는 것이 근본 문제가 되는 것이다.

이에 대하여 일부 소위 좌익의 무리는 혈통의 조국을 부인하고 소위 사상의 조국을 운운하며, 혈족의 동포를 무시하고 소위 사상의 동무와 프롤레타리아트의 국제적 계급을 주장하여, 민족주의라면 마치 이미 진리권 외에 떨어진 생각인 것같이 말하고 있다. 심히 어리석은 생각이다. 철학도 변하고 정치, 경제의 학설도 일시적이거니와, 민족의 혈통은 영구적이다. 일찍이 어느 민족 내에서나 혹은 종교로, 혹은 학설로, 혹은 경제적, 정치적 이해의 충돌로 하여 두 파, 세 파로 갈려서 피로써 싸운 일이 없는 민족이 없거니와, 지내어 놓고 보면 그것은 바람과 같이 지나가는 일시적인 것이요, 민족은 필경 바람 잔 뒤에 초목 모양으로 뿌리와 가지를 서로 걸고 한 수풀을 이루어 살고 있다. 오늘날 소위 좌우익이란 것도 결국 영원한 혈통의 바다에 일어나는 일시적인 풍파에 불과하다는 것을 잊어서는 아니 된다.

이 모양으로 모든 사상도 가고 신앙도 변한다. 그러나 혈통적인 민족만

은 영원히 흥망성쇠의 공동 운명의 인연에 얽힌 한 몸으로 이 땅 위에 남는 것이다. 세계 인류가 네오 내오 없이 한 집이 되어 사는 것은 좋은 일이요, 인류의 최고요 최후인 희망이요, 이상이다. 그러나 이것은 멀고 먼 장래에 바랄 것이요, 현실의 일은 아니다. 사해동포(四海同胞)의 크고 아름다운 목표를 향하여 인류가 향상하고 전진하는 노력을 하는 것은 좋은 일이요, 마땅히 할 일이나, 이것도 현실을 떠나서는 안 되는 일이니, 현실의 진리는 민족마다 최선의 국가를 이루어 최선의 문화를 낳아 길러서, 다른 민족과 서로 바꾸고 서로 돕는 일이다. 이것이 내가 믿고 있는 민주주의요, 이것이 인류의 현 단계에서는 가장 확실한 진리다.

그러므로 우리 민족으로서 하여야 할 최고의 임무는, 첫째로 남의 절제도 아니 받고 남에게 의뢰도 아니 하는, 완전한 자주 독립의 나라를 세우는 일이다. 이것이 없이는 우리 민족의 생활을 보장할 수 없을 뿐더러, 우리 민족의 정신력을 자유로 발휘하여 빛나는 문화를 세울 수가 없기 때문이다. 이렇게 완전한 자주 독립의 나라를 세운 뒤에는, 둘째로 이 지구상의 인류가 진정한 평화와 복락을 누릴 수 있는 사상을 낳아, 그것을 먼저 우리나라에 실현하는 것이다.

나는 오늘날의 인류의 문화가 불완전함을 안다. 나라마다 안으로는 정치상, 경제상, 사회상으로 불평등, 불합리가 있고, 밖으로 국제적으로는 나라와 나라의, 민족과 민족의 시기, 알력, 침략, 그리고 그 침략에 대한 보복으로 작고 큰 전쟁이 끊일 사이가 없어서 많은 생명과 재물을 희생하고도, 좋은 일이 오는 것이 아니라 인심의 불안과 도덕의 타락은 갈수록 더하니, 이래 가지고는 전쟁이 끊일 날이 없어, 인류는 마침내 멸망하고 말 것이다.

그러므로 인류 세계에는 새로운 생활 원리의 발견과 실천이 필요하게 되었다. 이야말로 우리 민족이 담당한 천직이라고 믿는다. 이러하므로 우리 민족의 독립이란 결코 삼천리 삼천만의 일이 아니라, 진실로 세계 전체의 운명에 관한 일이요, 그러므로 우리나라의 독립을 위하여 일하는 것이 곧 인류를 위하여 일하는 것이다.

만일, 우리의 오늘날 형편이 초라한 것을 보고 자굴지심(自屈之心)을 발하여, 우리가 세우는 나라가 그처럼 위대한 일을 할 것을 의심한다면, 그것은 스스로 모욕하는 일이다. 우리 민족의 지나간 역사가 빛나지 아니함이 아니

나, 그것은 아직 서곡이었다. 우리가 주연 배우로 세계 역사의 무대에 나서는 것은 오늘 이후다. 삼천만의 우리 민족이 옛날의 그리스 민족이나 로마 민족이 한 일을 못한다고 생각할 수 있겠는가.

내가 원하는 우리 민족의 사업은 결코 세계를 무력으로 정복하거나 경제력으로 지배하려는 것이 아니다. 오직 사랑의 문화, 평화의 문화로 우리 스스로 잘 살고 인류 전체가 의좋게 즐겁게 살도록 하는 일을 하자는 것이다. 어느 민족도 일찍이 그러한 일을 한 이가 없으니 그것은 공상이라고 하지 마라. 일찍이 아무도 한 자가 없기에 우리가 하자는 것이다. 이 큰일은 하늘이 우리를 위하여 남겨 놓으신 것임을 깨달을 때에 우리 민족은 비로소 제 길을 찾고 제 일을 알아본 것이다.

나는 우리나라의 청년 남녀가 모두 과거의 조그맣고 좁다란 생각을 버리고, 우리 민족의 큰 사명에 눈을 떠서, 제 마음을 닦고 제 힘을 기르기로 낙을 삼기를 바란다. 젊은 사람들이 모두 이 정신을 가지고 이 방향으로 힘을 쓸진댄 30년이 못하여 우리 민족은 괄목상대(刮目相對)하게 될 것을 나는 확신하는 바이다.

제2장. 정치 이념

나의 정치 이념은 한마디로 표시하면 자유다. 우리가 세우는 나라는 자유의 나라라야 한다.

자유란 무엇인가? 절대로 각 개인이 제멋대로 사는 것을 자유라 하면 이것은 나라가 생기기 전이나, 저 레닌의 말 모양으로 나라가 소멸된 뒤에나 있는 일이다. 국가생활을 하는 인류에게는 이러한 무조건의 자유는 없다. 왜 그런고 하면, 국가란 일종의 규범의 속박이기 때문이다. 국가생활을 하는 우리를 속박하는 것은 법이다. 개인의 생활이 국법에 속박되는 것은 자유 있는 나라나 자유 없는 나라나 마찬가지다. 자유와 자유 아님이 갈리는 것은 개인의 자유를 속박하는 법이 어디서 오느냐 하는 데 달렸다. 자유 있는 나라의 법은 국민의 자유로운 의사에서 오고, 자유 없는 나라의 법은 국민 중의 어떤 일개인, 또는 일계급에서 온다. 일개인에서 오는 것을 전제 또는 독재라 하고, 일계급에서 오는 것을 계급독재라 하고 통칭 파쇼라고 한다.

나는 우리나라가 독재의 나라가 되기를 원치 아니한다. 독재의 나라에서는 정권에 참여하는 계급 하나를 제외하고는 다른 국민은 노예가 되고 마는 것이다. 독재 중에서 가장 무서운 독재는 어떤 주의, 즉 철학을 기초로 하는 계급 독재다. 군주나 기타 개인 독재자의 독재는 그 개인만 제거되면 그만이거니와, 다수의 개인으로 조직된 한 계급이 독재의 주체일 때에는 이것을 제거하기는 심히 어려운 것이니, 이러한 독재는 그보다도 큰 조직의 힘이거나 국제적 압력이 아니고는 깨뜨리기 어려운 것이다.

우리나라의 양반 정치도 일종의 계급 독재이거니와 이것은 수백 년을 계속하였다. 이탈리아의 파시스트, 독일의 나치스의 일은 누구나 다 아는 일이다. 그러나 모든 계급 독재 중에도 가장 무서운 것은 철학을 기초로 한 계급 독재다. 수백 년 동안 이조 조선에 행하여 온 계급 독재는 유교, 그중에도 주자학파의 철학을 기초로 한 것이어서, 다만 정치에 있어서만 독재가 아니라 사상, 학문, 사회생활, 가정생활, 개인생활까지도 규정하는 독재였다. 이 독재정치 밑에서 우리 민족의 문화는 소멸되고 원기는 마멸된 것이다. 주자학 이외의 학문은 발달하지 못하니 이 영향은 예술, 경제, 산업에까지 미치었다. 우리나라가 망하고 민력이 쇠잔하게 된 가장 큰 원인이 실로 여기 있었다. 왜 그런고 하면 국민의 머릿속에 아무리 좋은 사상과 경륜이 생기더라도 그가 집권계급의 사람이 아닌 이상, 또 그것이 사문난적(斯文亂賊)이라는 범주 밖에 나지 않는 이상 세상에 발표되지 못하기 때문이었다. 이 때문에 싹이 트려다가 눌려 죽은 새 사상, 싹도 트지 못하고 밟혀버린 경륜이 얼마나 많았을까. 언론의 자유가 얼마나 중요한 것임을 통감하지 아니할 수 없다. 오직 언론의 자유가 있는 나라에만 진보가 있는 것이다.

시방 공산당이 주장하는 소련식 민주주의란 것은 이러한 독재정치 중에도 가장 철저한 것이어서, 독재정치의 모든 특징을 극단으로 발휘하고 있다. 즉 헤겔에게서 받은 변증법, 포이에르바하의 유물론 이 두 가지와, 아담 스미스의 노동가치론을 가미한 마르크스의 학설을 최후의 것으로 믿어, 공산당과 소련의 법률과 군대와 경찰의 힘을 한데 모아서 마르크스의 학설에 일점일획(一点一劃)이라도 반대는 고사하고 비판만 하는 것도 엄금하여 이에 위반하는 자는 죽음의 숙청으로써 대하니, 이는 옛날에 조선의 사문난적에 대한 것 이상이다. 만일 이러한 정치가 세계에 퍼진다면 전 인류의 사상은 마르크스주의 하나로 통일될 법도 하거니와, 설사 그렇게 통일이 된다 하더라도 그것이 불행히 잘못된 이론일진대, 그런 큰 인류의 불행은 없을 것이다. 그런데 마르크스 학설의 기초인 헤겔의 변증법 이론이란 것이 이미 여러 학자의 비판으로 말미암아 전면적 진리가 아닌 것이 알려지지 아니하였는가. 자연계의 변천이 변증법에 의하지 아니함은 뉴튼, 아인슈타인 등 모든 과학자들의 학설을 보아서 분명하다.

그러므로 어느 한 학설을 표준으로 하여서 국민의 사상을 속박하는 것은 어느 한 종교를 국교로 정하여서 국민의 신앙을 강제하는 것과 마찬가지로 옳지 아니한 일이다. 산에 한 가지 나무만 나지 아니하고, 들에 한 가지 꽃만 피지 아니한다. 여러 가지 나무가 어울려서 위대한 삼림의 아름다움을 이루고 백가지 꽃이 섞여 피어서 봄들의 풍성한 경치를 이루는 것이다. 우리가 세우는 나라에는 유교도 성하고, 불교도, 예수교도 자유로 발달하고, 또 철학을 보더라도 인류의 위대한 사상이 다 들어와서 꽃이 피고 열매를 맺게 할 것이니, 이러하고야만 비로소 자유의 나라라 할 것이요. 이러한 자유의 나라에서만 인류의 가장 크고 가장 높은 문화가 발생할 것이다.

나는 노자(老子)의 무위(無爲)를 그대로 믿는 자는 아니거니와, 정치에 있어서 너무 인공을 가하는 것을 옳지 않게 생각하는 자이다. 대개 사람이란 전지전능할 수가 없고 학설이란 완전무결할 수 없는 것이므로, 한 사람의 생각, 한 학설의 원리로 국민을 통제하는 것은 일시 속한 진보를 보이는 듯하더라도 필경은 병통이 생겨서 그야말로 변증법적인 폭력의 혁명을 부르게 되는 것이다. 모든 생물에는 다 환경에 순응하여 저를 보존하는 본능이 있으므로 가장 좋은 길은 가만히 두는 것이다. 작은 꾀로 자주 건드리면 이익보다도 해가 많다. 개인 생활에 너무 잘게 간섭하는 것은 결코 좋은 정치가 아니다. 국민은 군대의 병정도 아니요, 감옥의 죄수도 아니다. 한 사람 또 몇 사람의 호령으로 끌고 가는 것이 극히 부자연하고 또 위태한 일인 것은, 파시스트 이탈리아와 나치스 독일이 불행하게도 가장 잘 증명하고 있지 아니한가.

미국은 이러한 독재국에 비겨서는 심히 통일이 무력한 것 같고 일의 진행이 느린 듯하여도, 그 결과로 보건대 가장 큰 힘을 발하고 있으니 이것은 그 나라의 민주주의 정치의 효과이다. 무슨 일을 의논할 때에 처음에는 백성들이 저마다 제 의견을 발표하여서 훤훤효효(喧喧囂囂)하여 귀일(歸一)할 바를 모르는 것 같지만, 갑론을박(甲論乙駁)으로 서로 토론하는 동안에 의견이 차차 정리되어서 마침내 두어 큰 진영으로 포섭되었다가, 다시 다수결의 방법으로 한 결론에 달하여 국회에서 결의가 되고, 원수의 결재를 얻어 법률이 이루어지면, 이에 국민의 의사가 결정되어 요지부동하게 되는 것이다. 이 모양으로 민주주의란 국민의 의사를 알아보는 한 절차 또는 방식이요. 그 내용은 아니다. 즉 언론의 자유, 투표의 자유, 다수결에 복종, 이 세 가지가 곧 민주주의이다. 국론(國論), 즉 국민의 의사의 내용은 그때 그때의 국민의 언론전으로 결정되는 것이어서, 어느 개인이나 당파의 특정한 철학적 이론에 좌우되는 것이 아님이 미국식 민주주의의 특색이다. 다시 말하면 언론, 투표, 다수결 복종이라는 절차만 밟으면 어떠한 철학에 기초한 법률도, 정책도 만들 수 있으니, 이것을 제한하는 것은 오직 그 헌법의 조문뿐이다. 그런데 헌법도 결코 독재국의 그것과 같이 신성불가침의 것이 아니라, 민주주의의 절차로 개정할 수가 있는 것이니, 이러므로 민주, 즉 백성이 나라의 주권자라 하는 것이다. 이러한 나라에서 국론을 움직이려면 그중에서 어떤 개인이나 당파를 움직여서 되지 아니하고, 그 나라 국민의 의견을 움직여서 된다.

백성들의 작은 의견은 이해관계로 결정되거니와, 큰 의견은 그 국민성과 신앙과 철학으로 결정된다. 여기서 문화와 교육의 중요성이 생긴다. 국민성을 보존하는 것이나 수정하고 향상하는 것이 문화와 교육의 힘이요, 산업의 방향도 문화와 교육으로 결정됨이 큰 까닭이다. 교육이란 결코 생활의 기술을 가르치는 것만을 의미하는 것이 아니다. 교육의 기초가 되는 것은 우주와 인생과 정치에 대한 철학이다. 어떠한 철학의 기초 위에 어떠한 생활의 기술을 가르치는 것이 곧 국민교육이다. 그러므로 좋은 민주주의의 정치는 좋은 교육에서 시작될 것이다. 건전한 철학의 기초 위에 서지 아니한 지식과 기술의 교육은 그 개인과 그를 포함한 국가에 해가 된다. 인류 전체를 보아도 그러하다.

이상에 말한 것으로 내 정치 이념이 대강 짐작될 것이다. 나는 어떠한 의미로든지 독재정치를 배격한다. 나는 우리 동포를 향하여서 부르짖는다. 결코 독재정치가 아니 되도록 조심하라고, 우리 동포 각 개인이 십분의 언론 자유를 누려서 국민 전체의 의견대로 되는 정치를 하는 나라를 건설하자고, 일부 당파나 어떤 한 계급의 철학으로 다른 다수를 강제함이 없고, 또 현재의 우리들의 이론으로 우리 자손의 사상과 신앙의 자유를 속박함이 없는 나라, 천지와 같이 넓고 자유로운 나라, 그러면서도 사랑의 덕과 법의 질서가 우주 자연의 법칙과 같이 준수되는 나라가 되도록 우리나라를 건설하자고. 그렇다고 나는 미국의 민주주의 제도를 그대로 직역하자는 것은 아니다. 다만 소련의 독재적인 민주주의에 대하여 미국의 언론 자유적인 민주주의를 비교하여서 그 가치를 판단하였을 뿐이다. 둘 중에서 하나를 택한다면 사상과 언론의 자유를 기초로 한 자를 취한다는 말이다.

나는 미국의 민주주의 정치제도가 반드시 최후적인 완성된 것이라고는 생각지 아니한다. 인생의 어느 부분이나 다 그러함과 같이 정치형태에 있어서도 무한한 창조적 진화가 있을 것이다. 그러나 우리나라와 같이 반만년 이래로 여러 가지 국가형태를 경험한 나라에는 결점도 많으려니와, 교묘하게 발달된 정치제도도 없지 아니할 것이다. 가까이 이조시대로 보더라도 홍문관(弘文館), 사간원(司諫院), 사헌부(司憲府) 같은 것은 국민 중에 현인(賢人)의 의사를 국정에 반영하는 제도로 멋있는 제도요, 과거제도와 암행어사 같은 것도 연구할 만한 제도다. 역대의 정치제도를 상고하면 반드시 쓸 만한 것도 많으리라고 믿는다. 이렇게 남의 나라의 좋은 것을 취하고, 내 나라의 좋은 것을 골라서 우리나라에 독특한 좋은 제도를 만드는 것도 세계의 문운(文運)에 보태는 일이다.

제3장. 내가 원하는 우리나라

나는 우리나라가 세계에서 가장 아름다운 나라가 되기를 원한다. 가장 부강한 나라가 되기를 원하는 것은 아니다. 내가 남의 침략에 가슴이 아팠으니, 내 나라가 남을 침략하는 것을 원치 아니한다. 우리의 부력(富力)은 우리의 생활을 풍족히 할 만하고, 우리의 강력(强力)은 남의 침략을 막을 만하면 족하다. 오직 한없이 가지고 싶은 것은 높은 문화의 힘이다. 문화의 힘은 우리 자신을 행복하게 하고, 나아가서 남에게 행복을 주겠기 때문이다. 지금, 인류에게 부족한 것은 무력도 아니오, 경제력도 아니다. 자연과학의 힘은 아무리 많아도 좋으나 인류 전체로 보면 현재의 자연 과학만 가지고도 편안히 살아가기에 넉넉하다.

인류가 현재에 불행한 근본 이유는 인의가 부족하고 자비가 부족하고 사랑이 부족한 때문이다. 이 마음만 발달이 되면 현재의 물질력으로 20억이 다. 편안히 살아갈 수 있을 것이다. 인류의 이 정신을 배양하는 것은 오직 문화이다.

나는 우리나라가 남의 것을 모방하는 나라가 되지 말고 이러한 높고 새로운 문화의 근원이 되고 목표가 되고 모범이 되기를 원한다. 그래서 진정한 세계의 평화가 우리나라에서, 우리나라로 말미암아서 세계에 실현되기를 원한다. 홍익인간(弘益人間)이라는 우리 국조(國祖) 단군의 이상이 이것이라고 믿는다.

또, 우리 민족의 재주와 정신과 과거의 단련이 이 사명을 달성하기에 넉넉하고, 우리 국토의 위치와 기타의 지리적 조건이 그러하며, 또 1차, 2차의 세계 대전을 치른 인류의 요구가 그러하며, 이러한 시대에 새로 나라를 고쳐 세우는 우리의 서 있는 시기가 그러하다고 믿는다. 우리 민족이 주연 배우로 세계무대에 등장할 날이 눈앞에 보이지 아니하는가.

이 일을 하기 위하여 우리가 할 일은 사상의 자유를 확보하는 정치 양식의 건립과 국민 교육의 완비다. 내가 위에서 자유와 나라를 강조하고 교육의 중요성을 말한 것이 이 때문이다. 최고 문화 건설의 사명을 달할 민족은 일언이폐지하면 모두 성인(聖人)을 만드는 데 있다. 대한(大韓)사람이라면 간 데마다 신용을 받고 대접을 받아야 한다.

우리의 적이 우리를 누르고 있을 때에는 미워하고 분해하는 살벌, 투쟁의 정신을 길렀었거니와, 적은 이미 물러갔으니 우리는 증오의 투쟁을 버리고 화합의 건설을 일삼을 때다. 집안이 불화하면 망하고 나라 안이 갈려서 싸우면 망한다. 동포 간의 증오와 투쟁은 망조다. 우리의 용모에서는 화기가 빛나야 한다. 우리 국토 안에는 언제나 춘풍(春風)이 태탕(駘蕩)하여야 한다. 이것은 우리 국민 각자가 한번 마음을 고쳐먹음으로써 되고, 그러한 정신의 교육으로 영속될 것이다. 최고 문화로 인류의 모범이 되기로 사명을 삼는 우리 민족의 각원(各員)은 이기적 개인주의자여서는 안 된다. 우리는 개인의 자유를 극도로 주장하되, 그것은 저 짐승들과 같이 저마다 제 배를 채우기에 쓰는 자유가 아니요, 제 가족을, 제 이웃을, 제 국민을 잘 살게 하기에 쓰이는 자유다. 공원의 꽃을 꺾는 자유가 아니라 공원에 꽃을 심는 자유다.

우리는 남의 것을 빼앗거나 남의 덕을 입으려는 사람이 아니라 가족에게, 이웃에게, 동포에게 주는 것으로 낙을 삼는 사람이다. 우리말에 이른바 선비요 점잖은 사람이다. 그러므로 우리는 게으르지 아니하고 부지런하다. 사랑하는 처자를 가진 가장은 부지런할 수밖에 없다. 한없이 주기 위함이다. 힘든 일은 내가 앞서 하니 사랑하는 동포를 아낌이요, 즐거운 것은 남에게 권하니 사랑하는 자를 위하기 때문이다. 우리 조상네가 좋아하던 인후지덕(仁厚之德)이란 것이다.

이러함으로써 우리나라의 산에는 삼림이 무성하고 들에는 오곡백과가 풍성하며, 촌락과 도시는 깨끗하고 풍성하고 화평할 것이다. 그리하여 우리 동포, 즉 대한사람은 남자나 여자나 얼굴에는 항상 화기가 있고, 몸에서는 덕의 향기를 발할 것이다. 이러한 나라는 불행하려 하여도 불행할 수 없고 망하려 하여도 망할 수 없는 것이다.

민족의 행복은 결코 계급투쟁에서 오는 것도 아니요, 개인의 행복이 이기심에서 오는 것이 아니다. 계급투쟁은 끝없는 계급투쟁을 낳아서 국토에 피가 마를 날이 없고, 내가 이기심으로 남을 해하면 천하가 이기심으로 나를 해할 것이니, 이것은 조금 얻고 많이 빼앗기는 법이다. 일본이 이번에 당한 보복은 국제적, 민족적으로도 그러함을 증명하는 가장 좋은 실례다.

이상에서 말한 것은 내가 바라는 새 나라의 용모의 일단을 그린 것이거니와, 동포 여러분! 이러한 나라가 될진대 얼마나 좋겠는가. 우리네 자손을 이러한 나라에 남기고 가면 얼마나 만족하겠는가. 옛날 한토(漢土)의 기자(箕子)가 우리나라를 사모하여 왔고, 공자(孔子)께서도 우리 민족이 사는 데 오고 싶다고 하였으며, 우리 민족을 인(仁)을 좋아하는 민족이라 하였으니, 옛날에도 그러하였거니와, 앞으로도 세계 인류가 모두 우리 민족의 문화를 이렇게 사모하도록 하지 아니하려는가. 나는 우리의 힘으로, 특히 교육의 힘으로 반드시 이 일이 이루어질 것을 믿는다. 우리나라의 젊은 남녀가 다 이 마음을 가질진대 아니 이루어지고 어찌하랴.

나도 일찍 황해도에서 교육에 종사하였거니와, 내가 교육에서 바라던 것이 이것이었다. 내 나이 이제 70이 넘었으니 직접 국민 교육에 종사할 시일이 넉넉지 못하거니와, 나는 천하의 교육자와 남녀 학도들이 한번 크게 마음을 고쳐먹기를 빌지 아니할 수 없다.

1947년
새문 밖에서.